▲ 1955 年在中山公园五色土

▲ 刘心武（2005 年）

▲《小猴吃瓜果》(1979 年) 封面

▲ 《我是你的朋友》1987 年日译本封面

刘心武文存**16**

[1958－2010]

儿童文学卷

善的教育

刘心武◎著

江苏人民出版社

图书在版编目(CIP)数据

善的教育／刘心武著． — 南京：江苏人民出版社，
2012.11

（刘心武文存；16.儿童文学卷）
ISBN 978-7-214-08205-3

I.①善 … Ⅱ.①刘… Ⅲ.①儿童文学-中篇小说-
小说集-中国-当代 Ⅳ.①I287.45

中国版本图书馆CIP数据核字(2012)第109113号

书　　　名	善的教育
著　　　者	刘心武
责 任 编 辑	刘　焱
统 筹 编 辑	李　丹
特 约 编 辑	朱　鸿
文 字 校 对	陈晓丹　郭慧红
装 帧 设 计	门乃婷工作室
出 版 发 行	凤凰出版传媒股份有限公司
	江苏人民出版社
出版社地址	南京湖南路1号A楼　邮编：210009
出版社网址	http://www.book-wind.com
经　　　销	凤凰出版传媒股份有限公司
印　　　刷	三河市金元印装有限公司
开　　　本	700毫米×1000毫米　1/16
印　　　张	17.25
字　　　数	258千字
彩　　　插	4
版　　　次	2012年11月第1版　2012年11月第1次印刷
标 准 书 号	ISBN 978-7-214-08205-3
定　　　价	34.00元

（江苏人民出版社图书凡印装错误可向本社调换）

《刘心武文存》出版说明

　　《刘心武文存》收录刘心武自 1958 年 16 岁至 2010 年 68 岁公开发表的文字约 900 万字。《文存》共 40 卷，按文章门类收录，计有长篇小说 5 卷、中篇小说 4 卷、短篇小说 5 卷、小小说 1 卷、儿童文学 1 卷、建筑评论 2 卷、《红楼梦》研究 4 卷、散文随笔 11 卷、杂文 1 卷、海外游记 1 卷、多品种（图文交融文本、报告文学、诗歌、剧本、足球评论、译述）1 卷、创作谈 1 卷、理论批评 1 卷、早期（1958 年至 1976 年）作品 1 卷、自述 1 卷。因跨越时间达半个世纪以上，收录定有遗漏，但其此期间的主要作品，相信均已收入。

　　《刘心武文存》各卷均附有《刘心武文学活动大事记》及《刘心武著作书目》，可备检索。

　　编辑出版《刘心武文存》的目的，意在供各方面人士阅读欣赏、分析研究、批评批判、收藏保存。

刘心武文存

16

——

目录

玻璃亮晶晶

张小征呵了一口气，再用干布一擦，把窗玻璃擦得闪闪发亮。他满心欢畅地透过明净的玻璃窗朝外望去，校园里丁香树的花丛在朝阳下闪光，一队穿工作服的大同学，谈笑着走向校办工厂，两个滚铁环的小同学，嬉笑着追跑过来，惊动了悄悄地在丁香树下背英语单词的两个女同学，她俩拨开缀满花球的树枝，好奇地朝他们张望着……

我们的学校多美好！张小征侧过头，更仔细地检查着玻璃窗。啊，这边还有一个灰圆的雨点印，擦掉它！呀，是在玻璃的那一面……张小征正打算弯过胳膊去擦，忽然，对面闪出了一张长着翘鼻子的笑脸，两只大眼睛冲他眨了眨，便伸出右手用抹布去擦那个雨点印——这是汪铭，原来他也提前到学校来了，要把教室的窗玻璃擦得亮亮晶晶。

张小征心里热乎乎的，隔着玻璃比画了个刮鼻子的动作，便同汪铭里外配合着揩擦起来。张小征一边擦着，一边不禁回忆起三年来的种种事情……

一

那是 1974 年的春天，校园里也盛开着丁香花，但树枝上留着被粗暴的攀折过的痕迹，折断的枝子挂下一缕青皮，冒出泪水般的树汁……

教学楼的窗玻璃有些被打碎了，来不及换上新的，这里那里便出现了一些钉着三合板、糊着牛皮纸的窗户……

那时候，张小征和汪铭他们刚刚升上中学，张小征是班长，汪铭是他同桌。他俩那会儿可合不来呢！

一个星期六的下午，全校大扫除。张小征正擦着那块窗玻璃，突然，“咣啷”一声，飞来一块石头子儿，玻璃顿时被打碎了。幸亏张小征两脚往后一蹦，飞落的碎玻璃才没划破他的肉皮。周围的同学一齐叫嚷起来：“哎呀！”“谁使的坏？！”“准又是汪铭跟玉牛！”

果然是汪铭跟杜玉牛打的玻璃。张小征气愤地跳到窗外时，甬道上，班主任阮老师已经截住他俩，打扫甬道的同学也都围了上去。

班委徐蓉蓉顿着长柄扫帚，一对抓鬏跳动着，首先冲他俩开了炮：“人家干活你们偷懒，还存心用崩弓子打玻璃——没羞没臊！”

好几个同学跟上去批评他俩。长着一对招风耳的杜玉牛咧着嘴狡辩说：“我们打鸟呢，谁存心打玻璃啦？……”

汪铭仰着头，两手抱在胸前，一只脚在地上打着拍子，左边裤兜里露出崩弓上的皮筋环，满不在乎地说：“反正我没打！”

阮老师，这位32岁的有着运动员体格的男老师，努力压下满腔的怒火，足足有半分钟没说话。只见他牙筋抖动了一阵，用极耐心的语调对他俩说：“你们是存心破坏公物，还不认错，这很不好。玻璃窗好比是教室的眼睛，打碎了玻璃钉上板子，就好比一个人眼睛里长了‘萝卜花’，你们说有多糟糕！再说，学校的一砖一瓦都是党和人民交给我们的，随便损害它，怎么对得起党和人民呢？……”

杜玉牛垂着眼皮，多少有点自知理亏。汪铭却把鼻子翘着，打断阮老师的话，挑战地说：“甭来这一套！我可不是‘五分羊’！”说着，拿眼一瞟站在阮老师身边的张小征。

张小征嘴唇咬成个“一”字，拧紧眉头望着汪铭，心里像滚锅开粥一样难受。汪铭把他叫成“五分羊”有一个来月了。那回上数学课，汪铭故意在兜里藏了个知了，它乱叫起来，惹得一些同学嘻嘻地笑。阮老师不得不停下讲课，要求带知了的同学自觉把它扔出教室。全班同学都瞧着汪铭，他却装作没事，挤鼻弄眼地打了个假呵欠。张小征一火，便侧身从他衣兜里掏出知了，一挥手扔出窗外。汪铭揪住张小征胳膊要跟他算账，被阮老师的批评声和同学们的一片不满声制止了。下课后，汪铭撺掇杜玉牛，跟他一块把张小征叫成"五分羊"。还编了个"顺口溜"："五分加绵羊，专帮老师忙，不会反潮流，是个大窝囊！"……

徐蓉蓉真替张小征着急。她双手紧紧攥住扫帚把，两眼盼着张小征给汪铭几句批评……咦，他怎么不吭声？他的个头比汪铭高出一指，唱起歌来比汪铭高一度音，而对着汪铭的多次挑衅，却从没推过他一把，也没大声跟他嚷嚷过……唉！再这样下去，班上那些个糊涂的同学，不更得把汪铭看成"英雄"，把他看成"狗熊"了吗？

张小征当然并不窝囊。他一时没吭声，既不是怕汪铭，也不是嘴笨凑不齐有劲的词儿，他在心里头琢磨眼前的事儿呢。他在想，自从报上一连登了张铁生等几个所谓反潮流的典型以后，学校里像汪铭这号本来散漫的同学变得更难办了，他们动不动顶撞老师，随便破坏公共财物，不但不害臊，反觉得自己挺有"反潮流"精神，还是个"英雄"呢……这是怎么回事呀？

张小征正在想着，突然，汪铭在那里粗暴地叫喊着，他转过身，只见汪铭粗声地问阮老师："你干吗骂我？你干吗骂小将？你搞'师道尊严'！"一边质问，一边往上耸着身子。

阮教师沉住气，他严肃地盯着汪铭说："这不是骂你——我还要重复一遍：你丢了魂了！没魂的孩子当不了革命小将，倒有可能让妖魔鬼怪勾引去当小鬼！你跟杜玉牛先把玻璃赔上，我以后再找你们细谈。"说完，他转身向楼里走，步子挺重，他的心情更加沉重。

"我才不赔呢！"汪铭冲阮老师背影撇嘴一嘬，便拉上杜玉牛跑出学校去了……

二

张小征和徐蓉蓉找来牛皮纸，暂时把缺了玻璃的窗户糊上，又帮着板报组写完了板报，到办公室去找阮老师。

办公室的门虚掩着，他俩连喊了两声"报告！"里面没人搭腔，便推门走了进去。

夕阳给办公室染上了一层玫瑰红。老师们的办公桌上堆放着一叠叠的作业本，有的办公桌旁还倚靠着画好图形的小黑板。屋里一个老师也没有。

"没人！"徐蓉蓉失望地说。这时，屋角冒出一句奶声奶气的回答："我在这儿啦！"

原来，在阮老师办公桌后面，一个才3岁多的幼儿园小妞妞，正坐在小马扎上，把阮老师坐的高椅子当桌子，用粉笔当积木搭东西玩呢。张小征和徐蓉蓉认出来，这是阮老师的女儿小芳。

徐蓉蓉马上蹲到椅子另一边，笑呵呵地对她说："小芳，你搭什么呢？房子吗？不像！我帮你搭个火车吧！"说着便动起手来。

张小征双手扶住膝盖，弯下腰问小芳："你怎么在这儿？你爸呢？"

小芳得意地说："爸爸老不接我去，我就自个儿到这儿来啦！他有事，让我在这儿等着……"小芳的托儿所就在学校隔壁，可阮老师的家离学校很远，阮老师每天要起个大早，把小芳送到托儿所来。每天下班后，总是一手拎着塞满作业本的手提包、一手拉着小芳，带她换两次公共汽车回家去。

这时，一个中年妇女匆匆地走进屋来，她是另一个班的班主任，只见她打开办公桌抽屉找出个本子，又匆匆地走了出去。也许，他们班的干部会还没开完？……

张小征直起腰环顾着办公室，当看到墙上毛主席"忠诚党的教育事业"的题字时，他两眼一眨，脑海里再次飘过一个念头：这些辛辛苦苦为革命操劳的老师，难道应该把他们当成我们造反的对象吗？……

阮老师迈着沉重的步子进屋来了，他浓黑的双眉拢在一起，仿佛一路都在寻思。

张小征和徐蓉蓉迎上去亲热地叫："阮老师！"小芳也飞跑过去抱住了爸爸的腿。

徐蓉蓉连珠炮般地对阮老师说："您找党支部汇报去了吧？汪铭真浑！处分他吧！您犯不上生他的气！这回他要不赔玻璃、不做检查，我就……给他刷张比门还大的大字报！"

阮老师既没点头也没摇头，他问："同学们对今天的事，都有些什么反应？"

徐蓉蓉又抢在头里回答："当然生气啦！板报组出板报的时候，我让他们留出地

方来，抄了我临时编的一首诗，好几个人看了都说：'痛快！'"说完她从兜里掏出题
为《这啥算"英雄"？！》的诗稿递给阮老师看。

阮老师看诗的时候，张小征补充说："也有不同的反应。有的男生说：'人家汪铭
就是棒，啥样的老师都敢顶。'有的女生说：'汪铭真次！可最近报上干吗老表扬学生
造老师的反呀？汪铭准是照着学的！'"

阮老师把徐蓉蓉的诗折起来放进兜里，拍着张小征肩膀对他俩说："汪铭得批评，
可眼下不是他一个人的问题，别的班也有跟他差不多的，咱们班的杜玉牛不就跟着
他一起折腾吗？还有不少同学思想挺混乱……党支部指示我们，要辨明风向，分清
是非，坚持原则，从多数着眼，来搞好工作……"说到这儿，他打手势让张小征和
徐蓉蓉坐下，小芳却使劲摇着他的大腿催问："爸爸，爸爸！咱们什么时候回家呀？"

阮老师低头抚摸着小芳的脸蛋，对她说："你再自己玩会儿吧，爸爸还有工作……"

夕阳收敛了最后一道余光，晚风把几团柳絮吹进了窗里，屋里变得暗淡起来。
张小征望了望撅着嘴的小芳，建议说："阮老师，党支部的指示，我跟徐蓉蓉回去好
好想想，天晚了，您该送小芳回家啦！"

徐蓉蓉立刻抱起小芳来，热情地说："对啦对啦！阮老师，您改天再找我们商量
吧！走，我送你们去车站！"

三

张小征和徐蓉蓉、阮老师分手以后，没有回家，而是朝坐落在胡同正中的一栋
居民楼走去。汪铭就住在那栋楼里。

这天的事情发生以后，张小征心里就蹿出了一个小芽儿，就是跟汪铭辩论一场
的欲望。几个小时里，这小芽儿固执地腾腾腾往上长，仿佛都要穿透他的胸膛了，
可他没有向别人透露，连徐蓉蓉和阮老师也没告诉。他想，倘若跟徐蓉蓉一提，她
肯定要跟着一块去找汪铭开战，到时候这门连珠炮一开，自己就说不上几句话了；不，
他要单独跟汪铭辩论，要像大人跟大人辩论似的，不许耍赖、臭诟……

胡同的凸肚部分有棵老槐树，粗大的树干上安了个简陋的篮球筐，那还是张小

征的"手艺"呢；一群男孩子正用小皮球进行比赛，他们使劲挥着胳膊叫他参加，可是张小征只对他们笑笑，便走了过去；不知哪家的院子里飘出来香椿摊鸡蛋的香味，张小征突然感到饿了，可是他依然径直朝汪铭家走去。

汪铭家在四楼上头。张小征不像往常那样一步跳几级地上楼，而是像大人那样一级一级地往上走。登楼时，他心里盘算着，就和他辩论这个问题："什么是真正的反潮流精神？敢顶撞阮老师这样的老师，敢砸玻璃，能算好样的吗？……"张小征心想：我要反对汪铭的错误态度！可他那错误的态度是谁教唆的呢？自己该怎么勇敢地同错误的东西作斗争呢？这，一时还不大清楚……

张小征终于走到了汪铭家门前。他刚一敲门，屋里乱了一阵，但很快便安静了。他再接连敲门，里面始终没有人来开门。显然，汪铭也许估计到阮老师或者他是会找上门来的，所以现在屏住气儿假装谁也不在家。

张小征知道，汪铭的妈妈，一年前就跟他爸爸吵翻了，带着妹妹到他姥姥家住去了；他爸爸在一个机关里工作，整天不在家，要让汪铭把门打开，得想个巧法子。张小征忽然想起，有次他来找汪铭，正遇见楼门口传达室的老大爷来送信，老大爷刚敲了下门，喊了声"信！"汪铭便把门打开了；于是，张小征便粗着嗓门喊了两声："信！汪家的信！"

果然，汪铭一下子便把门打开了，他一见是张小征，大吃一惊，还没来得及定下神，张小征已经进了屋。

屋里弥漫着香烟的气味，在一张沙发上，大模大样地坐着杜玉牛……张小征厌恶地皱皱鼻子："你们抽烟啦？唉，你们这在干什么呀？"

汪铭嬉皮笑脸地说："'五分羊'，你又有告状的新材料啦！嘿，我还能再给你加上一条呢，瞧，这花瓶里的花是打哪儿掐来的？……"

张小征顺他手指一看，气得鼻翅直扇，敢情他掐了那么一大把学校的丁香花……

张小征本想心平气和地和他谈谈，可他实在压不住火了，就把书包从身上取下来，往空沙发上一撂，站定在那儿，气呼呼地对汪铭说："咱们辩论吧！你敢吗？不辩出个苍蝇是苍蝇、蜜蜂是蜜蜂，我不回家！"

汪铭一点也不示弱，两手往身后一背，小鼻子一翘："辩就辩，你说吧！"

张小征质问他："存心砸教室的玻璃窗，算什么反潮流？"

汪铭摇头摆脑地说："算响当当的反潮流！我爸说的，上头首长有话，学生砸几块玻璃算什么问题，好比当年工人砸资本家的机器，是一种反抗精神嘛！"

张小征反驳说："咱们教室的玻璃是资本家的吗？！那是党和国家的呀！"

汪铭扬起下巴："反正上头首长有话！"

张小征又反诘他："阮老师哪点不好？你干吗老气他？"

汪铭理直气壮地说："他干吗骂我没有魂？！"

张小征又反驳道："他那不是骂你，是批评你！毛主席说过：'没有正确的政治观点，就等于没有灵魂。'你没有正确的政治观点，就能说你没有灵魂！"

老实说，阮老师的那句话，汪铭当时听了，并没深想，经张小征这么一说，他一时还找不着词儿还嘴。

"还有，你们掐学校的花，抽烟……这叫什么行为？再不改，成流氓了！这能叫'反潮流的小闯将'吗？"

汪铭抓住了话头，又恢复了勇气："嘿嘿！你这是儒家的观点！我爸说，历史上著名的政治家好多是流氓出身的！掐点花，抽点烟，这是小节，法家不讲小节，你懂吗？哈！你全不懂吧！你爸就知道成天在厂里开车床，你妈就知道成天在服务所缝衣服，你知道什么？……"

汪铭的话，不但深深地刺痛了张小征，连原先坐在一旁观战的杜玉牛听了也不舒服，他的爸爸跟张小征的爸爸，在一个车间当工人，他的妈妈是个家庭妇女……趁张小征和汪铭辩论得正欢，他悄悄溜出屋去。

张小征听了肺都气炸了。他是劳动人民的儿子。他知道爸爸和妈妈懂得很多、很多……爸爸比他还小的时候，就被迫给资本家干过活，爸爸可没砸过机器，解放前夕他积极参加护厂斗争，在同破坏机器的特务搏斗中，左臂上留下了半尺长的刀疤……爸爸还是工厂理论小组的成员，他们对儒法斗争的研究，可有另外的观点，可惜他没细问过爸爸，否则他现在更能把汪铭驳得哑口无言……

张小征正要满腔激情地开口反驳，汪铭索性把他拉到窗边大书桌旁，塞给他一摞杂志，一边得意地说："甭跟我辩论啦！你反正得碰钉子的！瞧，这《学习与批判》你看过吗？我爸期期都看，我说的，里面都有，这是上头精神，你要辩，跟它辩去吧，哈，你发什么愣呀……"

张小征迷惑而气愤地把手一甩，弯腰抄起沙发上的书包，使劲往肩上一挎，便头也不回地跑了出去。汪铭冲到楼梯口，继续嘲弄他："'五分羊'，傻眼了吧？'五分羊'，露怯了吧？……"

四

这天吃晚饭的时候，张小征闷闷不乐，只吃了一碗，跑到自己的小书桌旁坐下来，他在思忖着，想写些什么。

妈妈叹了口气："小征这个蔫包！如今可不时兴这个脾性啊……"小征爸爸一边衔着烟斗在修理竹笼屉，一边不时用锐利的目光端详着小征，说："小征不是犯蔫，他是在犯倔呢！"

的的确确，张小征满肚子都是一股子倔劲儿，经过汪铭家里的一幕，他朦朦胧胧地感觉到，事情真不简单，一块被打碎的玻璃后面，不仅站着个蛮不讲理的汪铭，而且站着个拍着他肩膀夸奖他的爸爸，并且在这个爸爸背后，还有一些在报刊上写文章的人，这些人的后面，似乎还有什么把砸玻璃比成砸机器的古怪的"首长"……哎呀，怪不得阮老师总是又生气、又憋气，恨不得马上解决问题，又拼命压住火；怪不得党支部是那么个指示呢；为了保护一块亮晶晶的玻璃，得跟那些个挺神气的人物，去辩论才成哪……这算怎么一回事哟？

张小征决定给报社写封信。打八点多起，他便趴在桌上写呀写呀，他想想写写，写写又想想，一直到深夜……

第二天早晨，吃完早饭，张小征把头晚写完的东西重读几遍以后，突然猛地折了又折，扔到了一边，又几步迈到了爸爸跟前，激动地问："爸爸，过去，有过工人砸机器的事儿吗？"

爸爸拍拍小征肩膀，让他坐到自己身边，不慌不忙地回答说："有过那样的事儿。不过，那是老早老早，工人阶级还没有自觉性的时候发生的事儿。他们不懂得自己受苦是有资本家剥削，以为是机器造成的，所以砸机器……自从有了马克思主义，工人阶级就再也不砸机器了，他们组织起来跟剥削阶级斗争。把机器从资本家手里夺回来；工人阶级当家做主以后，像爱护眼珠子似的爱护机器，谁破坏机器，就跟谁斗！……"

下午，张小征开始重写那封寄给报纸的信，他把爸爸的话写了进去，他在信里问道："为什么有人说现在学生砸玻璃，跟当年工人砸机器一样，是革命行动呢？这样的人不是在给我们青少年使坏吗？我们希望报上登点文章讲清楚什么叫反潮流；我们不爱看那号教我们乱反潮流，让我们把老师当成敌人、替砸玻璃的人说好话的文章……"写完了，开头他落款只写了个"一名中学生"，后来，托腮想了想，他就写上了学校、班级、姓名和家庭住址，并且添上了一行话："编辑叔叔、阿姨们：给登出来，并回答我的问题吧！"

吃完午饭，张小征带着写好的信，去找阮老师了。

五

阮老师是张小征所最尊重和信任的一个大人。所以，在下决心把写好的信寄出去以前，他觉得必须先把这封信给阮老师看看。

一路上，张小征非常激动。他骑着自行车进了胡同，老远就看见，阮老师正站在家门口送客。啊，那位身材矮胖的伯伯并不是什么"外人"，他是学校党支部书记朱老师啊！他俩一个扶住车把要走，一个站在门阶上送行，还在继续说话。

只听朱老师用热情而肯定的语气说："你的想法很好！党支部撑你的腰！困难是大，可咱们不能消极，得有个积极斗争的态度！参观完玻璃厂后，你扎扎实实地做点个别谈心的工作，然后开个现场会，把家长们都请来，我们都去，让各班也派点代表去……社会主义的学校是什么人也糟蹋不了的，咱们要有信心！"

朱老师说完，匆匆地骑车朝前走了；阮老师目送他几秒钟后，才陡然发现了张小征，他高兴极了，一巴掌拍到了张小征肩膀上，笑着说："你再不来，我可就找你去了！"……

听完阮老师的下一步工作设想，张小征高兴得蹦了起来，尤其参观玻璃厂这一项，张小征巴不得明天就能实现……阮老师说完了，张小征就把昨天去汪铭家的事以及自己的想法说了一遍，他把自己写好的信，郑重地递到了阮老师手中。

阮老师读完张小征写的信，激动得下巴都抖动起来。这封信虽然写得还不免稚气，个别地方的措辞也不够妥当，但却敏锐地提出了问题，闪烁着努力用毛泽东思想明辨是非的冲锋陷阵精神……他望着站在身边的张小征，这个穿一身蓝制服的初中一年级学生，因为个头蹿得很快，妈妈已经在半新的裤腿上给他接了一圈新布了，他在老师面前略微有点忸怩地站着，朴素实在，诚恳明朗，似乎并没有什么特别打动人的神采姿态，可是，从他经过深思熟虑写出的这封信里，阮老师更深刻地体验到了无产阶级文化大革命的威力、教育革命的成就——毛主席的革命路线，造就了多少了不起的一代新人啊！……

阮老师按捺不住内心的激动，兴奋地对他说：

"小征，写得好！革命接班人要发扬革命的反潮流精神。对反动逆流，就该反；对歪风邪气，就得顶。反潮流，首先要认清方向，明辨是非。现在有人不作阶级分析，片面强调反潮流，要是盲目地跟着跑，胡作非为那是很危险的……"

阮老师的话，深深地打动了张小征的心，他听着，想着，浑身更加增添了力量。

六

一锹挖不出一个树坑；可树坑总是一锹一锹地挖出来的。

一次活动不可能全部澄清同学们的糊涂思想。通过组织参观玻璃厂等活动，越来越多的同学更加明确了：砸玻璃是可耻的行为。杜玉牛抱着一块大玻璃，他爸爸把他领到阮老师面前，说了几句自我批评的话。杜玉牛涨红着两只耳朵说："我错了……"

光靠一两封真正体现反潮流精神的群众来信，也很难完全击退妖风逆流。但是亿万人民的愤懑情绪通过各种形式迸发出来，这就意味着妖魔们的末日将要来临……

在难忘的 1976 年，张小征同他的老师和同学们同全国人民一起，先是经历了巨大的悲痛，在光辉的十月，又享受到了巨大的欢乐。党中央驱散了祖国天空的重重乌云，也拨开了郁积在人们心头的种种疑团。张小征愈加心明眼亮……

10 月底的一天，校园里的金葵花，像面面放光的小锣。张小征蹬着梯子，正往黑板上方敬挂领袖像，徐蓉蓉在下面扶着梯子，帮他校准位置；杜玉牛突然一阵风似的跑进教室，激动地报告说："小征！你还不快看去！咱们学校的壁报专栏里，把你那封信登出来啦……"

杜玉牛原来并不知道张小征当初给报社写信的事儿，他又惊讶、又兴奋，打心眼里佩服小征，可是出乎他意料的是，张小征打梯子上下来以后，既没有眉飞色舞，也没有拔腿往外跑，而是双手扶着讲台，仰望着黑板上方挂好的毛主席像，看了又看……

张小征心里滚过一排排飞溅的浪花。他听见杜玉牛在他耳边诚心诚意地说："小征，我明白啦！像你这样，才是真正的反潮流哇！"又听见徐蓉蓉对杜玉牛说："人家哪是'五分加绵羊'，人家是'革命加五分'，可再别上当受骗，去当'两分加螃蟹'啦！"……张小征深情地望着毛主席那慈祥的面容和严肃的目光，默默地在心里说："其实，那会儿我还不知道是'四人帮'在捣鬼呢！要没有毛主席您老人家的英明部署，党中央的果断行动，哪有今天的伟大胜利呀！我一定要永远听毛主席的话，一辈子坚持正确方向，一辈子跟反动潮流作斗争！……"

张小征和徐蓉蓉、杜玉牛来到壁报专栏面前时，只见许多同学和老师，在指指点点地阅读壁报。人群一侧，阮老师正同汪铭和他的妈妈在谈话；他妈妈已带着妹妹回到了他的身边。汪铭开头几天有点紧张，后来又自卑了，但是经过阮老师和同学们热情、诚恳而耐心的帮助，这些天已经渐渐开窍；阮老师正说到"是'四人帮'把小铭的魂给勾走了……"徐蓉蓉一下子蹦了过去，笑着说："不怕！我们一块帮他把魂找回来！"张小征也微笑着站到了汪铭身边，热情地握住他的手："上当受骗，明白了就好，咱们一起狠狠跟'四人帮'斗争！"汪铭心里一阵感动，鼓起勇气说："小征，我向你学习！"汪铭妈妈拍着汪铭后脑勺说："这下我放心啦！有你们帮，特别是有小征这个榜样，小铭一定能弄懂什么是真正的反潮流……"

上课铃响了，同学们迅速地归位坐好。张小征和汪铭还是同桌，他俩的座位，就挨着那块擦得亮晶晶的玻璃，这是他们里外共同配合擦出来的。

这一节是班会。阮老师走进教室，他激动地望着并排坐在那里的张小征和汪铭，感到他们擦亮的不仅是玻璃，而是肃清了"四人帮"妖雾流毒的校园和心灵。玻璃亮晶晶，孩子们的灵魂也闪着光辉。

阮老师在黑板上写出了一个简单的算式：

16+23= ？

孩子们不禁互相交换着惊讶、迷惑的眼光。怎么让我们高中一年级学生来计算这样简单的题目呢？

阮老师热诚地发问了："今年你们 16 岁了，再过 23 年，是 2000 年，那时候你们该多大了？这 23 年里，我们将在党中央领导下，把毛主席开创的无产阶级革命事业，推进到一个什么地步？在这 23 年的日日夜夜里，你们将度过少年时代和青年时代；生活将是充满了矛盾和斗争的，革命的潮流和反动的逆流必将还会有许多次新的搏斗，而祖国的前途，革命的希望，就寄托在你们的身上，希望你们能在这个大前提下，来深入地谈一谈：什么是真正的反潮流精神？怎样发扬革命的反潮流精神，去夺取 2000 年的伟大胜利！……"

啊，金灿灿的朝阳，透过亮晶晶的玻璃，一直照进孩子们的心灵里去了，他们面对这道简单而又含意很深的题目，激动地思考着、宣誓着……

1977 年

能吃的竹篱笆

　　竹篱笆还有能吃的？有！就在我们大院里。要弄清楚这能吃的竹篱笆的来历，还得打几年前说起。

　　那是 1972 年的夏天，一个"知了"叫得正欢的中午。我刚上小学二年级。妈妈根椐老师在家长会上提出的要求，每天中午都要把我"落实"到床上午睡，直到我闭上眼不吱声了，她才离开。那天中午我压根儿就没打算午睡，所以妈妈一出屋，我就跳起来，打窗户蹦出去了。我抄起早就倚在窗外墙上的竹竿，检查了一下竹竿头上臭胶的黏性，得意地冲妈妈那间屋的窗户吐了下舌头，便蹑手蹑脚地溜到前院大槐树底下，用竹竿粘起"知了"来了。

　　眼见着竹竿头上的臭胶就要挨上一只蠢头蠢脑的肥"知了"了，忽然，一只手在我肩膀上拍了一下，扭头一看，是同班同学马欢欢。他圆脸庞上的两只眼睛乐成一对月牙弯，冲我皱皱鼻子，小声说："小墩子！我侦察出个碉堡来，快，咱们攻下它！"

　　听见树上的"知了"陡然停止打鸣，"嗖"的一声飞走了，我生气地摆摆手说："不玩军事游戏！你赔我'知了'！"

　　马欢欢把藏在身后的左手猛地伸到了我鼻子底下，只见手指头缝里夹着两只"知了"，他大大方方地说："随你挑吧！"

　　我挑了只大点儿的，正想挤得它打鸣，马欢欢跟我咬耳朵说："到后院去！费爷爷晒书呢！那么一大堆！准有不少小人书！咱们央求他借给咱们看！"

啊，敢情"攻碉堡"是这么回事儿呀！1972年那阵，书店柜台上每摆出本新的小人书，对我们来说都是件大事儿，大伙抢着去买，买到家翻来覆去地看呀。你想，当我听到马欢欢告诉说费爷爷有好多好多书时，该是个啥样子的心情！

我把竹杆一撂，手里的"知了"也放了，二话没说，便随马欢欢朝后院东边的套院跑去。

我们这个大院是科学院的职工宿舍。费爷爷是个快70岁的科学家，平时大人们都管他叫费教授。他住在后院东边一个比较讲究的小套院里。那一年春天，他打乡下回来，自己用根扁担挑着行李进了院，院里的人们都围上去跟他打招呼，好几个年轻人要帮他挑行李，他一边紧张地拒绝，一边自豪地说："不用！不用！我要让老伴吃上一惊！我是故意没提前通知她的！"果然，当费奶奶听见信儿迎出前院来时，不禁猛地刹住脚，上下打量起他来。他呢，稳稳肩上的扁担，腾出右手解下脖子上的毛巾，笑嘻嘻地擦起脸上的汗来，满头的白发把他红喷喷的脸庞衬得格外精神。费奶奶忍不住使劲拍了下巴掌，大笑着说："下了一趟乡，真把你变了样啦！"他仿佛比我们小学生听见家长表扬还要高兴，摆头晃脑地说："嘿嘿，要说变样，这才是个开始哪——"逗得满院都是笑声。我们小孩子当然没少起哄，人家老两口都回到后院老半天了，我跟马欢欢还在轮流模仿他那副模样儿……

可是，自打春天以后，我们小孩子也就没在意费爷爷究竟在干些啥。我们之间没交道可打！所以，当我和马欢欢跑拢小套院的月洞门那儿时，不由得同时刹住了脚步，对望了一眼——我们该怎么开口央费爷爷，让他把书借给我们呢？万一他说啥也不借，我们可怎么办哇？

我和马欢欢决定再仔细侦察一下。我俩扒住月洞门的弧形墙，往里探头儿。

呀！费爷爷的书怎么那么多哇！他在院心用四对椅子架起了老宽的几块木头板。还有凉床、小桌，上头满满的全摊着书！有封皮又挺又硬、跟大砖头似的大厚本，也有从匣子似的硬壳里取出来的、用白线缝上的一溜薄本儿。我跟马欢欢眼睛都看花了，心里怦怦直跳——这要都是带画儿的小人书，够我们看上好几年的啦！

中午静悄悄。院子一角的枫树上，荫凉里，费爷爷躺在竹躺椅上，手里抓着把大蒲扇，闭着眼睛不动弹，准是睡着了吧！

马欢欢咬着我耳朵说："咱俩先悄悄进去翻翻，看是不是小人书，要是，就叫醒他……"

我同意了。于是，我们俩蹑手蹑脚地走到了摊晒的书籍面前，贪婪地张望起来。

马欢欢和我刚各自伸手拿起一本书来，费爷爷突然警觉地睁开了眼睛，紧跟着便威严地站了起来。我本能地扔下书，扭身要逃跑，马欢欢却搁下书，把我拽住了。

费爷爷气呼呼地走拢我们身前，训斥说："你们干什么？书也是好随便拿的吗？"

我觉得理亏，害臊地垂下了头，看见自己胖墩墩的影子，在脚下缩成了一团。

马欢欢却鼓起勇气说："费爷爷，我们没书看，想问您借几本，您这儿……有小人书吧？"说着，用胳膊肘捅我，我于是抬起头来，同马欢欢一起说："我们不是随便拿……我们想看看哪本有画儿，好跟您借……"

费爷爷绷紧的脸，这才松弛下来。他摇摇头，渐渐露出笑意，用蒲扇扇扇书说："我哪有小人书呢？嘿嘿，这些个书只怕一般的大人也看不懂呢，都是专业性的……"

我一时没听懂，愣头愣脑地问了一句："有打仗的吗？"

费爷爷这回笑出声来了，他摸摸我脑袋瓜说："唉，叫我怎么跟你们解释呢？这都是研究生物物理学要用的参考书，几年没翻过，长蠹虫儿了；拿出来晒晒，该让它们派用场啦……"

马欢欢一向比我爱动脑筋，他听了费爷爷这话，越发好奇地打量起眼前的书来，一个劲地问："什么叫生物物理学呀？什么叫参考书呀？……"

费爷爷又摸摸马欢欢脑袋瓜，耐心地说："现在你们太小，懂不了……可将来一定能明白！告诉你们吧，周总理前些时候发指示啦，要加强自然科学理论研究，要把基础理论水平提高；这生物物理学，是基础科学当中的一门边缘科学，很重要呀……"底下的话，看起来像是对他自己说，因为他两眼望着空中的什么地方，激动得胸脯一起一伏，语调也变得坚决而热烈了："周总理决心大啊！他说，有什么障碍要扫除，有什么钉子要拔掉……对他的指示，不要像浮云一样，过去就忘了……

总理实际上是传达毛主席的意图啊……"

我和马欢欢虽说没弄懂什么叫生物物理学、边缘科学、基础理论，可一听说是周总理根据毛主席的意思，指示费爷爷他们研究的，心里也就亮了盏灯——敢情费爷爷的这些书，都挺有用的呀，就算不是小人书，也没打仗的，我们也不能瞧不起呀！

这时，费奶奶摇着把摺扇踱出了屋子，她惊讶地问费爷爷："我当你跟谁发议论呢……怎么，只有两个小淘气？"

费爷爷呵呵地笑着告诉她："是来向我借小人书的！"

费爷爷和费奶奶一块畅快地笑了起来，弄得我和马欢欢你望着我，我望着你，不知是咋回事儿。

忽然，我发现身边的小桌上，晾着好大一叠拆开的香烟盒。这又不是书，费爷爷留着它干什么？难道他也像我们一样地攒烟盒纸玩？不可能！干脆，问他要来叠三角玩好了。于是，我便用胳膊肘杵杵马欢欢，马欢欢显然也看见了那一厚叠烟盒纸，而且产生了跟我相同的愿望，他开口请求说："费爷爷，这烟盒纸送给我们玩去吧！"

费爷爷托托眼镜架，紧张地弯下腰来，两手整理着那一叠烟盒纸，连连说："那怎么行？那怎么行？我有用的、有用的！"

我心里正嘀咕着：真小气！费奶奶发话了："那可是他的宝贝呀！"她抽出一张来举起给我们看，原来烟盒纸背面写满了一行行古怪的式子——又有阿拉伯字码，又有外国字，还有一些莫名其妙的符号。费奶奶耐心地告诉我们："这是你们费爷爷搞的计算——别看他研究的是生物物理学，离了高等数学还不行呢！"

我和马欢欢好奇地打量着费奶奶举起的烟盒纸，马欢欢忍不住问："六分钱就能买一个算术本，干吗非得用烟盒纸算呀？"

费奶奶把手里的烟盒纸搁回去，指指小桌上那几叠一尺高的笔记本说："六毛钱一个的笔记本也用了几百个啦，可他还是改不了这个习惯——抽着烟搞研究，拆开烟盒搞计算——尤其是当他在外头活动，没随身带着笔记本的时候；有一回，他竟在牛奶店算了整整两个钟头，人家要打烊了他还不走；人家请他回家，他还发脾气：'别打岔。'他以为已经回到了家里，是我在催他休息呢……"说到这儿，费奶奶摇着摺扇仰脸笑了起来。

费爷爷有点脸红，他假装生气地对费奶奶说："你的笑话也不少呢！怎么好当着小孩子说这些呀？"

接着，费爷爷就问我们算术学得怎么样。马欢欢自豪地挺起胸脯说："回回得一百！"我低下头望着自己往下抠土的右鞋尖，没敢吱声。只听费爷爷和蔼地嘱咐我们说："数学可是基础科学的基础呀，你们从小就该下细地学啊……"

正在这时候，马欢欢的爷爷走进月洞门来了。听说他比费爷爷还大一岁呢，可头发基本上还是黑的，身板厚实，两只手又粗又大。他是个老红军，解放后一直在研究所里当保卫干部，前几年退休了，大伙选他担任了我们宿舍大院的居委会主任，威信可高呢！他进院后先跟费爷爷、费奶奶打了个招呼，然后就走过来刮刮马欢欢的鼻子说："嘿！不好好午睡，带着小墩子跑这儿捣蛋来了！你们下午上课还不犯迷糊呀？"

我和马欢欢没啥好说，只能服他管呗。

费爷爷、费奶奶也帮着马爷爷教训我们："不能整天淘气，得把心思好好用到学习上啊！""小孩子得听老师和家长的话，该午睡就该好好午睡啊！"

马欢欢乖乖地说："就去午睡！"我也忙点头。

马爷爷望着满院摊晒的书本，高兴地对费爷爷说："好哇，是要在太阳底下，才去得了书里的蠹虫。老费呀，好好干吧！拿出比六四年更棒的论文来，为咱们社会主义中国争气哇！"

马爷爷这话听上去好像也没啥稀奇，可费爷爷那个激动劲儿啊，他撂下蒲扇，抓住马爷爷的手，额头的皱纹一个劲地抖，连连说："决不辜负党的期望！我一定要努力！努力！"

马爷爷领着我们走出月洞门时，嘱咐说："费教授研究学问得有个清清静静的环境，你们俩是院子里的孩子王！得带头照顾他，别再跑到这小套院里淘气，听见了吗？"

见我俩光是点头，不大上心，马爷爷又强调地说："你们别以为费教授研究的学问跟你们联系不上。小墩子呀，你姥爷不是因为得癌去世的吗？费教授研究的这个学问，跟治癌还有关系呢！欢欢你不是幻想着种出像美人蕉那么大的麦穗来吗？费教授研究的这个学问，跟培育优良品种也联系着呢……当然啦，他研究的这种学问，叫基础理论，不是一下子就能用到实际上的，可这是打基础的，正因为这样，咱们更该支持他快点研究出个名堂来呀！"

我和马欢欢都动了心，齐声说："我们保证不到费爷爷院里淘气啦！"

这以后，我们果真有一年多没进那月洞门去玩过，这连"藏猫猫"，也没人钻进去暂避一时。

可是，1974 年开春以后，一个星期天，当时我和马欢欢已经是四年级的红领巾了，我俩正在马欢欢他家门前刨地种向日葵，费爷爷忽然愁眉苦脸地过来说："欢欢，你们家那辆童车，借我用用吧！"

咦，这可真古怪！全院的人都知道费爷爷的孙子、孙女儿全在外地，他借童车推谁啊？

马欢欢和我正纳闷呢，马爷爷迎出屋来问："老费呀，你这是怎么啦？"

费爷爷牢骚满腹地说："借童车装书啊！我要一车车地推出去卖掉！卖掉！留着那些废物有什么用处？连我，不也成了废物教授了么？"

马爷爷还没来得及搭腔，只见费奶奶快步走了过来，她满脸难为情的神色，一边对马爷爷解释说："他受刺激，支撑不住了！"一边去拉费爷爷的胳膊，劝他说："算了算了，怎么闹小孩子脾气？真拿去卖掉，你舍得？"

费爷爷轻轻推开费奶奶，扯扯衣襟站端正，赌气地说："有什么舍不得？人家把基础理论的研究工作一棍子打死了，留之无用，去之何惜？"

我和马欢欢听不懂他那最后两句是啥意思，只觉得他的模样儿怪逗乐的，可又不敢乐，因为马爷爷两道浓眉紧紧拢到一起，他又同情、又生气地望着费爷爷，对费奶奶说："老大姐呀，你甭管啦，把老费交给我吧，我给他解解心上的疙瘩……"

费爷爷点点头，马爷爷就把他扶进去了。费奶奶叹了口气，自言自语地说："总理的指示，怎么也有人批判啊……"摇着头走了。

我和马欢欢匆匆忙忙地播完向日葵籽，就跑到窗边窥测屋里的情况，只见马爷爷和费爷爷坐在桌子两边，你一言我一语地对谈着，飘到我们耳朵里的话，听来似懂非懂，不过马欢欢比我明白得快些、多些，他把我拉到一边说："嘿！知道了吗？有人欺侮费爷爷啦，给贴了大字报，说了研究的那些个东西没一点用处，给他取了个'废物教授'的外号……是毛主席、周总理让他研究这门学问的呀，欺侮他的，能是好人吗？……"

我一听，挺生气，忙晃晃拳头说："走！咱们找那人去，不许他乱欺侮人！"

马爷爷正和费爷爷谈得热乎呢，马欢欢和我一同站到桌子跟前，马欢欢说："我和小墩子俩，要找那欺侮费爷爷的人算账，爷爷，你告诉我们，他在哪儿吧！"

马爷爷同费爷爷对望了一眼，便盯住我们，没有笑，而是严肃得怕人地说："光是欺侮你们费爷爷一个人，那事情就小了。这矛头说穿了是对着毛主席和周总理的呀！再说，在所里贴那骂人是'废物教授'的大字报的，不过是小小的'官迷'，要算账也不忙先找他……"

我没听懂，马欢欢倒像是明白了个五六分。

马爷爷和费爷爷半天都没吭声。他俩闷闷地抽了会儿烟，马爷爷这才对马欢欢说："那坏根子早晚能刨出来的，你们玩去吧……"

我和马欢欢又种了好些个蓖麻，费爷爷才从马欢欢家告辞出来，只听马爷爷在他身后叮嘱说："别再摇来摆去啦！认准了是毛主席革命路线，你就干到底嘛！"

费爷爷点着头迈进月洞门去了。从此，有三个月我们没怎么瞧见过他。

又到夏天了。不知怎么搞的，我们学校里的老师不怎么爱管我们了，学校里纪律挺乱，放了学，我们也没啥作业。

这天傍晚，马欢欢领着我们院里一群孩子做军事游戏，我出了个点子："嘿，咱们骑竹马，学解放军骑兵打仗吧！"

好多小伙伴都嚷："我们家没竹竿子呀！"

马欢欢想了想，摘下绿布帽子扬着圆圈说："跟我来！牵马去呀！"

他领着我们一窝蜂朝费教授住的小套院跑去。那时候，费教授已经停下了他的研究工作，整天忙着养花；我们小孩子也打破了不进月洞门里玩的习惯，经常两个三个地跑进去追打玩耍。费教授怕小孩子们碰坏他那些宝贝花草，用了整整一天的时间，买了一捆细竹竿，在他摆放花盆的方阵前插了一排竹篱笆。谁知这天马欢欢领着我们跑进月洞门以后，带头拔出一根竹竿来，搁进两腿中间骑上说："嘿！都来骑马呀！骑完了咱们再送回来！"

话音一落，大伙喊里喀喳，几下就拔光了那道竹篱笆，每人骑上了一根，组成了一支威武雄壮的骑兵队伍！

当然啦，费教授和他老伴都跑出了屋，站在屋前台阶上吃惊地望着我们。费奶奶脾气好，她瞧见这情景儿并没有生气，过一会儿反而忍不住笑了起来；费爷爷却惊慌失措地跑到花盆中间，比比画画地请求说："竹竿借你们玩，这花可别给我碰坏了！"

马欢欢带头响亮地答应了他的请求，一挥手说："冲哇！"大伙骑上竹马，争先恐后地涌出了月洞门……

等我们玩得两腿发酸、嗓子也喊哑了，才把竹竿送了回去，马欢欢招呼大秋说："嘿，得把马儿拴到槽上啊——"他的意思，是让大伙再七手八脚把篱笆插好，可这时马爷爷过来扯扯他耳朵："你出的好点子！有这么借马的吗？"原来，他已经来和费爷爷聊了好一阵了……

难忘的 1976 年！发生了不平凡的事儿！十月份，春雷般的喜讯传遍了全国，党中央采取英明果断的措施，一举粉碎了王张江姚"四人帮"篡党夺权的阴谋，这下我们全明白啦，破坏我们学校教育革命的、破坏费爷爷研究基础理论的，正是万恶的"四人帮"！

十月底的一天，我端着盆蟹爪莲进了家，妈妈吃惊地一拍巴掌："小墩子你好胆大！怎么把费爷爷家的花搬来了！"那盆蟹爪莲长得可真好，花盆上还刻着字儿，谁都能认出来是费教授的。我满不在乎地斜了妈妈一眼，大摇大摆地把蟹爪莲搁到了窗台上，指指窗外说："又不是我一个人'胆大'，您瞧瞧呀！"妈妈朝窗外一看，嗬，马欢欢打头，后头跟着一群孩子，个个手里捧着一盆花，有说有笑地奔自己家里走去。

妈妈当然很快就弄明白了——费爷爷决定不再养花，而要用全副精力搞他的研究，争取早日拿出成果，向党中央报喜！他把所有的花都分给了大院的孩子们。我告诉妈妈："我们商量好啦，这花算是费爷爷的，我们算是帮他养——哪种花开了，我们就把哪种花搬回费爷爷家去摆着，让他家里总有漂漂亮亮的花。"

妈妈听了我的话，感叹地说："是呀，盼你们费爷爷早点研究出个名堂来呀！要不是'四人帮'捣乱，费爷爷他们这些科学家说不定早把癌症是怎么回事儿弄清楚了，治癌的法子也想出来了，兴许你姥爷也不至于……"说着，她便舀来清水，往花盆里轻轻地撩着……

1977 年的春天到了。柳丝儿仿佛也比往年绿得更逗人喜欢。在大好形势下，费教授的研究工作有了新的进展。常常很晚了，月洞门里费教授的书房还亮着灯……

这天我和马欢欢一块在他家学习毛主席的《论十大关系》，马爷爷走过来问我们，"前几年'四人帮'教唆一些人骂费教授这样的人是'废物教授'，你们说，这号说法错在哪儿呀？"

我抢着回答："错在欺侮人呗！费爷爷哪儿是废物呀？他研究的学问对革命有用处啊！"

马爷爷点点头说："对，得按毛主席《论十大关系》的精神办事儿！你们说，毛主席这篇著作的中心意思是什么呀？"

我和马欢欢齐声背诵起来："我们一定要努力把党内党外、国内国外的一切积极因素，直接的、间接的积极因素，全部调动起来，把我国建设成为一个强大的社会主义国家。"

正这时，费奶奶拿着节甘蔗走了进来，她央求马爷爷说："老马呀，您能不能借我个什么家伙，好把这甘蔗汁压出来？"

马爷爷接过甘蔗，好奇地问："你们老两口怎么吃起小孩食来了？哎呀，这甘蔗太干啦，要压出汁来，除了拿牙咬，没别的啥好法子呀……"

我和马欢欢凑过去看热闹。只听费奶奶解释说："今年春天老费思想情绪好，所以喘得不那么厉害，可毕竟影响工作啊……有个中医大夫介绍了个偏方，一天吃两剂，得配上甘蔗汁喝，才试了三天；我买了根甘蔗给他搁着，喝药前剁出一节来挤汁，没想到这节搁久了就挤不出汁来了……"

马爷爷正寻家伙帮费奶奶挤甘蔗汁呢，马欢欢拉着我的袖口把我拉出了屋。

他搂着我的肩膀，跟我咬了一番耳朵，我就全明白了。

一个钟头以后，在月洞门时出现了这样的场面：马欢欢和我领着一群伙伴——就是当年骑竹马的那一群，拼命憋住笑劲，七手八脚地在费教授那个小院的南墙边上，栽下了一溜"竹篱笆"……正当马欢欢要领着我们撤退时，费爷爷终于发觉了窗外的动静，他不禁出了屋门，而这时马爷爷也恰恰陪着端着半杯甘蔗汁的费奶奶跨进了月洞门，三个大人先是惊讶地睁大眼睛，然后便禁不住笑了起来，自然，没等他们三个人发话，马欢欢已经领着我们一溜烟地跑了出去……

我跑了几步，便又折回身，扒在月洞门的弧形墙那儿往里探头偷看，只见费奶奶感动地抚摸着"竹篱笆"说："是呀，这样把带根须的甘蔗栽到阴凉里，就不容易变干了，孩子们想得真巧呀！"

马爷爷搓着下巴上的胡子楂，连连点头。

我注意到，费教授眼里闪动着感激而幸福的光彩，嘴唇动了动，却没说出话来……

这下，你该明白能吃的竹篱笆是怎么一回事儿了吧！

1977 年

看不见的朋友

笃，笃，笃——

我敲苏岭泉家的门，门没开。

啪！啪！啪！

还是没开。

咚！咚！咚！

这回我是用拳头擂了。

门总算打开了。咦，苏岭泉干吗不让我进去？他把住门，大眼睛一眨一眨，不等我发话，便咬咬嘴唇开口说："我知道你准得来。"

我得意地把胸脯一挺，挥挥手里的足球票说："那还用说！瞧，又有啦！发什么愣，快走吧！"

他把眼皮往下顺顺，提醒我说："明天考物理呢……"

"哎呀，"我也提醒他，"人家足球大王贝利，明天可就离开北京啦！"

怪事！苏岭泉咽了咽唾沫，硬是一个劲地摇头。他这是怎么啦？

我生气了："还算好朋友呢！人家辛辛苦苦给你送来了票，你到端起臭架子来了！瞧，多好的票——紧挨着主席台！"

苏岭泉一听这位置，眼睛顿时睁得杏儿大。他忍不住伸手接过票，仔仔细细地端详起来。我忙催他快走，他却不仅看了票正面的台、排、号，还翻到背面，看个没完——大概连"怀抱婴儿谢绝入场"那句话都看了两遍；我正要伸手拉他下楼，他却舔舔嘴唇，把票还给我了。

"今天我不看了。"他坚决地说。

"你——"我真想杵他一拳。

"别生气，"他一本正经地解释说，"今天有个朋友在这儿，我们俩说好了——哪也不去，就在家复习物理。"

有个朋友？什么朋友？苏岭泉的朋友不就是我吕小远吗？语文老师让大伙用"形影不离"这个词造句，班上有不少同学造了这种句子："我们班的苏岭泉和吕小远总是形影不离……"你瞧瞧！

可是苏岭泉今天竟有了新朋友了！什么时候交上的？我怎么事先一点也不知道？

好奇心和嫉妒心使我蹦了起来，我拼命往他家门里探头——要看看他这个新朋友究竟什么模样。苏岭泉见我这么着急，便爽性把门敞开，让到一边，笑着说："你找吧——反正你找不着，因为他是看不见的呀！"

我真的跑进去找了一圈，苏岭泉爸爸出差了，妈妈还没回来，哥哥上夜班去了，除了他当然并没有别的人。哼，跟我开这号玩笑！什么"看不见的朋友"，存心气我！我还要气气你呢！

我跑出他家那个单元，皱皱鼻子，大声对他说："你不看活该！我找王晨看去！"说完真的一扭身下了楼。谁都知道王晨对足球一窍不通，我故意这么说，好叫苏岭泉心疼："这么棒的球票，给了'球盲'！"

我还真把票给了王晨，王晨还真愿意去——他说要在一个月里摘掉"球盲"的帽子。不过王晨是班上的物理课代表，他拿到票以后刚说完"谢谢"，就紧接着问我："你物理复习好了吗？明天可别考糊了呀！"

我昂起头来，满不在乎地说："考不糊！我早都复习好了啦！"

这当然是撒谎。不过我想也用不着脸红。明天早点起床不就得啦！如果我四点就爬起来，那到七点半不还有三个半钟头吗？那点物理公式有一个钟头足能背熟啦……

谁知这场球赛很晚才结束。我回到家已经整整十点半。第二天,我并没有梦见射门就醒了。一睁眼可吃了一惊:七点四十!在妈妈的唠叨声里匆匆忙忙扒拉完稀饭,挎上书包紧往学校跑……不用说,当天的物理考试果然考糊了——不及格。而王晨呢,依然是一百分。苏岭泉得了个八十六,就他来说,还真是个挺大的进步。

事情过去也就算了。我和苏岭泉也还是好朋友。我们每天一块上学,放学后一块踢小足球。当然啦,过去我们总是一块回家,现在在回家问题上,开始不那么"形影不离"啦。好几次,他都是射中了三次门以后,把搭在足球门上的衬衣和书包一抓说:"好啦!该回去啦!"还一个劲叫我跟他一块走。他的球瘾怎么衰退得这么厉害呢?我听也不要听他的,尖着嗓门吆喝其他伙伴:"嘿!快开球呀!"总要踢到天麻麻黑,剩下只有三四个人了,这才往家走。

这情形很快被班主任方老师发现了。他虽然是个才二十几岁的年轻老师,可工作非常努力。有一天他找我个别谈话说:"如今苏岭泉能做到该玩的时候玩,该学习的时候学习,你怎么就老是一玩起来,就什么都忘了呢?"

我低下头,没了词儿。于是方老师耐心地给我讲起了道理。我心想道理谁不懂:"应该把学习放到第一位……"还不是那么一套。方老师滔滔不绝地讲着,我表面上装出听得专心的模样,其实却走了神——我一再地琢磨:对面糊墙纸上的那块水渍,究竟像只鸭子,还是像个茶壶?……

"……说到底,道理你都懂,可你就缺那么一股咬牙照道理去做的劲儿!"方老师轻轻地拍着我的肩膀,所以我听清了这两句话。

我向方老师保证,今后一定不再这么贪玩,然后就回家了。一路上我想:苏岭泉为什么就能进步呢?难道,真有个什么"看不见的朋友"在帮他?……

又过了几天,是个星期日。一大早苏岭泉就找我来了,他说:"嘿,小远,咱们去陶然亭公园……"我一听便跳了起来:"快!用百米速度跑去吧——要不,该租不上船啦!"

他一把抓住我胳膊说:"别急。咱们不划船,咱们钓鱼吧!"

陶然亭公园倒是新开辟了个钓鱼区,可那里净是些个老头和学究一号的人物,我可不乐意——

"去吧去吧!"苏岭泉搂住我肩膀,边劝边把我往外带:"方老师找我谈啦,让我别甩下你不管——瞧,这不找你来啦?一块钓钓鱼嘛,我以前也没钓过,听说可有好处啦……"

"有啥好处?"我嘟囔着说,"反正我又不爱吃鱼!"

倒是妈妈从厨房里跑出来:"好处多哩!起码能治治你那个坐不住、定不下心来的毛病!"

等我和苏岭泉坐到陶然亭钓鱼区的湖边柳荫下,我才尝到了钓鱼的滋味——敢情真跟吃药那么难受!这差事可真不合我的脾性——在这公园里,可以进行好多种充满强烈动作的有趣游戏啊:划船、荡秋千、往山上冲锋,到天然游泳池游泳……可我们偏偏要像个白胡子老头似的,期斯文文地坐在小马扎上,守着似乎永远不可能有动静的钓鱼竿,等那不好吃的鱼慢腾腾地来上钩!

奇怪的是,苏岭泉也是有名的"坐不住"啊,上学期听劳动模范作报告,别的同学就能规规矩矩地坐在那儿听到底,就是我和苏岭泉,倒不是不愿意听劳模伯伯讲话,唉,屁股在椅子上一个劲地转磨,硬是坐不住呀。结果,他鼓捣上了钢笔——卸了装,装了卸;我呢,用转笔刀背面的小镜子往天花板上照反光——不用说,散会以后都挨了方老师批评。可今天苏岭泉怎么竟坐住了呢?

苏岭泉见我坐在一旁不住地扭着身子,便从裤兜里掏出一本《少年文艺》递给我说:"要不你看书吧。你那鱼漂要有动静,我就告诉你!"

嘿,要看《少年文艺》,在家坐在躺椅上看不也可以吗?既然来到陶然亭公园了,不到处游游逛逛,跑跑跳跳,够多憋气!

让苏岭泉自个儿去看《少年文艺》吧,我可得活动活动!我站起身来,沿着湖边挨个儿到那钓鱼迷们身旁去参观。开头我兴致勃勃,因为发现了许多有趣的事:有人用小香脂盒作成了响铃;有的鱼饵盒里装着活的蚯蚓;有个黑脸膛的伯伯已经钓上来一条鲫瓜儿,正搁在他那个小铁桶里游呢……可是,渐渐我就发现,钓鱼的人们都很讨厌有人走近他们去参观,尤其不乐意你跟他们说话。我提了五六个问题,只得了一两句不超过三个字的回答，而且黑脸膛伯伯还朝我翻了翻白眼仁。我赌气回到苏岭泉身边，咦——敢情他也还是坐不住，我发现他手里的《少年文艺》歪到了一边，正伸长脖子望着湖对岸，仿佛就要站起来到那边打听个究竟——我朝湖对岸一看，嗬，啥时候围上了一大群人，隐隐约约传来一片嘈杂声，是有人在吵架，还是有人在表演？

"嘿，跑过去看看吧——咱们的鱼竿丢不了——走！"我招呼苏岭泉。苏岭泉眨眨眼，把姿势调整得更端正，捧起《少年文艺》说："不。我要摘掉'坐不住'的帽子。只有练出坐得住的好习惯，才能上好每一节课，听好每一个有意义的报告啊……"

我可是跑到湖对岸去了。原来正在演出一个宣传新时期总任务的木偶戏。我津津有味地看完整个演出。直到流动演出队转移到别处去了，才回到苏岭泉身边——他竟还傻乎乎地坐在那里，眼睛望着水里的鱼漂。

"你可真坐得住呀！"我忍不住问他，"真奇怪——你怎么就坐得住呢？"

"因为——看不见的朋友帮助了我。"苏岭泉一本正经地回答。

我使劲摇晃他的肩膀："你那朋友究竟叫啥名儿！你要不告诉我，我可不饶你——"

苏岭泉站了起来。开头那表情里满是打算告诉我的味道，可是，忽然他又眨眨眼，改了主意。只见他叹了口气说："我那朋友对我还有意见呢，因为有时候我对他不太亲热……其实他的名字谁都知道，方老师就常提到他，你肯定早就听见过……"

嘿，他倒跟我卖起关子来了！我正要伸出手胳肢他，突然，我那根鱼竿猛地颤动起来，我也就立刻饶了他。我们俩欢天喜地地扑上去，四只手一块抓起了鱼竿。嗬，果真钓上一条"柳叶鲺"来！

因为沉浸在钓到鱼的欢乐中，直到回家，我也就没再问起那个神秘的朋友的名字。

两个月过去了，苏岭泉有了突飞猛进的变化，不仅学习成绩大有提高，而且组织纪律性也增强了。比如说听报告的时候，再也没有卸、装钢笔一类的小动作了。我呢，在苏岭泉、王晨他们的带动帮助下，也有了一些进步，物理课测验也得了个八十分。

可是我总有点好奇，苏岭泉的那个看不见的朋友究竟是谁呢？

进入期末考试阶段了，苏岭泉家里突然热闹起来——他姨姥姥带着一对五岁半的双胞胎孙儿从上海来了。这两个男娃娃别提有多淘气了，苏岭泉放学一回家，他们俩就一个抱住苏岭泉一条腿，这个要他给叠飞镖，那个要他给讲故事——你说他怎么复习得好功课！

这天放学，我和王晨招呼苏岭泉一块回家，他摆摆手说："我先不回家；我到首都图书馆去复习功课，家里两个淘气包太吵人了。"

好家伙，首都图书馆离我们那儿可远了，坐电车得七个站头。

王晨劝他说："别去啦！你嫌家里吵，到我家来复习功课吧！"

我也说："哪儿也比不了我们家安静呀！你来跟我一块复习吧！"

苏岭泉解释说："爸爸、妈妈都支持我去图书馆，让我买了月票。不是我不乐意跟你们一块复习、互相帮助，因为……咳，因为呀，我想跟那个看不见的朋友结下一辈子的交情——你们监督我吧，看我能不能坚持做到风雨无阻！"

瞧，又是那个看不见的朋友！人家两人还要结下一辈子的交情！

这以后，我还真监督着苏岭泉。今年夏天也真怪，很少有风，更少下雨，热得出奇，放学以后，谁不想找个阴地方玩会儿，可是苏岭泉还真能做到冒着灼热的气浪，天天坚持去首都图书馆——他说在那儿不但可以静下心来复习功课，还可以借看不少有趣的书报，增加许多有益的见识。

这学期结束了，苏岭泉从一个中等水平的学生，成了一个三好学生。我们班数他进步最大。方老师把我找去谈话，问我："你谈谈看，苏岭泉跟你原来是一个水平，为什么后来进步这么大？"我眨着眼答不出来。方老师启发我说："是你思想上糊涂，不如他明白吗？我看不是，他懂的道理你也懂得。是你不愿意克服缺点，天天向上吗？也不是，你跟他一样有进步的愿望。那么究竟是为什么呢？"

我说："这是因为——他交上了一个看不见的朋友！"

方老师笑了，点点头说："对哇！人人都该爱这个看不见的朋友，都该跟他形影不离！"

　　我忙问："可这个看不见的朋友究竟叫什么名儿啊？苏岭泉老是不肯痛痛快快地告诉我！"

　　正说到这儿，苏岭泉笑嘻嘻地走来了。他解释说："方老师，我这么做可不是为了存心卖关子，我是怕一下子说得明明白白，可又交不成这个朋友，闹个半途而废……"

　　我一把拉住他："这下你当上三好学生了，可该告诉我啦！"

　　苏岭泉拍手笑着说："告诉你——他的名字就在《新华字典》505页第17个字上！"

　　方老师见苏岭泉回答得这么有趣，笑得两眼成了两弯月牙儿。好，咱们就一块儿翻翻《新华字典》吧——当然，也许，你不用翻也行，因为你早已猜到，并且爱上了这个看不见的朋友。

1978 年

母校留念

母校啊，我要向你倾诉……

一

难忘四年前的那一天，坐落在故乡小城的母校啊，春风拂过你的身躯，你却充满了愁容，一个所谓的"电钟事件"，使你又增添了新的伤痕。

如今闭眼一想，温老师的面容又浮现在我的眼前。温老师啊，你在那天的数学课上，离开教案，心情激动地呼吁我们"珍惜时间，好好学习"，的确不是偶然的啊！

我记得，自从1973年秋冬刮起了所谓"反黑线回潮"的邪风，整个学校就像被铁勺猛搅过的一锅糊粥，唉唉，我们那班初三学生虽然全都16岁了，也难在"四人帮"搅起的旋涡里保持清醒的头脑。如果说"一份发人深省的答卷"还只不过使我们目瞪口呆，"一个小学生的来信和日记摘抄"则让我们心乱神迷，到1974年春天"马振扶公社中学事件"传达下来，别的同学不敢说，反正我就像喝了狼奶一样，是非美丑开始在我头脑中颠倒……

那一天的数学课，是上午最后一节。上课铃打过了，教室里仍旧乱哄哄。温老师站在教室那打了补丁的门前，好几分钟没有登上讲台。她那不大丰厚的短发，多少年如一日地梳得整整齐齐，掖在耳后；长圆而苍白的脸庞上，轮廓不大清楚的淡眉毛下面，两只微陷的大眼睛射出痛心的光芒；她嘴唇紧紧地闭成了个"一"字，默默地扫视着我们……

终于，大多数同学都安静下来了。温老师登上讲台，用明亮的嗓音、清晰的吐字开始了讲述："今天，我们接着讲对数……"

我们刚上初一的时候，温老师讲课非常生动活泼。她能把冷冰冰的数学公式，讲得让我们听起来个个都像充满了热力的火箭；在她的诱导下，我们都决心乘坐这多级火箭，去攀登科学的"星球"……逢到学完一个单元，上练习课的时候，温老师就捧着一个蔚蓝色的硬纸匣子出现在我们面前，我们是怎样地好奇、欢欣与精神振奋啊！那匣子里放着 48 张习题卡，每张卡片上分别写着我们 48 个同学的名字；卡片发到了我们手中，啊，温老师精心地根据我们每个同学的具体情况，分别在卡片上排列着不尽相同的练习题！我至今还记得她在为我制作的卡片上写下的娟秀字体："方程移项时别忘了变号！""注意：不止一个解！"倘若温老师笼统地给我们出相同的练习题，那可省事多了；而为了细致地纠正我们各不相同的"坏习惯"，温老师在灯下耗费了多少心血和光阴，才制出了一匣子又一匣子的习题卡啊……那时候，我们真是特别喜欢上温老师的课。

自从"反黑线回潮"以后，温老师讲课的风格变了，想必她备课一定越来越吃力，因为她要上课讲述的每一句话，都事先设计好，写在教案上；到了课堂上，她就尽量约束住自己，不讲教案以外的话；逢到出现突然情况，比如，有次一个男生自己画了张得"0"分的"数学考卷"，还故意署上"赛铁生"名字，得意地举起来，边给周围的同学看边扮鬼脸，我们都忍不住笑了，温老师痛心地眨了眨眼睛，张开嘴想说什么，却终于没有说，她胸脯起伏了一阵，便又照原计划讲了下去……又到复习课了，温老师没有带那蔚蓝色的硬纸匣来，她只是默默无言地在黑板上书写统一的练习题。可是，写着写着，她那拿粉笔的手打颤了。原来，她列出的算式挨近了黑板上几个歪歪扭扭的字："复习就是复辟。"——那是"赛铁生"上课前就写好的，温老师一开始没有发现……教室里有人笑，有人嚷，有人着急，有人起哄；温老师啊，当时我一点也不理解，你为什么只是咬咬嘴唇，拿板擦使劲擦去了那六个丑字，便仍旧无言地继续列出算式；只是粉笔道更粗、更深了……

回想起来真痛心啊！温老师接着讲对数那天，我一点也听不进去。因为无论是根椐张铁生的所谓"先进事迹"，还是按照"一个小学生致王亚卓的公开信"精神，跟着温老师这样的"资产阶级知识分子"学对数，都是不但没必要，而且很危险的。于是，温老师在讲台上讲她的对数，我却模仿着一个顺口溜，往数学作业本上涂写着："我要农村去落户，何必跟你学对数？"我想，反正我们这个小城市还没普及高中，像我这号功课中平的，毕业后肯定下农村。到了农村我会抢锄头就行，什么对数呀、函数呀……有啥用呢？

恰好我的坐位挨着窗户。窗外是一堵灰墙，因此窗玻璃可以当成镜子来照。我望望自己扎出的小短辫——像不像"羊角辫"呢？如今报纸上的报导也好，小说里的描写也好，一提起"反潮流"的女学生，总说是"扎着一对刚强的羊角辫"，显然"羊角辫"是一种最革命的发型，难怪班上的二十四个女同学，倒有二十个跟我一样，尽量把自己的小辫扎成个"羊角"——唉，只可恨我这一头蓬松的软发，你瞧，我那两根短辫疲沓沓地垂着；再加上我那竖不起来的长眉毛，瞪大了也射不出狠光的眼睛，以及红都都的胖脸蛋、厚而小的桃子型嘴唇，无论怎么努力，也具备不了画上那些个造老师反的"反潮流小将"的"雄姿"呀！

我正对着"镜子"胡思乱想呢，忽然觉得耳朵里突然少了些什么。扭过头一看，啊，原来温老师停止了讲课，眉心挤出一个"川"字，眯眼正望着我。全班同学这时也都把目光投射到我这里，有几个男同学还发出笑声。

现在回忆起温老师当时的眼光，我能理解，那里头充满了多少痛惜，多少失望，多少呼吁，多少愤懑啊！是的，一定是这样，温老师一刹那间万千思绪涌上心头：是谁让李荷香这样纯洁的孩子改变了眼神？是谁唆使她放弃了原来成绩优秀的数学这门课程？是谁毒害了这些孩子，叫他们自己践踏自己的青春？孩子们啊，你们为什么这样糊涂！你们醒醒吧！

但是，当时的我啊，一点也不理解温老师的心情，反倒产生了敌意：管我干什么？甭来"师道尊严"那一套！

温老师继续讲课了。我注意地倾听起来，不是听有关对数的讲述，而是耸起耳朵捕捉"问题"——我还觉得自己是"走上正路"了呢——那些受表扬的,让我们学习的"反潮流小将",绝不是仅仅凭着"羊角辫",而是凭着抓住了老师"复旧"、"翻案"这些"大错误",才当上"英雄"的啊。

温老师讲完对数,伸腕看看手表,显然离下课还有一段时间,她沉思了几秒钟,便抿抿头发,毅然地把教案推到了一边,目光炯炯地朗声对大家说:"同学们,我有些心里话,实在不能不说说了……"

这是好久没有过的事了,大家猛地都感到有点意外;可是细想那些天温老师几次张嘴要说点什么,几次又都强忍住没有说的情况,又觉得这是意料中的事。本来已经浮动的课堂顿时安静下来。大家不由得都仰头望着表情激动的温老师。

温老师走到我们座位当中的过道上来,不时和这个、那个同学交流目光,还特意两次盯住我的眼睛,感情十分沉重地说:"同学们,你们正在迈进青春的门槛,风华正茂,要珍惜啊!……"温老师停了一下,眼睛有些湿润了,看得出,她在使劲控制自己的激动,"你们一定不要把大好的青春时光浪费掉,要按毛主席教导的那样,努力在德育、智育、体育几方面都生动活泼地、主动地得到发展……同学们,我当教师已经整整 20 年了。1958 年,我送出了我教出来的第一班初中毕业生。我还记得,毕业的时候,同学们用勤工俭学的钱,特意买了一个大电钟,送给母校留作纪念。同学们在电钟上用红漆写下了他们共同的誓言和赠语:'珍惜时间,好好学习。'他们把电钟挂到传达室门外以后,互相勉励说:'几年以后咱们再到母校相会,畅谈一番,看谁没有辜负党和人民的希望,珍惜了每分每秒,为社会主义革命和社会主义建设事业作出了贡献……'"说到这里,温老师忽然容光焕发,"我现在还记得 1964 年春节的那次聚会。除夕晚上,14 个同学来到我的宿舍,满满堂堂挤了一屋子。大伙围着我叫啊,笑啊,唱啊……我使劲摆手让他们安静下来,认真地提出问题:'你们是怎么度过这几年的青春岁月的? 珍惜时间了吗? 好好学习了吗? 努力工作了吗? 过得有意义吗? 幸福吗? 快乐吗? '他们就一个接一个地讲起来了。许采云原来是个腼腆的小姑娘,现在成了纺织厂的先进生产者,她把时间甩到了后面,已经在干后年的活了。她那两只永远带着笑意的眼睛里,闪动着自豪的光芒:'我们厂从去年 11

月 22 号起，就跨入新的一年了！现在我们正在打一场创造历史最高年产量的战斗！'
沙振明这个大个子，是首都的建筑工人，他还是老样子，一说话就站起来，挥着大
手，用粗大的嗓门像朗诵似的说：'谁说青春不能长驻？请你们到首都去看看我们青
年突击队盖出的楼房吧——我们把一分一秒的青春，倾注进了献给祖国和人民的高
楼大厦……'宋建民成了西藏第一代架线工。他本来有点结巴，说普通话也不大流
利，可他却先用藏语朗诵了一首诗，一面还带表情、做动作，逗得大伙笑了个前仰
后合。然后他告诉我们：'为了扎根西藏干革命，我要求自己每天学会十句藏语；现在，
我说藏话就跟背九九表那么熟练啦！'这时候，我忽然注意到梳着长辫子的冯东琴，
这个大学数学系的高才生，正蘸着茶水在桌上列着算式呢。我指着她向大伙宣布说：
瞧，这儿有个'开小差'的！同时拍了她肩膀一下，她抬起头来，扶扶眼镜架，惊讶地问：
'我算错了吗？'嗬，大伙这顿笑啊，连眼泪都快笑出来了；原来，她正在琢磨一篇
数学论文，早就是这么个入迷忘我的精神状态了。她本也打算在聚会中暂时抛开论
文，和大家一块玩个痛快，没想到一听见别人话里出现数目字，就联想到自己的研
究专题，顿时就又掉进了数学的海洋里……同学们，当时，我听着、看着他们的汇
报和表现，心里充满了快乐和自豪！作为一个人民教师，这是我最幸福的时刻啊！
我亲眼看到，在党和人民的哺育下，他们成长起来了！他们的青春放出了多么灿烂
的光彩，为祖国为人民已经作出、将要作出多么有价值的贡献呀！……可是，忽然，
我听见从屋角传出来抽泣的声音。大家都感到很惊讶。一看，啊，那不是熊秉杰吗？
怎么捂住脸哭起来啦？要论长相，他是班上长得最神气的小伙子。五八年他初中毕
业以后，考高中没考取；分配他当售货员，他嫌没前途，不干；后来当了一阵临时工，
又嫌太累，不干了。当时宋建民写信来约他去西藏，他说：'我才不当那号傻子呢！'
不去。以后，他图当矿工挣钱多，到矿上去干了三个月，又因为怕艰苦辞了工……
最后他来找我，我动员他去考小学教师，他倒是兴冲冲地去考了，可是学过的文化
知识全都忘光了，没有考取……直到那个除夕他还没个着落。他跑来聚会，本是为
了吃点糖，嗑点瓜子儿，凑凑热闹，聊聊天，没想到大伙谈的是这么一个有意义的
主题，对比之下，这几年，他竟是一片空白，而浪费掉的宝贵青春，再也追不回来了。

他又愧又悔,所以忍不住哭了。"温老师讲到这里,长长嘘出一口气来,才又接着说,"也怪我后来没能管住他,他跑到了外省,不知靠什么关系当上了采购员;很久没他的消息了,去年才听说他当过一段什么'司令',搞打、砸、抢,犯了大错误……同学们,这说明青年人要是没有坚定正确的政治方向,不好好学习,或者贪图享乐、消沉堕落,或者跟着邪风跑、被坏人当枪使,那就不仅是荒废了青春,而且会伤害祖国和人民……同学们,今天我提起这些事,是希望你们能定下心来想一想:现在祖国需要你们为建设社会主义学习科学文化知识,包括很重要的数学知识,你们怎么能在数学课上走神、搞小动作,甚至胡闹呢?你们更应当珍惜时间好好学习啊!……我记得那个除夕,零点整的时候,我和聚会的同学们来到了校门口的电钟下面,同他们唱起了自己编的歌;我把歌中最要紧的两句词告诉给你们——'珍惜时间,让社会主义祖国一分一秒地更加富强!珍惜青春,让青春在壮丽的共产主义事业中闪光!'"……

我本是抱着"找碴子"的心思来听温老师讲话的,结果,我被她讲的话、特别是她讲话中渗透着的那一片赤诚的心意感动了。我朦朦胧胧地想:"这样的老师,也非得用'角'去顶、用'刺'去扎吗?……"

放学的时候,我们班的许多同学或者是因为被温老师的一番话所感动,或者是出于好奇,挤在传达室门前端详那个挂了16年却依然走得很好的电钟。我也踮起脚尖使劲辩认——不错,虽然经过多次擦抹,钟蒙正当中的红漆字已经不大完整了,但还能看出是"珍惜时间,好好学习"两行小小的隶书;钟壳下部则随环框用红漆写着"母校留念,1958届全体初中毕业生"的字样。

"你们堵在这门口干什么?"传达室的葛大爷开门出来了。他那洪钟一般的嗓子,使同学们连笑带哄地全跑开了。葛大爷矮墩墩的,一脸络腮胡子,同学们那时候敢跟每一个老师顶嘴,却几乎没有一个敢跟葛大爷顶撞。

我离开得最慢,从传达室里出来的一个高个青年叫住了我:"李荷香!"

他顶多也就30岁,穿一身折线笔直的新工作服;要不是右眼下面有个明显的月牙疤,凭他那整齐的五官真可以去当演员。他是团市委派到我们中学来蹲点的,进校不久,已经在全体团员会讲过两次话。他口才真好,对"反潮流"精神吃得很透,狠批对张铁生不服气的一些团员时,他连着拍了五次桌子,一气说出了十个反问句,给我留下了深刻的印象。我觉得他简直是从当时舞台上、图画上跳下来的"标准英雄"。他的一举一动,都仿佛是在聚光灯下"亮相",特别有派头。我面对他站住时,就发现他一手叉腰,一手用卷成卷儿的报纸点着我鼻子前头的空间,满脸带笑地望着我,微微摆摆头问:"你们刚才围在这儿干什么哪? 嗯?"

当时我对他可真有点崇拜,忙恭恭敬敬地回答他:"孙老师,我们在看上头这个电钟哪!"

他把叉腰的手潇洒地一摆:"什么'老师',我可不是臭知识分子,叫我孙师傅、老孙好啦!"

葛大爷这当口"咣当"一声进屋甩上了门。我后来才知道,这位"孙师傅"跟葛大爷的儿子同在一个工艺美术厂待过。葛大爷知道他的底细——进厂没在车间干过几天活,凭着两张嘴皮子能跟着"梁效"文章的调调唱,后来又抓住厂里生产"嫦娥奔月"镶嵌画的事,直接给"中央首长"写了一封"反潮流"的信,从此被"四人帮"在我省的代理人看中,点名调到了团市委。

我把大家为什么来看这个电钟的原因刚一说完,并不老的"老孙"两道浓眉一飞,顿时激动起来,把我胳膊一拉说:"走! 办公室里细说说去,这可是个重要的动向、典型的事例!"

我懵懵懂懂地跟着他到了办公室。他问一句,我答一句。问了几十句以后,他把桌子一拍,腾地站起来,打着手势说:"你们上当啦! 温淑芝是在为十七年修正主义教育路线翻案啊! 你们年幼无知,缺乏斗争经验,难怪资产阶级知识分子的糖衣炮弹打来了,你们顶不住!"

我吃惊了:"温老师的话是糖衣炮弹? 她是资产阶级?"

"孙师傅"猛拍了我肩膀一巴掌,"启发"我说:"看事物,不能光看外表,要看实质啊。好比说,嫦娥奔月,画出画儿来瞧上去挺美。可嫦娥是个什么东西? 是古代的奴隶主太太! 温淑芝给你们讲的那些话,乍听似乎都是好话,可她骨子里却是在搞翻案复辟! 十七年的旧学校培养出来的所谓'好学生',都是对社会主义经济基础起破坏作用的修苗！她说到的那个什么沙振明我就知道,是个有名的'黑劳模'嘛！其实十七年的所谓'坏学生',往往倒是真正的反修尖兵,好比她说到的熊秉杰,'文化大革命'当中是个响当当的造反派；虽说组织过百货公司的武斗,有点过火行为,大方向并没有错嘛⋯⋯你看,温淑芝颠倒黑白到了什么程度！不过也不奇怪。她老子是个大学教授,两辈的臭资产阶级知识分子。她说出这种话来,是有深刻的阶级根源的！李荷香,你可要擦亮眼睛,分清是非啊！"

我被他说得心里怦怦直跳。"孙师傅"见我基本上被他征服了,便又坐下,轻轻拍着我那扶住桌边的手指头说:"你抬起头来,看着我！"我便抬起头望着他。他指指右眼下的月牙疤,用沉痛的语调对我说,"你知道这伤疤是怎么来的吗？ 17 年前,我像你这么大的时候,'臭老九'出题考我们,限定非当堂交卷不可⋯⋯我早被他们折磨得精神恍惚,考试时一紧张,昏死过去,脸庞摔到了桌面上,砸碎了墨水瓶,被玻璃碴割出了这个口子——这是十七年修正主义黑线专政的活见证啊！"

眼望着那月牙疤,我震惊了。真是应该"跟十七年对着干"啊！当"孙师傅"具体指导我如何"起来斗争"的时候,我已经不再惶惑而慌乱⋯⋯

当天下午,传达室对面的墙上贴出了我在"孙师傅"指导下写出的大字报:《温老师把我们引向何方？！》我本来已经写得够荒唐的了,"孙师傅"还不满意,他亲自加上了诸如"猖狂"、"肆无忌惮"、"丧心病狂"一类字眼⋯⋯

我一辈子也忘不了温老师站在大字报前面的神情,特别是那双被细碎的皱纹包围的眼睛,不,那不是两只眼睛,而是两团怒火,也不仅仅是怒火,那里头闪动着无法形容的复杂感情⋯⋯但愿生活能从新开始,但愿我没有这样深地伤害过一位值得尊敬、并且从内心里希望我健康成长的好老师⋯⋯当时大群的同学在大字报面前指点着、议论着,有些和我同样糊涂、甚至更加糊涂的同学,故意怪声怪气反复念着大字报上最尖刻的句子,个别男同学甚至朝温老师后背扔去了小石子⋯⋯两位同组的老师把温老师从大字报前扶开了,一些同学发出了难听的起哄声⋯⋯

正当我在这出乎自己预想的场面前产生了几丝后悔情绪时,一只手落在我的肩上,啊,原来是"孙师傅"站到了我身边。他用手连拍我肩膀三下,大声地对站在周围看热闹的同学们说:"李荷香这一炮开得好,开得及时! 小将们, 团结起来, 向大大小小的孔老二的徒子徒孙们发动总攻击啊! "说着,他像当时舞台上"一号人物"常做的那样,一下子跳到砖砌乒乓球案上,一手叉腰,一手挥舞着,激昂地演说了起来;从历史上的"法家"讲到今天的"马克思主义者",从"批孔老二"讲到"批当代大儒"……我记得他还扬着嗓门煽动说:"大字报刚刚贴出不到一小时,我就听到学校里五个工作人员的公开反对——甚至堂堂的支部书记,也跟我说'这不合适';事实说明,这个学校的问题够典型了! 小将们,起来革命啊! 学习李荷香,砸烂旧制度! "

半小时后,不顾葛大爷咆哮大怒的阻拦,几个男生把那五八届毕业生郑重地请"母校留念"的大电钟摘下来砸了;傍晚以前,一批由"孙师傅"亲自组织的"小将大字报"贴在了我那"头炮"左右,表示"坚决支持李荷香的革命行动"……

我像被人扯着耳朵灌了劣酒,浑身发躁,头脑发晕。"孙师傅"把我找到办公室,滔滔不绝地启发我"借这股东风,百尺竿头,更上一层楼",具体地说,就是要我写一封信给报社……可是,学校里呈现的混乱局面,使我贴大字报时的"斗争气概"消失了一大半,我感到很难"更上一层楼";我也听不懂他那些"更深一层"的意思,只记住了他反复强调的一句话:"这是整个斗争的需要! "什么叫"整个斗争"呢? 斗争谁呢? 这听来吓人的"整个斗争"干吗需要我这么个小姑娘呢? ……

暮色笼罩校园时,"孙师傅"才放我回家。走拢传达室前头,我不禁愣住了。只见葛大爷正帮着一个男同学在贴一份大字报。这份大字报贴在正对我那份大字报的对面墙上,标题字迹工整,描得很粗,蹦进我的眼里就像一串子弹:《温老师讲的是毛泽东思想! 》。

葛大爷弯下腰,用关节粗壮的手指拍着没粘牢的纸角;那个男同学转过了身来——啊,我不由得大吃一惊,范铁民! 怎么会是他? 要知道,他是班上脾气最温和的一个同学,甭说从没有过冲冲杀杀、大喊大叫的表现,就是上课回答老师的问题,明明能答得头头是道,站起来的时候脸也总免不了要红一阵儿;他怎么会一下子变成了个敢贴大字报的人? 而且,凭他功课学得那么好,是个玻璃心肝的透亮人儿,他怎么会不知道这时候贴出反对我的大字报,就是反对"孙师傅",也就是反对张铁生……因而也就是对抗"反黑线回潮运动"啊！

范铁民发现我过来了，他那圆脸庞上一双似乎永远充满笑意的大眼睛并没有显出敌意，但是宽鼻梁下的那张嘴，紧紧地闭着，没有主动同我打招呼。

我走前几步，用劝告的语气对他说："范铁民，你可别当'小绵羊'啊！"

范铁民的脸腮顿时涨出了红潮，可那显然并不是因为害臊，而是出于激动。他思考了一两秒钟，便用平缓的语调对我说："绵羊头上也有角啊，可这角是用来顶狼的。"

"什么？！"我觉得这话比大声骂我还难听，便气恼地质问他，"你贴大字报反对我——你顶我，难道我是狼？！"

葛大爷一旁答话了，他两条花白眉毛耸成两坐小山，眯眼望着我说："你不是狼。可你要再糊涂下去，可就当定了让狼耍弄的猴儿了……"

葛大爷也对抗"反黑线回潮运动"，真没想到！他干吗骂我是"猴儿"？我又气又臊，一扭身跑出了学校……

回到家，已经从同院同学那儿听到消息的爸爸，脸色铁青，握大烟斗的手一个劲儿打颤。他是个搬运工，几百斤的大件家伙扛起来不当回事儿，发个言、讲个道理却别提有多费劲。他招呼我站到面前，呼呼呼喷了好一阵烟，才憋出了这么几句话：

"你算反哪门子的潮流？你甭给我丢人现眼去！五八年的学生有啥不好？温老师有啥不好？……你、你、你给我老实点儿！！"

爸爸生了这么大的气，我还是害怕的。就这样，我在混乱的事态、混乱的心情中度过了初中的最后岁月……我那份大字报所挑起的"电钟事件"，使得母校大多数班级的文化课乱得像开茶馆，使得教学楼楼道里散布着总也扫不干净的碎玻璃碴……老师们和范铁民那样的同学见了我都不愿搭理我，而"孙师傅"对我也很不满意，有次还拍着桌子训斥我："不能造顽固老子的反，辜负了革命派对你的期望！"

我痛若，我困惑，我不知道自己究竟应当怎么办……

母校啊，如今回忆起这一切，我不仅是悔，更充满了恨——"四人帮"这伙政治教唆犯啊，他们用所谓"反潮流"的鸦片，毒害了多少我这样原本是天真无邪的青少年，驱使我们在祖国的身躯上，划出了多少令人沉痛的伤口……

然而，我要控诉的还不仅仅是这些。此刻我耳边又响起了温老师在那天数学课上的亲切话语："你们正在迈进青春的门槛……"是的，我迈进青春的门槛了，我的青春，我们这一代人的青春啊……

二

……是最后一场秋雨了吧，落下来的不是雨点，而是闪光的霰珠。我打着一把蓝色的塑料伞，在晶亮的柏油公路边上走着：周围的田野笼罩在迷蒙的雨雾中，唯有长途汽车站那红色的站牌，在一片灰绿中显得格外醒目。

我走拢车站，才发现那儿早有一位裹着灰色塑料雨衣的大嫂，她见我便热情地打招呼："李老师，哪儿去？"

我不假思索地回答说："进城，到母校……"

啊，母校，你万万没有想到吧，在发生了"电钟事件"一年半以后，我也成了教师！

事情是这样的：初中毕业我就到这离城120里的郭河公社插队了。在新的环境中，我渐渐摆脱了"反黑线回潮运动"给我套上了的"精神项链"（温老师他们被套上了"精神枷锁"，我这样的"反潮流小将"被套上了"精神项链"，其实我们都是被人套着欺侮的——当然，我是很久以后才想透这一点的）。1975 年夏天，随着教育战线整个形势的好转，郭河公社学校决定进一步发展，当时师资奇缺，公社党委便决定把一部分有长期教学经验、业务进修较好的小学老师，提升为中学老师；同时从知识青年的初中毕业生中，挑选一些人担任小学老师，我就是被选中的一个。我当然不可能痛痛快快地服从这一分配。长期以来，我已经习惯把老师当做革命对象看待，现在居然让我也去当"革命对象"，怎能甘心呢？不过，公社文教书记挺耐心地足足找我长谈了五次，大队贫下中农又一见面就语重心长地劝说我，再加上特意从城里赶到农村来的爸爸挥动着烟斗几乎是吼叫着说："还要组织上拿八抬大轿来请你吗？白吃了党给你的几千碗干饭！"我的心开始活动了……

一个虫声唧唧、蛙声呱呱的夜晚，我的脑袋瓜在枕头上滚动了一夜——终于下定了决心，去当个小学老师！我自我安慰地想：我跟温老师他们不一样，我跟"十七年教育黑线"毫不沾边，我也戴不上"资产阶级知识分子"这顶帽子，无论如何，我总是"新生力量"啊！

也许这就叫"命运总跟人们开玩笑"吧——到了郭河公社学校，偏偏又分配我教算数！

开头，我还沉得住气。毕竟我是初中毕业生，教小学四年级学生总不用心虚。可是，几堂课过去，我就心慌意乱了。原来当老师的不仅要自己懂，顶顶要紧的，是还得具备能把别人教懂的能力！而要教懂学生，又不仅是需要有清晰、准确、生动的表达能力，还需要善于组织教学——维持课堂纪律，特别是对付那些妨碍你讲课的个别生。

我那班上，有个圆脑袋、翘鼻子、眼仁蝌蚪般黑的男孩子，名叫罗灵宝。倘若他只是贪玩，管不住自己，我也不必想起他来就头痛了。他不知从哪儿学来了一套让人哭笑不得的"捣乱经"。比如说，我正讲着四则题，他会忽然尖声学起驴叫，同学们哄堂大笑，课堂自然顿时乱作一团。我不得不大声批评他："罗灵宝，不许怪叫！"

他满不在乎地坐在位子上，伸出手指头点着我，反驳我说："你甭搞管、卡、压！"

我能不生气吗！我走下讲台，朝他逼近几步，教训他："你胡闹就不行。就算你不爱学，别的同学还要学呢，你非学驴叫不可，就到外头叫去！"

我这分明只是一句气话，谁知他听完却果真大摇大摆地走出了教室。我想，也好！少了你才清静呢！可是我刚开始往下讲四则题，窗户外头就传来了滑稽腔调的"驴叫"，教室里顿时又爆发出一阵哄堂大笑。

这回我气得上下牙直打架。我怒冲冲走到门外，呵斥他说："罗灵宝，你有完没完？！"

他冲我扮个鬼脸，仰着脖子大嚷："你甭来'师道尊严'那一套！"

这时候，我忽然感到——教师多么需要有必要的权威啊！为什么罗灵宝对老师连一丁点尊重也没有呢？他怎么会变得这么浑呢？这么想着，我就情不自禁地指着罗灵宝的鼻子嚷了一句："你真浑！"

　　罗灵宝立即"回敬"我："你是臭老九！你反动！"

　　这话一直刺进我心窝里去了。我也是"臭老九"？啊，对对对，谁让我也当了教师呢！我后悔得浑身发颤，双手捂脸，扔下一教室同学不顾，哭着跑回宿舍去了……

　　学校支部书记赵中喜，一位长脸庞、长眼睛的、有着大哥哥风度的同志，和我耐心地谈了一下午。他对我说："你这堂课上砸了，有三个因素——第一，罗灵宝受了某些宣传的影响，故意捣乱；第二，你在这种情况下缺乏组织教学的经验，只顾管他一个，没能稳住多数；第三，中午放学我找一些纪律较好的同学问了问，他们说你讲课不生动，如果讲得特别吸引人，罗灵宝也会不知不觉地听入神的——他们说，上常识课罗灵宝就要好一些……所以，除了批评教育罗灵宝以外，你也应当努力提高组织教学、讲授知识的能力和技巧；休假的时候，你不妨回母校找老教师请教请教……"

　　夜深人静，我在宿舍灯下托腮沉思。一些长着翠绿翅膀的小虫撞得电灯泡铮铮发响。想着想着，母校的生活一幕一幕在我的脑际浮现出来了；而温老师的面容，便如同电影上的特写镜头一般，无比真切地推近到了我的眼前：一头短发，长圆而苍白的脸上总挂着一种真挚的笑意，两只微陷的大眼睛那么专注地望着人；让人觉得，她似乎总在思考着：我的心血已经灌注进孩子们的身上去了吗！"啊！多么好的老师啊！"我突然良心发现地喊出声来了。温老师啊，你还怨恨我吗？你这会儿一定还在灯下备课吧？我记起来了，我们下乡的那一天，你也赶来送行，在一瞥中，我发现了你鬓边的几缕白发——原来有没有呢？我努力地回忆，原来似乎并没有啊，温老师，是"电钟事件"对你的打击，才使得你鬓边出现了最初的几丝白发吧？我们乘坐的汽车开动了，欢送我们的锣鼓响了起来，我却不敢再从车窗望你一眼，因为，我害怕和你那充满了诚挚和期望的眼神相遇……现在，我想到了你关于珍惜时间、关于青春的讲话，想过你过早地出现了的几缕白发，也无限痛悔地想起了我在荒唐中度过了最初的青春。……此刻，温老师啊，我感到第一回真正地能够理解你了——为什么即使在"赛铁生"那样的学生捣乱的情况下，你也并不跑出课堂，而且还能想方设法稳住多数，尽最大的努力，用清晰而严谨的讲述，把有用的知识传授给大家……温老师，我多么需要向你请教组织教学的经验和讲授知识的技能技巧，多么需要学习你的涵养和毅力啊！温老师，都怪我当年和罗灵宝一般地糊涂……几滴泪水落到了身前的桌面上，悔恨颤动着我的心弦……

在那个晚秋的雨天，我就是怀着这样一种心情，赶回城里，去母校找温老师的。

我打着伞拐进母校所在的那条街时，已经是中午了。正赶上放学，打着各色雨伞、身着各色雨衣的同学从校门里涌出，喧哗声顿时充满了整条街道。我已经能用老师的眼光来看待这一切了，所以我忍不住劝阻了几个故意用雨靴蹚积水的低年级男孩，又对一个甩着嗓门骂人的男学生投去了责备的眼光。忽然，我听见有人叫我："李荷香！"

我抬眼一看，红油纸雨伞下，一对明亮的眼睛正对着我，照例显露出一贯的笑意。

"范铁民！"我非常高兴。他初中毕业后留校继续上高中，现在已经是高二的学生了。千百句话语涌上了我的喉咙，可是真不知该让哪一句先蹦出来！

我们躲开人流，站到一家药店的屋檐下去说话。

"我们都听说你变了，当老师了。开头还有点不信呢……"范铁民还是不紧不慢地开口说。

"别不信，"我心里突突跳着，直截了当地告诉他，"我不再是被人戴上纸壳犄角牵出来耍的猴儿了！……"我忘记了他要赶回家去吃饭，下午还要准时上学这些事儿，站在药店那淅淅沥沥响着的泄水管旁，一五一十把我怎么当老师、当老师以后遇到的困难，以及这天我为什么要回母校的原因都倾诉了出来……

范铁民听完，已经显得成熟的面容变得严肃起来，他那两道细黑的眉毛微微往一块儿碰，望定我问："今天的新闻广播，你听了吗？"

我把头一摆说："谁顾得上听那个！我一大早就上路了……"

范铁民告诉我："今天播了篇清华、北大大批判组的文章，题目叫《教育革命的方向不容篡改》……你不是要找温老师吗？快去吧，她也许已经吃完了饭，正研究这篇文章呢……"

一点也不错，当我走进温老师那小小的单人宿舍时，她正坐在书桌旁，一只手托住下巴，紧皱眉头读着当天报纸上的那篇文章。

温老师见来的是我，倏地站起来，披在肩上的棉外套一下滑落到了椅子上。她显然感到意外，眼角的鱼尾纹颤动着。是吃惊？是厌恶？要骂我一顿？还是要轰我出屋？……

我提着收拢的雨伞，任雨水滴滴答答掉到干净的水泥地面上，心里像拉开了一张弓，愣愣地望着温老师，紧张得喘不过气来。

我多么想大声嚷出来："温老师，过去我错了！"可是没等我开口，温老师便一步跨上前，接过我手中的伞，竖到墙角；然后便拉着我胳膊，让我同她并排坐到朴素而洁净的床铺上。她一边用双手摩挲着我的右手，一边细细地打量着我说："荷香，我就知道你会回母校来的！你怎么才来？……"

原来温老师对我并不厌恶，更不记恨。但是从她那闪闪的目光里，从她那亲切的语调中，我却感受到比原谅更强烈的震动。我低下头，使劲把羞愧的泪花憋回去。我想，重要的也许并不是道歉的话语，而是我将怎样像温老师一样，做一个真正的人民教师……

我向温老师倾诉了一切。温老师默默地听着。

最后，我告诉温老师："我们郭河公社学校的党支部书记赵中喜，就是1958年的初中毕业生，他给我讲了好多那时候的事儿，我明白了，'十七年'那段，在学校里，指引我们的主要是毛主席的革命路线，你说过的许采云、沙振明、宋建民、冯东琴他们，不就是那时候培养出来的好学生吗！我还从教学实践里懂得了，珍惜时间、遵守纪律、尊敬老师……这些都并不是什么'儒家的旧道德'，而是每一个学生都应当具备的最起码的品质啊……温老师，再当我一次老师吧，这回我一定、一定好好跟你学！"

温老师听完我的话，没有马上回答我。她静静地用双手把头发往耳后捋着。我又一次看见了她那最初的白发，而且似乎又增加了许多。我的心里不禁涌荡着难以描述的感情。我等着，温老师将会立即把她所有的教学经验全盘托出的……

然而，出乎我的意料，温老师沉吟了一会儿，便深沉地对我说："荷香，你来晚了，晚了！"

"怎么晚了？"我大惑不解地睁大眼睛反问。

温老师抻过桌上的报纸，递到我的手中，敲敲那两校大批判组的文章说："你看看吧！"

我一字一句地读了起来。啊，有人"篡改教育革命的方向"了，谁呢？如果不"篡改"，应当"坚持"什么"方向"呢？……读完，我恍然大悟了，原来他们是要学校回到去年"电钟事件"那前后去，是要把刚刚开始的整顿教学秩序的工作拉下马！难怪温老师说我"来晚了"，是呀，倘若依这篇文章的调子办事，那就应当继续以温老师为敌，哪能来找她取经？……

我愤懑地打开报纸，痛苦地绞着双手，一时说不出话来。温老师一时间也默默无言。但是，她背着手在床前来回踱了几次以后，像是经过思考，下定了决心，忽然走到桌前拉开抽屉，取出一个布面厚本，递到我的手中。

我打开一看，扉面上写着："教学笔记，第五册，1974 年 4 月－9 月"；啊，这不正是"孙师傅"号召全校师生"结合我校温淑芝放毒事件，狠批黑线回潮"的岁月吗？而温老师却仍然坚持着记"教学笔记"！我的双手颤抖地翻开了第一页，只见上面写着："4 月 12 日，晴。党支部不同意'蹲点人'让我停课检查的意见，也不同意开会对我批判。但'蹲点人'今天又'指导'学生贴出批判我'放毒'的大字报共十五份。我只要仍能站到讲台上，便一定要教会学生。因为，是毛主席、是党、是人民，把向学生传授知识的任务交给我的；谁也不能剥夺我引导孩子们为建设社会主义而珍惜时间、好好学习的权利！今天我开始给初三（一）班讲二次方程……"看到这儿，泪水模糊了我的眼睛，只觉得心口突突突地跳，啊，温老师，你有一颗多么美好、多么坚强的心！

温老师坐到我的身边，搂住我的肩膀，轻轻地对我说："你带回去看吧……早晚有那么一天，还会云开雾散的！"

我趴到温老师的肩膀上，用手指抹干涌出的泪珠，然后抬起头来，甩甩头发，把那教学笔记按在心口上，宣誓似的对她说："温老师，我要像您一样，做一个真正按毛泽东思想办事的人民教师……"

我怀着悲壮的感情离开了母校，离开了温老师。我知道，我的工作将更加艰难，然而也更加光荣。

1976 年元旦假期后的头一个教学日，我给四年级甲班上算数课。随着广播中、报纸上关于"反击教育战线右倾翻案风"的调门越来越高，文化课教学越来越难进行了。这节算数课，底下学生一直比较浮动，我喊得嗓门发哑，鼻梁上的汗珠滴到了嘴巴里，仍然有几个男孩子不但不听讲，还公然用弹弓互相打着玩。为首的还是那个罗灵宝。别看处境更困难了，我倒比前一阵耐心多了。我从温老师的教学笔记上学到了许多东西。我停下算数知识的讲授，清清嗓子，环顾了一下整个教室，宣布说："同学们，听我来讲个故事吧……"

教室里顿时安静了许多，罗灵宝他们几个玩弹弓的同学也停止了小动作，个个都抬起眼睛望着我。

我怀着一种异样的感情，讲了起来："这是一个关于电钟的故事。十多年前的一个除夕晚上，雪花静静地飘落着，这里、那里不时发出爆竹的响声……在一位老师的宿舍里，十多个毕业多年的大哥哥、大姐姐聚会在一起……"

那天，我的声音仿佛有了一种特殊的吸引力，几句话过后，教室里就静得仿佛只有我一个人了；窗外的树枝上落下了两只鹡鸰鸟，好像也来听我讲这个动人的故事……

我走下讲台，走到过道中去，就像一年多以前温老师所做的那样，不时同这个、那个同学交流着目光……

忽然，我在半句话上停住了——因为我接触到了罗灵宝的目光，那目光令我又气恼又惊诧，因为我猛地从他的眼神里，发现了我自己当年的神态——头年春天，我在母校温老师上的那节数学课上，不也是这么一副表情吗？不仅是目光，那面部肌肉，那微歪的嘴角，都仿佛在说："哼，你甭放毒——我可得留神听听，你哪句话是复旧、翻案！"望着罗灵宝，我那激荡着美好感情的心灵仿佛被狠狠地戳了一刀。这是为什么啊——"反黑线回潮"把昨天的我毒害成了那个样儿，"反右倾翻案"又把眼前的罗灵宝教唆成了这副模样，难道我们一茬又一茬的青少年，就应当在这种"革

善 的 教 育

老师命"、"造知识反"的"反潮流"当中，度过我们的青春岁月吗？我心里那般感情的激流陡地汹涌而出，全身一阵震颤，忍不住呼出了一声："不能再这样了！"

罗灵宝和其他同学都吃了一惊，教室里掀起一片低声窃语的声浪。我镇静了一下，接着，便任满腔激情瀑布般地奔泻了出来——我向他们讲了那个并不复杂、然而惊心动魄的故事，一直讲到"母校留念"的电钟被砸。最后，我诚恳地对他们说："那时候，我觉得自己是在革命。可是，随着我来到农村，来到贫下中农中间，随着我学习马列和毛主席的著作，我开始懂得了一个很简单可也很深刻的道理：即是革命，总得对人民、对祖国有好处。学张铁生之流，专门造老师的反，不珍惜时间，不好好学习革命道理和科学文化知识，把学校弄得乱哄哄的，对人民有好处吗？对祖国有好处吗？同学们哪，我也是打你们这么大过来的，我走过弯路，所以我最知道浪费了时间会带来多大的痛苦——别的东西丢了还能找回来，大好的光阴给糟蹋了，可是找也找不回来的呀……"

我发现，绝大多数同学都被我的话打动了。有两三个孩子的眼睛里，甚至出现了晶莹的泪花。我特别又注意了一下罗灵宝，原来拿在手中的弹弓掉在了地上，他也没有发觉，只是愣愣地低头坐在那里。他是被我的话感动了呢，还是在琢磨我的话里有什么可供"造反"的辫子呢？……

真是又在意料之中，又在意料之外——第二天，罗灵宝在我宿舍门口贴出了一份《不许李荷香右倾潘案》的大字报。别看他把"翻案"写成了"潘案"，也别看短短两张大字报纸的篇幅里出现了十一个错别字，这份大字报给我上的纲任谁看了也得大吃一惊。还有更想不到的事儿——当天下午团市委的"调查组"就进驻了我们郭河公社学校，而且，找我进行个别谈话的，不是别人，正是当年在母校"蹲点"的"孙师傅"——不过这时候他已经当上了团市委宣传部长，习惯于别人把他称作"孙部长"了。

当时，事态的发展多少有点令我莫名其妙，不过，后来我弄清楚了，一点儿也不用着奇怪——罗灵宝的爸爸是公社团委副书记，跟"孙部长"早就是一个帮派里的人，罗灵宝的那份大字报，是他爸爸唆使他写的——目的还并不仅仅是要打击我和郭河学校，而是要用"郭河学校右倾翻案一例"来证明公社党委"路线错误"，从而好由他们一伙来成立"公社新党委"；"孙部长"自然胃口更大，是要用"郭河公社触目惊心的复辟事件"来证明市委、省委统统应当"靠边"，由他们的帮派体系来取而代之。

在学校的一间小办公室里，我又单独同姓孙的坐在桌子两边了。差不多两年的时间里，我们都发生了很大的变化。他的本质没有变，但显得更加老练，舞台式的亮相动作看不见了，也很少扬声说话，眼里闪动的光芒更加冷峻，嘴角上增添了让人摸不透的淡淡冷笑。我呢，他可以看出来，不仅梳上了他准认为是温老师式的短发，眉宇间也透露着他所厌恶的温老师式的思考气息，我的大眼睛里消失了盲目信任的天真色彩，我紧闭的嘴唇里也肯定不会再吐出顺他心意的话语——一句话，我已经发生根本性的变化了。

我们互不相让地对视了几秒钟以后，他缓缓地说："叛徒！没想到机会主义头子折腾了七、八、九三个月，就能把你这号意志薄弱的青年从正道上拉到泥潭里去……你居然当着几十个学生忏悔'电钟事件'，这真出乎我的意料，你不感到害臊吗？"

我斩钉截铁地回答他说："我感到自豪。因为我知错认错。因为我不愿意再给你们当猴子耍，也不能让你们再勾引我的学生们去当猴子耍。"

他的眉尖抖动了一下，可是略微思考了一两秒钟，便挤出一个笑容说："好，怪我刚才的话说重了——我是为你在尖锐复杂的路线斗争里迷了路而痛心。荷香，我们来推心置腹地谈一谈……"

显然，他是见我硬的不吃，又换软的来了。我还他一个轻蔑的冷笑："推心置腹地谈谈你那个月牙疤吗？你别忘了，刚刚靠边站的赵中喜同志，小时候跟你在一个村里爬树摘过杏，你那月牙疤是怎么弄出来的，他顶清楚——你现在还要编瞎话蒙骗我，那就请编个更巧妙的吧！"

我话音刚落，他那右眼下的月牙疤便哆嗦了一下，脸色顿时大变，仿佛成了一块锈铁。他再没哼出一个字来，站起身来就走了，从此再没同我见面——但第二天我便被宣布停职检查。

在我"停职检查"的第二天，周总理逝世的消息传来了，我深深地淹没在无限悲痛的浪涛里。

多么漫长而痛苦的日子啊！

接着，消息传来，在悼念敬爱的周总理的活动中，数不清的革命群众受到了残酷的压制。

这是为什么？！我想啊想啊，忽然，我内心里被一道闪电照亮——啊，我明白了，"孙部长"他们，"梁效"他们，以及某些我当时还不大清楚的在上头牵线的家伙们，他们"反黑线回潮"也好，"反击右倾翻案风"也好，都是冲着敬爱的周总理的呀！难怪早在去年春天，"孙部长"就跟我翻来覆去地宣扬什么"整个斗争的需要"呢——原来他们的"整个斗争"，就是反周总理、反毛主席、反党中央呀！

我心中滚过隆隆的雷声。我没有什么检查好写！我用白纸剪成了一朵朵的小白花，扎成了一个小小的花环。我把这花环放在窗台上，遥遥献给我无限敬爱的好总理……我透过泪眼望着这洁白的花环，默默地宣誓：

总理，您放心吧！我已经懂得了应当怎样度过自己的青春年华、怎样度过自己的一生；您们所开创的事业，一定后继有人，千千万万……

三

1978 年的春天到了。多么美好的春天！如果说，1977 年春天我们还仅仅是满怀着希望的话，那么，1978 年的春天我们便看到了第一批"希望之果"。

啊，春风送我回母校。葛大爷呀，您为什么认不出我了？啊，您点着我鼻子笑了。葛大爷把我拉出传达室，让我仰头看——怎么，难道砸烂的东西还能复原？那熟悉的位置上仍然挂着一个电钟，是新的！钟心一样有两行小小的隶书红字："珍惜时间，好好学习"；环框上呢？"母校留念，1977 届全体高中毕业生。"——我猛然一醒：是的，谁说被"四人帮"夺走的时间不能再夺回来，只要我们加倍地珍惜时间、加倍地好好学习！

这是星期六的下午，我应当能见到亲爱的老师们——什么，全不在？哪儿去了？

啊,市委请全城中小学老师到红星剧场看慰问演出去了。葛大爷啊,那我也要进去转一转,我有许多许多的话要对母校说……

葛大爷为什么先不让我各处去转转?葛大爷为什么把我领到了会议室门前?葛大爷抻抻我的衣袖,又让我仰头朝上看——啊,《"母校留念"展览》——多么新鲜的展览!葛大爷开了锁,让我走进屋,拉开了日光灯,便微笑着离去了。葛大爷是要我补上这重要的一课……

先看"前言"。太有道理了——"'四人帮'诬蔑十七年教育战线是'黑线专政',诬蔑社会主义学校培养出来的学生是'修苗'……看看这里展出的历届毕业生留赠母校的纪念物品吧,事实胜于雄辩!……"

啊,我眼前出现的不仅仅是一件件发人深思的纪念品,而是我们新中国一届届中学毕业生鲜红的心,也是一部形象的校史……

看,当年参加土改宣传活动的高中毕业生,把他们获得的奖旗留给了母校;看,这来自上甘岭的、用美军炮弹壳做成的笔筒,是12名志愿军战士托赴朝慰问团捎回母校的;再看哪,那是战斗在遥远的青藏高原的地质队员,寄给母校的矿石标本……

啊,这里还有从南海前哨寄回的海贝,从东北森林捎来的松塔;有成为美术工作者的毕业生,赠给母校的表现钢铁工人炉前奋战的大幅油画;也有1963年就扎根农村的毕业生,培植出的玉米优良品种……

当然,也有不少是毕业生离校时的赠品:附有"时刻准备着!"字样的大玻璃镜——当年的同学一进校门,便能从镜中检查自己是否衣容整齐,并想到祖国的召唤——后来竟被当做"修正主义路线"产物,被摘掉扔进仓库了;自制的天文望远镜、飞机和舰艇模型……啊,这是什么?"五八届初中毕业生留赠母校的电钟模型。"——实物呢?!我双手捂住脸庞,只觉得脸上的每根血管都在强有力地跳动——歹毒的"四人帮"啊,竟挑动我们用双手去砸毁了这凝聚着革命激情的纪念品!我们当年砸毁的不是电钟,而是时间和青春啊!时间哪,我懂得珍惜你了!青春哪,我懂得应当怎样度过你了!我一定要加倍努力地工作,向"四人帮"讨还时间和青春!母校啊,我向你宣誓……

我激动地在展览室中挪动着步子。从 1949 年至 1966 年，百分之九十几的"母校留念"物品都闪动着时代精神的光彩，说明写得多好啊！"大家看一看，算一算，究竟十七年占据主导地位的，到底是什么？"

……我走到了 1966 年 −1977 年这十一年的展品前。那在东北"屯垦戍边"的大幅照片，那从云南胶林捎回的割胶刀和接胶碗……啊，十一年连着十七年，二十八年来，可爱的母校培养出了多少有社会主义觉悟、有文化的劳动者啊！……

这是什么？一株才一尺高的青松，盆上的红纸条上写着："深山插队炼红心，经风沐雨长成才——母校留念，范铁民。"啊，铁民！早听说你自愿到山村锻炼去了，我多么想见到你啊，你可知道，现在我怀着多么钦佩的心情回想到了你；你可能告诉我，在那乌云翻滚的混乱时刻，是什么促使你坚持了真理？……

看完了展览，我激动地走出了会议室。没有立即回去找葛大爷畅谈，我朝校园深处走去。母校啊，我有千言万语要向你诉说……

母校啊，你高大的教学楼再没有破烂的窗户，夕阳给每一扇玻璃窗染上了闪光的玫瑰红，像一只只充满热情的眼睛。走过这一间间教室，我想起了这几年里母校所经历的考验，也想起了我们这些从母校出去的学生所经历的风浪……

教研室啊，你那一张张办公桌，一叠叠作业簿，充满了多少诗情，蕴涵着多少画意；难忘闪动在这四壁间的辛勤身影，难忘在这里听到的亲切话语。温老师，你可好？尽管白了的发丝不能复黑，可我相信你身体里如今流动着的是青春的血液！啊，我隔着窗玻璃望见了什么？——在温老师的办公桌上，正放着那勾起我多少回忆和联想的蔚蓝色纸盒！温老师啊，你知道吗？现在我那办公桌上，也有这样的一只纸盒呢；我也采取了这种细致的、有针对性的办法，来辅导自己的学生。温老师啊，你猜是哪个学生帮我糊成了盛习题卡的纸盒？是罗灵宝！揪出"四人帮"以后，有一天晚上，我正在灯下备课，忽然听见有人怯生生地在敲我宿舍的门。我去拉开门，一个身影倏地闪开了，跟着是迅速远去的吧哒吧哒的脚步声。我惊疑了——可是随即便发现了投进门槛内的一个信封，我拾起信封，掏出了信纸，上面是一行工工整整的大字："李老师原谅我吧我再也不饭糊涂了真的罗灵宝。"我把这封信拿到桌前，把"饭"改成了"犯"，加上了标点，心里涌动着欢欣和希望的浪潮……温老师啊，今天我把这封信带来了，还有罗灵宝最近得满分的作业，要给你看哩！

黄昏降临了校园，我心中却充满了晨光。我产生了一种难以抑制的冲动。母校啊，我应当把什么留给你当做永久的纪念？想来想去，我决定写下这篇不成熟的文章。愿在校和今后的弟弟妹妹们能读一读。历史不会重演。今后还会不会出现"四人帮"式的丑类，但愿不会有，可又难以绝对避免。我的弟妹们啊，当你们读到这份留给母校的记录时，希望你们很好地、很好地想一想：该怎样珍重自己宝贵的青春，不被"拉大旗作虎皮"的阴谋家们利用，而让青春真正在实现祖国"四化"、奔向共产主义前程的战斗中，放出璀璨的异彩！

1978 年

笑　容

　　我的邻居，初中三年级学生王丽蓉，一个圆脸蛋的胖姑娘，经常来找我，跟我讨论一些写作上的问题。她热爱文艺，经常写点小说一类的东西。

　　这天她忽然说起班上的数学老师："一点也不典型！您看小说里的那些老师，脸上总挂着和蔼可亲的微笑，对缺点顶多的学生，也能表扬为主……可是他呀，瘦长脸上难得有个笑容，你就是连着得了三个100分，他也不一定表扬你！就拿对我来说吧，您知道，我爱文科，可数理化也学得不错，昨天发下数学期中考卷，我头回得了100分，总比以往的80、90分强吧。他把我找去个别谈话，我以为他要大大表扬我一番呢。谁知他脸上连个最起码的微笑也没有，只是冷冰冰地跟我讲了一番：这道题你做对了，可用的方法还可以再灵活一点；那道题你做对了，可函数图象还可以画得更工整一点……末了还慢吞吞地跟我说：知道你偏爱文科，数理化学成这样很不错了，希望你不要过早地有所侧重。你们这个阶段，每门课学的都是最基本的东西，都该学得好上加好……"

　　我忍不住打断她的话头说："这老师有什么不好呢？"

　　她摇晃着小辫笑了："倒也没什么不好。反正不典型——不能写进小说！不光我一个人这么想，同学们也都觉得他太那个了——怎么老没个笑脸儿！"

　　我同她争辩起来："谁说没有笑容的老师就不典型？我可不这么看！而且，你让我想起了我上高中时候遇上的语文老师……"

王丽蓉感兴趣地说:"他怎么样?也没有笑容吗?快讲给我听听!"

我点点头,讲了起来——

那老师姓章,教我的时候,大概还不到 40 岁,可已经有点秃顶了。胖胖的身材,细长的眼睛,说话略微带点东北口音,穿着非常朴素。说他从来没笑过,那也不符合事实;不过他的脸上的确很少挂着笑容,即便是给我们讲安徒生的童话《皇帝的新衣》,大伙笑得前仰后合,他也仍然满脸严肃,只是略作停顿。等我们笑完了以后,他清清嗓子,冷静地引导我们一起总结它的中心意思。

说来也怪,这样一位没有笑容的老师,他讲的课却很受我们欢迎。打个比方,他的课初听似乎滋味不浓,听久了,便会觉得像嚼上了话梅,越琢磨越有后味。大家最欢迎他的作文讲评课——废话很少、态度冷静,但听完能让你觉得有具体收获,好比递给你一杯水,杯子并不华美,而那水却美若甘露一般。

那时候,我正处在你如今这么个状况上,爱好文艺,时不时地写点短诗、小说。不用说,我作文的成绩一直是拔尖的,同学们甚至给我取了个"小词篓"的外号。因为我的每篇作文里总有那么多令人应接不暇的成语和形容词。章老师来接我们这个班的语文课时,我亲耳听见原来的语文老师——一位非常年轻的男老师——向他介绍情况说:"写作上最有发展前途的,就是写《隔壁那家人》的这个同学……"《隔壁那家人》正是自由命题的作文课上,我写的一篇介绍军属康大妈家里情况的作文。但是章老师听着介绍时,脸上只不过现出个专心的表情,一点笑容也没有。

章老师给我们出的头一个作文题目,是《我的故乡》。见了这题目,我喜得眉飞色舞。我知道,班上起码有一半以上的同学,都是地道的北京人,北京固然大有可写,可你写我写他写,就很难写得不同凡响;而我是班上唯一的四川人,我写故乡成都,不用说准能写得让人感到眼目一新。

作文课到了,章老师捧着一大叠作文本走进了教室,同学们忍不住小声议论起来:"这回会念谁的作文呢?""当然还是人家'小词篓'的喽!""瞧,上头那几本里夹着好多小纸条儿呢……"我却一言不发地坐在位子上,两眼只随着那叠作文本移动,直到它被搁到讲台上，才抬眼去看章老师，嗬，真严肃，连一丝笑容也没有！

　　章老师轻轻咳嗽了几声，教室里安静下来了。于是，他慢条斯理地开始了讲评。他说这回不打算面面俱到，只想谈谈剪裁和用词问题。他拿起了最上面的一本作文，翻开拍了拍说："这篇剪裁就很成功，用词造句也准确、明快……"我一看心就扑扑扑地加快了跳动。那作文本封面颜色很浅，并且还用水彩画上了一朵红梅花——当然不是我的，这倒也罢了，最让我难以接受的是，那分明是段若梅的作文本。她的作文一贯只有七十多分的水平，这回怎么会"很成功"呢？

　　可是章老师边念边分析起来。原来段若梅写的是天津。嗯，经章老师那么一分析，她的剪裁也真不赖——不是堆砌好多关于天津的事儿，而是只讲了她爷爷那辈、她爸爸那一代，和如今她假期去天津时，在同一条街上的经历和见闻——爷爷拉洋车被鬼子打折了腿；爸爸拣煤核被资本家踢伤了腰；而她，穿戴得整整齐齐，在这同一条街上，由爷爷和爸爸、妈妈领着，走进了过去不许穷孩子靠近的小学校……章老师还表扬了段若梅的作文句子短小朴素，用词恰当明快。嗯，听他那么一念，倒也是——比如："天津呀，我的故乡，你的每一条街，都变得这么光明，这么美丽！为什么？我抬头望着鲜艳的五星红旗，心里响起《东方红》的旋律。"没啥特殊的词儿，可挺打动人。

　　好，段若梅写出了水平，这回先表扬她也应该。下头总该念……奇怪，一篇、两篇、三篇，章老师都念的是其他同学的作文，而且竟全是写北京的。不错，经章老师那么一分析，人家也确实会剪裁，同是写北京，却各有自己的特点；句子嘛，当然也通顺——可他们用的词儿都是些最平常的词儿，怎么比得上……我正涨红了脸，低头这么想着，忽然耳朵里传来了章老师的声音："有一篇写到了美丽的南方……"啊，终于要念我那篇了，本来嘛，压轴的总是最好的戏，可是，接着听下去，我就傻眼了："……他的故乡是杭州，杭州太美了，反而不好写，可他……"心里一乱，我就用手指头抠上了课桌边，耳朵里只剩下一片嗡嗡嗡的声音，再也不知道那杭州究竟是怎么个美法了……

　　下了课，几个同学帮助老师发作文本，大伙兴奋地翻看着分数和评语，教室里一片兴奋的嘈杂声，我却仍旧闷闷地坐在位子上，继续抠课桌边；耳朵里飘来了不知谁的议论声："今天怎么没念'小词篓'的那篇？"心里更不是滋味。同学把我的作文本发给了我，我翻也没翻，就扔进了课桌……

直到放学回到家里，我才翻开了作文本。啊，给了个 78 分，难道我呕心沥血写了三千多字，才值这么个分数吗？我翻到后面—— 一下子愣住了，呀，工工整整的红字评语，竟足足写了半面、一面、再一面、又大半面，算一算，差不多也有千把字！我贪婪地读了起来："你这篇写得很有感情，剪裁上也比较得体，但有个最大的问题，就是堆砌词藻，把句子搞得拖泥带水。你本想让文章生动，结果反而令人觉得别扭，比如……"接着就举了十五个例子，并且一一作了订正。最后还说："我这样改，不一定就好，仅供你参考。下面五个句子，请你自己改一下试试……"然后是指出的五个句子，下面分别留出了供我修改的空白。反复地读着这批语，我脸发烧了，心里充满了互相矛盾的情绪：又感动又难堪，又服气又不服气……

不久出了一件"大事"——我投给《北京晚报》的一首小诗，被刊登出来了，而且还给配上了一幅小小的插图。同学们比我还兴奋，这个拿着报纸大声地念着，那个问我认识不认识画插图的人，还有的干脆把我的外号"小词篓"改成了"小作家"；原来教我们语文的那个年轻的男老师，见到我时脸上乐得开出朵花儿来。可是，章老师竟仿佛根本不知道这件事（不可能的，我知道他就订了《北京晚报》）；又上作文课了，他竟只字不提我在报上发表诗的事（我总觉得这跟作文课有密切关系，至少总该表扬一下），照例毫无笑容，极为冷静地布置着下一个题目——论说文：《谈谦虚》。

这篇作文我没认真做，因为我忽然诗兴大发，只要有点时间，就往一个厚皮本上涂写诗句。作文课前一天，章老师把我叫去了。

我俩坐在他那个办公桌两边。章老师倒也未必是格外得严厉，可他那一点笑容也没有的面部表情，真让我心里不痛快。他心平气和地跟我讲了一番道理："中学生阶段，不但各门学科都应当学好，就是作文这一科，也应当把记叙、说明、抒情、议论各种文体，都练到得心应手的程度，不要过早地偏一种废一种……"最后他要求我重写《谈谦虚》，并且说："希望你不仅把它当一篇作文来写，而且还能通过写它，提高自己这方面的思想修养……"

我重写了，也尽可能把它写得好一些。但是我并不感激章老师。我总觉得他有点过分。这期间，我不但又发表了两首小诗，而且还发表了一篇小小说。连别的学科的老师，一见我都绽出个亲切的笑容，仿佛在说："真不错，我们学校也有个'小作家'哩……"唯独章老师，不但依旧难见一丝笑容，而且他在我的作文本上写下了更多、更严格要求的批语，连标点符号上的问题也不放过，有时我真觉得他简直是在吹毛求疵！不过，说句老实话，凡他指出的毛病，后来我再写东西时，总像有个严厉的声音响在耳边，出现了便能自觉地赶紧改正。

我父亲突然调到离城很远的一个军事学院工作，那儿提供了很好的宿舍，于是决定我们全家都搬过去。这样我就得转学了。同学们对我恋恋不舍，班主任老师也为我不得不转走而惋惜。正赶上星期六下午没课，为欢送我，大伙到北海公园玩了一次，足足划了两个钟头船，唱了好些歌，我还为大家朗诵了自己新写的诗。回到家，只见所有的行李家具都由部队给运走了，屋里空荡荡的，只剩下妈妈在那儿同邻居告别。直到我和妈妈被邻居们送出院门，打算登上部队派来接我们的吉普车时，一个比我低两年级的男孩子才突然跑过来，把一样东西搁到我手里，他告诉我说："瞧，我差点忘了——刚才来了个胖叔叔，说是你的老师，他要给你这件东西；你们家当时没人，他就给了我，让我交给你……"

我低头一看，那是一个报纸包着的方方正正的小包，忍不住立刻就要拆开看。妈妈把我推上吉普车说："忙啥——到车上慢慢看吧！"

坐到吉普车里，我几下拆开了纸包，啊，是三个厚厚的笔记本。顶上面还有张折叠的纸条子。我赶紧打开纸条读了起来：

> 听说你这就要转到远郊上学了。我希望你在写作上能有更大的发展。
> 多年来我记下了这样三册笔记，里面有革命导师、历代文豪谈写作的语录，有优秀作品和评论文章的摘要，还有其他许多有参考价值的东西。现在我

把这三册笔记送给你，相信对你有用。希望你更加刻苦努力，更加谦虚谨慎，迈出的每一步都坚实有力。

　　再：你文章中的四字词用得过多，这并不一定有助于文章的生动、活泼。你要注意多从人民群众的活语汇中提炼好的东西！

你的老师章德浩

　　吉普车在首都宽敞的大街上向远郊急驶，离母校越来越远，可是我的心却火速地飞回了母校。章老师啊，您现在可还在母校宿舍的灯下，批改着同学们的作文？我一下子有那么多的话要对您说——我从您给我的这张纸条子和三册笔记本上，看到了您最美丽、最温暖的笑容！……

　　讲到这儿我停住了。王丽蓉微微低着头，轻轻咬着嘴唇，双手揉着衬衣角，半天没有说话。

　　两天以后，王丽蓉又来找我。她递给我一篇小说，红着脸说："您看我写的这个老师典型不典型……"我打开那份稿子，只见题目上写着：《严师》。

1978 年

我是你的朋友

1. 给你看张照片

要说我是你的朋友，你该摆手了——又没见过面，怎么会是朋友呢！

嘿，那还不好办，就算咱俩没机会见面，把我的照片给你瞧瞧，你不就认识我啦？

不过，我照过好多照片，给你瞧哪张好呢？

当然，最省事的办法是把开学前照的"一寸免冠相"拿一张给你，从那张照片上，你不难看出来，我脸庞儿圆圆的，两只大眼睛也圆圆的，还有那一对耳朵，大人都说是"招风耳"，各是一个半圆，合起来不也圆圆的吗？不过，我鼻子头不那么圆，人家说像个蒜头！嘴呢，人家说我是个大嘴岔——怎么样，对我长得啥模样，你心里有点谱儿了吧？

可是，我可不甘心就给你这么张"一寸免冠相"，靠这样的照片认人那也不保险。我们院的方伯伯照出"一寸免冠相"来神气着呢，可他是个架双拐的残废。所以要想知道一个人究竟啥模样，最好还是拿出张全身照片来。

可是，我手头没有全身照片，只好挑出一张我比较满意的半身照片给你先瞧瞧吧（向你说明一下，我身体各部分都是很健全的）。这张照片是在北海公园里拍的。

谈起照这张相的经过呀，还有段故事呢。

那是去年暑假快结束的时候，有一天，表哥王立东来找我，带我一块到北海公园去照相。表哥比我大五岁，都该上高中了，他迷上了照相，暑假里，三天两头拷着姑爹的照相机，兜里揣本什么《简明摄影知识》，满世界地去照，照完了自个儿冲、自个儿放大，嘿，看上去张张都满不错呢！

跟表哥去北海公园，我一路想，这回，可得让表哥给我照几张"够份儿"的！

那天北海公园人不算多，灰蓝的湖水漾着微微的波浪，知了在绿树丛里起劲地唱着，月季花在花圃里神气地开放；琼岛上的白塔，照例鼓着肚子、伸长脖子矗立在那里；一队队的喜鹊吱吱喳喳地从林荫道上飞过去，准是在做什么有趣的游戏。

表哥要我在亭子前头照一张，我把手摇成个小扇子；表哥又要给我在花圃边照一张，我更把头摇成个拨浪鼓——我可是个四年级的男子汉，干吗跟那花花草草照在一块儿！

"照张特冲的！"我脑子里立即涌现出不少电影镜头：李向阳拿着双枪朝鬼子开火；登山队员戴着遮光墨镜朝高峰登攀；邓世昌握住舵轮驾驶军舰……忽然，我看见了在湖栏杆边随风摆荡的垂柳——对了，干脆让表哥给我拍张"英勇的侦察兵"吧，于是我蹦蹦跳跳地跑了过去，一边对表哥嚷："嘿，在这儿给我照吧——我这就化个装！"

表哥跟了过去，在我身后十来步停了下来，他拿着照相机一个劲地摆弄，又是取景，又是对距离，又是考虑光圈与速度怎么搭配；我呢，就撅下了一条柳枝，开始盘"伪装圈"，好扣到头上化装成侦察兵。

盘呀，盘不拢，看来我撅的柳枝还不够长，也不够多。正当我伸手再去撅柳枝时，忽然响起了一个声音：

"唷，柳树多疼呀！"

我转脸一看，哟，敢情是个不认识的年轻阿姨，她穿着件苹果绿的"的确良"衬衣，又黑又浓的短发上别着个蓝得发亮的环形发卡，长圆的脸庞上，眉毛挺粗，眼睛像两弯月亮，正笑吟吟地望着我呢。

我的手还在撅柳树枝，嘴里说："柳树知道什么疼不疼呀！""柳树枝就好比是柳树的头发，愣往下拔能不疼吗？要是有人揪着你头发愣往下拔，你不疼呀？"

"那怎么着！我还跑理发馆去理发呢——头发长了就得往下剪剪，我撅点柳条儿，就跟给柳树理发一样……"

我赌气地跟她抬上了杠，没想到她并不生气，反而仰起脖子咯咯咯地笑开了，笑完又望着我说："还挺有理呢！你撅这柳条儿，是为了编个'伪装圈'吧？"

嗬，她还挺行，我点下头说："可不，侦察兵撅点柳条儿，为的是保卫祖国呀，柳树要懂事儿，准没意见！"

阿姨又笑了，看来，她没把我当成个坏孩子，可是，她还是不支持我，耐心地对我说："这儿是公园，公园的柳树是让游人看的，不能随便撅柳条儿，要是大伙都随便来撅，公园的花草树木全都秃了头，那看上去还像个公园吗？"

说的也是。可我就有那么个臭毛病，心里知道错了，嘴上也还得犟几句，于是就强词夺理地说："反正我这是个特殊情况，哪会大伙都到公园来当侦察兵呢？……"

正说着，表哥走拢来了，他把我手里的柳枝拿过去扔到一边，对那阿姨说："行啦行啦，我们不装侦察兵就是啦！"

表哥带我另外找地方拍照，我还是一肚子别扭，直到走上一座用带窟窿的大石头垒成的山坡，我才又鼓起了照相的劲头来。

这回，我决心爬到顶上头，作出个登山运动员的姿势来——嘿，这张相可不比"侦察兵"次，你瞧着吧！

谁知，我刚往石头上爬，又响起了那个阿姨的声音：

"嘿，小心摔着！"

我扭过脸就冲她火了："你怎么回事儿呀？盯上我啦？我招你惹你啦？"

她倒还是乐呵呵的，一点也不上火地说："我就不能当个侦察兵吗？我担心你还得违反公园规定，所以跟着过来啦！"

"我偏往上爬！"

"这儿挂的牌子你没看见呀——'禁止攀登山石'。"

"我是登山运动员，能禁止攀登珠穆朗玛峰吗？"

"登山运动员头一条就得遵守纪律呀。"

"反正我要爬上去！"

"你爬不好会摔成罗锅的！"

"摔出个锅来我背着，跟你有啥关系呀？"

"你这小鬼，从小要懂得遵守社会秩序啊！"

表哥见我俩又抬上了杠，便跑过来，把我从山石边连拉带说地劝开了。表哥说领我到少先队水电站那儿照去，还要让我摆出个水电工程师的姿势来。

我可不乐意。谁见过水电工程师啥模样呀？我还是愿意摆个打仗的姿势。对了，干脆我化装成个海军军官吧！我揭下了表哥头上的帽子，那不过是顶蓝布的鸭舌帽，可是我有我的办法，我把帽檐上的摁扣儿揪开，把帽子前头使劲地提得耸起来，为了使效果好一点，我又从裤兜里找出张《中国少年报》来，折成圆饼形状，搁进了帽子里，使劲地往下按，想让表哥的帽子更接近海军军官的大盖儿帽。正在这时，我又听见了那阿姨的声音——

"哈！"

抬眼一瞧，可不，真是她，脸上的笑容更多，一双手交叉在胸前，站在我身旁，两眼闪着跟我捉迷藏似的那么一种光，嘴角有点忍不住地往上弯。

"我又怎么啦？"这回我的气可生大了，我扭了下身子说，"你怎么又找碴儿来啦？"

"你那是什么帽子呀？"她用下巴颏指指我头上那"大盖儿帽"，咯咯地笑着说，"杂技团里'快活的炊事员'戴的吧？"

"你懂个啥？"我气鼓鼓地告诉她，"这是海军军官的大盖儿帽！"

"我给你顶真的吧——喏！"说着，她的右手从身后书包里猛地拽出了一顶帽子来，啊呀，果真是一顶真正的海军军官帽：绷得又圆又平的"大盖儿"，缀着亮闪闪的红五星，还有又黑又亮的大帽檐儿……

"这——"我一下子被弄得目瞪口呆。

"快戴上，照相吧！"她忍不住笑得更凶了，我这才觉得，她的笑声挺顺耳的，充满了好意。我这也才看见，在几十步远的一棵马缨花树下，长椅上坐着个没戴帽子的海军军官叔叔，正笑眯眯地朝我们这边看呢……啊，我明白啦！

于是，我就接过帽子戴上，让表哥给我照了一张相——这就是我现在要给你看的照片。

把帽子还给她的时候，我红着脸，小声说了句："谢谢您！"

她高兴地拍了拍我的肩膀，说："你这照片洗出来，可得送我一张呀！"

"哎呀，"我为难了，"到时候我可到哪儿找你去呀？"

"不用找，"她笑着说，"咱们过几天就要天天在一起啦！"

这是怎么回事啊？

阿姨把谜底揭开了："我是新调到你们学校去的老师，开学以后就教你们四年级二班。放假前我去报到的时候，看见过你，你不是叫袁远近吗？远在天边的'远'，近在眼前的'近'，对不？"

呀，原来眼前是我们的新老师啊！我一下子不好意思起来。

"袁远近，我姓吕，以后你就叫我吕老师吧！"

"吕老师！"我抬起头，用新的眼光打量着她。

要想知道吕老师后来怎么教我们，你就等着看下一段吧！

2. 错的表扬，对的批评，为啥？

在我们院里，跟我一个年级的还有谭小波和高山菊。

这天吃完晚饭，我拿着算术作业跑去找谭小波。

"嘿！第五题你做出来了吗？"

谭小波比我大三个月，是个"崩儿头"。就是说，他脑门子比我们都大、都鼓，据说这种人最聪明；也真是这样，他做算术题，不管那题多难，总能比我们更快地算出来，答数还准对。所以，碰见做不出题来的时候，我就跑去问他。

谭小波正趴在桌上，聚精会神地做题呢，一绺头发挂到"崩儿头"上，瞧上去真有点像张乐平爷爷画出来的三毛！

我跑过去就扒拉他的肩膀："嘿，第五题该怎么做呀？把你做的给我'参考参考'吧！"

谭小波不慌不忙地抬起头来，对我说："我正检查呢，答数没准不对。你再多想想不好吗？急啥呢？"

我用作业本使劲拍拍脑门："哎呀，我脑袋瓜都快想裂了，愣想不出来呀，就借我抄一遍吧！"

谭小波犹豫地说："吕老师今天不是又说了吗？——做不出题来，只许让人家启发启发，不许照着抄一遍；我给你讲讲吧……"

我把作业本扔到桌上，两手摇着他肩膀央告："行啦行啦，我把那条'墨龙睛'送给你，还不成吗？"

谭小波不由得斜眼瞧了一下窗台上的鱼缸，他那鱼缸里只有两条不起眼的小红鱼，而我家的鱼缸里光是"墨龙睛"就有四条，他早就向我要过，我一直舍不得给他；现在，谭小波肯定动心啦……

没想到，谭小波咽了口唾沫，把眼光从鱼缸收回来，还是说："我给你讲讲吧，保险让你开窍……"

我可真着急了，指指他家小床柜上的座钟说："七点半都过啦，电视开演半天啦，你不想看《瓦尔特保卫萨拉热窝》呀？"

"看！当然看啦！"谭小波也立刻着起急来，我知道他看电视最怕没看上开头。《瓦尔特保卫萨拉热窝》我们俩一次都没看过呢，他哪舍得错过开头呀？

于是，谭小波就把自己的作业本推给了我，我赶紧三下五除二地抄了一遍。抄完了，我们俩赶紧跑到高山菊家去。那阵子，我们院就她家有一架十四吋的电视机。

别看高山菊是个女同学，她跟我们可没啥两样，也顶喜欢看有点惊险味道的电影，在院里玩打仗的游戏，她还常常争着当侦察员呢。可是，咦，古怪，她也明明知道今晚的电视里有《瓦尔特保卫萨拉热窝》，可怎么不把电视机打开呢？

高山菊一个人在家，她趴在里屋书桌上，已经按亮了台灯，两根小细辫子向上撅着，显然，那道令人苦恼的第五题也难住了她。

"别傻做啦！"我跑过去把她桌上的书本一推，大声地嚷，"开电视机吧！瓦尔特没准都打上法西斯啦！"

善 的 教 育

"你干吗，你！"高山菊蹦起来，一边整理着书本一边埋怨我，"人家还没做完第五题呢！"

"哪，现成的！"我把自己的作业本扔到她面前，"先把电视机打开，咱们看完你再抄一遍，不就结啦？"

"就不！"高山菊把我的作业本推到一边，咚咚咚迈步走到外屋电视机前，咔嗒打开电视机，又调整了一下天线——啊，还没演《瓦尔特保卫萨拉热窝》呢；她不等我和谭小波坐下，又咚咚咚回到里屋，"乓"的一声关拢了里屋的门，显然，是接着抠那道难题去了。

我和谭小波坐下来看上了《世界各地》，嗬，真带劲！高山菊真是死心眼儿，她们家的电视，她倒咬着牙不看，非去抠那道招人讨厌的第五题，你说她有多傻！

过了一阵，《瓦尔特保卫萨拉热窝》正式开演了。我忙跑向里屋，要去通知高山菊，嘿，里屋的那扇门竟推不开，她在里面给别上了！

我就敲着门上的玻璃冲她嚷："瓦尔特！瓦尔特开始啦！"

只见她那两根撅起的小辫倔里倔气地晃了晃，还是埋头算那一点也不讨人喜欢的第五题。

直到电影演到小一半了，她才打开里屋的门出来，深呼吸一下，扬起脸说："可做出来啦！"

我和谭小波都顾不上跟她说话，因为电影正演到了紧张的节骨眼上，我俩坐在那儿，伸长脖子，直愣愣地瞪着荧光屏……

下半截可看不舒服了，因为高山菊一个劲地问：这是谁呀？这是怎么回事呀？原来是怎么着的呀？怎么忽然又出来这么个人呀？……你瞧瞧，谁让她不打头上看起呢！

第二天，我们的作业本都交了上去。第三天，作业本发了下来，我和高山菊同桌，她那第五题旁打着个红叉子，我那第五题旁可打着个红对钩。

我对她说："瞧，牺牲了大半个电影，换了个大叉子，多不合算呀？"

她咬着嘴唇，白了我一眼，啥也没说。

可是，没想到，下午放了学，吕老师把我俩一块叫到办公室里去了，她一点不像开玩笑地说："你们的算术作业，我调查过啦。高山菊应该表扬，袁远近应该批评……"

我不服气了："为啥错的受表扬，对的反倒挨批评呢？"

吕老师把两个作业本翻开，摊在一起，先指着高山菊做的第五题分析说："她虽然答数错了，可看得出是自己一步一步动脑筋做出来的。答数的小数点后面搞错了当然不好，可这种在难题面前刻苦钻研的精神，我看值得表扬。"又指着我那第五题分析说："你这作业看上去是对的，可我打听出来了，你这是照抄别人的，根本没动脑筋，这种在难题面前当逃兵，投机取巧的表现，难道不该批评吗？"

我没词儿了，只感觉脸上有点发烧；奇怪，高山菊得了表扬，为啥脸也红得像樱桃一般呢？

只见高山菊难过地说："吕老师，不管怎么说，我的答数不对呀……"

这以后，在院里再玩打仗的游戏，我只能心甘情愿地把侦察员让给高山菊当了。

3. 最后一支飞镖

我们大院门外，有一棵老粗老大的槐树。夏天到了，满树的绿叶子当中，开出一层一层白里透着嫩黄的槐花，风儿吹过去，嗯，你皱着鼻子深吸一口气吧，一股子含着水汽的香味儿，能一直钻进你的心窝窝，别提有多舒服了！

这天放了学，顾不得把书包送回家，我、谭小波、高山菊，还有隔壁院比我们低一年级、外号叫"炒豆儿"的，就在这大槐树底下玩起来了。

你猜我们怎么玩？嘿，可真带劲——我们一人叠了支纸飞镖，轮流瞄准大槐树上的槐花，一、二、三！把飞镖用橡皮筋弹出去，看谁的飞镖能把槐花打下来——打下来的槐花，我们就叫它"伞兵"。

开头，我们分成两拨，进行"对抗赛"。谭小波和高山菊一头。说实在的，谭小波倒没啥威力，让人怵头的是高山菊——她的飞镖叠得棱是棱、角是角，还用一根曲别针，挺巧妙地别在飞镖尖上；瞧吧，又该她弹飞镖了，她晃晃小细辫儿，两脚轻轻蹦跶着，身子朝后一仰，右手随着腰上使出的劲儿，猛地朝上一弹，只见雪白的飞镖稳稳地朝一簇槐花射去——"叭！"谭小波刚叫出这么一嗓子，一些个槐花便落了下来。

真把我和"炒豆儿"气得肚皮里头咕咕叫！我都废了三张图画纸了，可叠出来的飞镖还是不灵，不是飞出去没有劲儿，就是东斜西晃不稳定；"炒豆儿"学着高山菊的样儿，也找了个曲别针别在他那支蓝色的飞镖头上，一边投一边嚷着："嘿嘿，我的飞镖真叫帅！嘿嘿，我的飞镖真叫灵！"（他就是因为总喜欢哇啦哇啦嚷，跟在锅里炒豆儿似的让人耳朵不得闲，所以得了这么个外号。）可赛了半天，人家那头一共有三十四个"伞兵"飘下来，我们这头呢，才飘下九个……

玩了一阵，高山菊说："撤退吧！还得做作业呢！"她从槐树根那儿拿走了她的书包，进院里去了。

又玩了一阵，谭小波说："肚子饿了，还得帮我妈做饭呢。"他也从槐树根那儿拿走了书包，进院里去了。

我和"炒豆儿"接着玩。我又先后从图画本上撕下了三张纸，叠成了第四号、第五号、第六号飞镖；"战斗"的结果，是第四号栽进了路边的积水里，第五号飞进了对面的院墙内，第六号在我迎上去接住时，不小心撕破了翅膀——还玩不玩呢？我已经废了六张纸了，再撕，图画本就不像本子啦！

"炒豆儿"像是看出了我的心思，他跳着脚在我身旁转圈儿，尖声唱着"蓬蓬蓬，爆炸了！叭叭叭，中弹啦！嗷嗷嗷，害怕啦！……"

"我才没害怕呢！"气得我一跺脚，从书包里拽出图画本——刺啦——又撕下一张纸来。

我的这支新飞镖可争气啦，赛了几回，我降下的"伞兵"就到四十一这个数了，只比"炒豆儿"少三个。

正玩着呢，一只大手拍在我肩膀上，我扭头一看，原来是宋大哥。

宋大哥住在胡同中间，离我们院有七个门。他是南城一个工厂的吊车工，皮肤黑黑的，膀大腰圆，头年区里职工业余摔跤比赛，他得过第二名；胡同里的男孩子，谁不佩服他呀！

我和"炒豆儿"立刻粘住了宋大哥，"炒豆儿"搂住了宋大哥的粗胳膊，宋大哥轻轻一抬胳膊，"炒豆儿"就悬空了，他使劲乱踢着双脚，高兴地嚷了起来："坐飞机啰！坐飞机啰！"

宋大哥一只胳膊上吊着"炒豆儿"，另一只胳膊还扶着自行车呢。我跳到自行车座子上坐着，问："宋大哥，有什么战斗任务，下命令吧！"

宋大哥把"炒豆儿"降落到地上，腾出左手，从衬衣胸兜里掏出张叠了两叠的纸来，递到我手中说："'鸡毛信'！方大姐让我捎给方大伯的，你快送进去吧！"

方伯伯住在我们后院，前头跟你讲过，他双腿残废，是个退休工人。方大姐是他的大女儿，跟宋大哥一个厂，是个技术员，都结了婚，有小娃娃了，住在三门大街新修的十二层高楼的九楼上头。方大姐每星期四休息，每星期三晚上，方伯伯都要驾着手摇自动车椅，到方大姐那儿去，第二天玩一天，第三天早上再回来；当然，方伯伯上九楼你不用提心——有电梯呢！

宋大哥给我交代完任务，伸过粗大的食指刮刮我鼻子说："别傻玩了，送完信，好好做功课！"

我跳下自行车，脚后跟使劲一并，行了个军礼说："保证完成任务！"

可是，宋大哥刚骑上自行车走开，"炒豆儿"就拉住我说："嘿，再玩一盘！最后一盘！"

我摸摸后脑勺，狠狠地把下巴一点说："成！最后一盘就最后一盘！"

唉！这一盘我又失败了，"炒豆儿"的"伞兵"增加到了四十九个，我呢，一个也没降下来。还是四十一个！

那不成，我可不乐意输了散。接碴儿玩！

天色渐渐暗了下来，不时有下班的大人走进院门。

说实在的，我也真想回家去了。万一我爸我妈下班回来，见着我书包撂在大槐树下，满脸汗道子，跟"炒豆儿"这么昏玩，准饶不了我。可是"炒豆儿"降落的"伞兵"数目总比我多，真让我不服气，所以，我就安慰自己说：这是最后一支飞镖了，等这支飞镖"牺牲"了，不管输赢，我准能一扭身跑回家去……

你说这是怎么搞的？我越急着要赢"炒豆儿"，越赢不了，我越想保护飞镖，飞镖坏得越快……刺啦、刺啦、刺啦——图画本被我撕得精光；我和"炒豆儿"一次又一次地嚷着、蹦着、投着……我眼里只有飞镖、"伞兵"和"炒豆儿"一张一合的嘴巴；就这样又玩了半天，我的"伞兵"还是没有"炒豆儿"多！

又一支飞镖栽坏了，再拿什么叠飞镖呢？我傻眼了，这时"炒豆儿"就用一只腿在我身边蹦来蹦去地叫着："举手投降！举手投降！你举手投降咱们就散！"

举手投降？我才不干呢！我咬着嘴唇，两手在衣兜、裤兜里乱摸，不知不觉地就摸到了衣兜里叠上两叠的纸条，我想也没想，就把它掏出来叠成了一支飞镖，使劲地朝大槐树投了过去……

这真正的最后一支飞镖，冲向了大槐树，冲到了一个树杈上，碰下来一整串"伞兵"，我高兴得拍着手欢呼起来，可是，那支飞镖却卡到了树杈上，没有随着落下来。

"啊，你妈妈回来啦！"不知道是我妈妈的身影真的出现在胡同口，还是"炒豆儿"不愿意我计算降下的"伞兵"数目，反正他尖叫了这么一嗓子以后，我就一把抓起书包，跑回院里。

回到家，我正喘吁吁地坐到桌旁，掏出书本和铅笔盒刚想作出个做作业的模样，果然，妈妈也就进屋了。

妈妈放下提包，望着我叹口气。

我把头埋得低低的，想先做算术。

妈妈板着脸说："吃完饭再做吧——去，先淘米去！"

我端起米锅，跑到院里的自来水管旁边，刚要放水淘米——一下子愣住了。

方伯伯家，就在自来水管后头。我看见他的屋门上，挂着把大锁！

啊，今天正是星期三！我把米锅往自来水管下边的水槽里一放，赶紧朝院外跑去。

我跑到大槐树下，紧了紧裤腰带，往手心里啐了口唾沫，嗖嗖嗖几下爬了上去。

费了好大的劲，我才取下了那最后一支飞镖。

跳下树来，我迫不及待地拆开飞镖，就着夕阳的余光，看那纸片上写着的字。

原来是这样的一张便条：

> 爸：
>
> 　　今天下午到明天上午我们楼电梯要停电修理，请您不必来看我们了，我们全家吃过晚饭后一起来您处团聚。
>
> 女儿俊兰

　　你们说我看了这张便条有多难受吧！我立刻跑进院里，迎头正碰上高山菊，我忙问："方伯伯是出门了吗？"高山菊说："方伯伯驾车椅去方大姐那儿啦，你跟'炒豆儿'在门口玩，怎么没看见呢？"

　　是呀，是呀，方伯伯明明驾着车椅从我们背后出了胡同，而我和"炒豆儿"却一点儿也没发觉！我们的眼睛净盯着那飞镖和"伞兵"了！

　　明天见着宋大哥，我可怎么说？

　　方大姐一家进了院，撞见门上的大锁，又该怎么埋怨？

　　最揪心的，还是方伯伯的遭遇——他兴冲冲地来到高楼底下，满以为可以坐电梯升到九楼，可电梯"停电修理，暂停开放"！于是，他只好再摇着车椅回来——要知道，离得有五六站呢。

　　啊，这都是因为我贪玩！贪玩，误了做作业；贪玩，误了别人的事；贪玩，闹得妈妈不高兴；贪玩，也弄得我自己不快活……

　　泪水涌上了我的眼眶，真后悔！真想骂自个儿一顿！快给我出个主意吧——我该怎么办呀？

4. 星星为什么对我笑

　　售票员阿姨问我："小朋友，你哪站下？"

　　我喘吁吁地说："没准儿。"

　　售票员阿姨生气了："这叫什么话？"

我赶紧把钱递给她："您给我来张一毛钱的票吧！"

一毛钱的票可以一直坐到终点。阿姨虽说把票扯给了我，可还是满脸的疑惑。

我也顾不得跟阿姨解释，凑到车门的玻璃跟前，睁大双眼，注意着马路对过慢行道上的车辆……

车到站了，我赶紧躲开，让人上车；车开了，我又回到原来的位置，鼻子尖紧贴在车门玻璃上，朝对面搜索着……

三站过去了，还没开到第四站，我忽然高兴地叫了起来："方伯伯！"

车门刚一开，我就像干豆荚里蹦出的豆儿，一下子弹到了人行道上，停也没停，便飞快地朝相反的方向跑去。

方伯伯累了，他的车椅摇得很慢，所以，不一会儿我就追上了他。

"方伯伯！你甭摇了，我来推您！"

方伯伯扭头一看，大吃一惊："小远近，你打哪儿蹦出来的？"

我的眼圈直发酸。我一边推着车椅，一边把一切一切都告诉了方伯伯。最后，我问方伯伯："您生我的气吗？"

方伯伯扭回头，用他那肥厚的大手拍拍我搁在椅背上的小手，和蔼地说："我正埋怨你方大姐呢。原来是你贪玩误了事……不过，你这不是追上我了吗？我不生你的气了。可是，小远近，从明天起，你可得克服玩起来就没个够的毛病啊！"

我使劲地点头。

这件事过去以后，足足有三天，我都能挺顺利地管住自己。妈妈爸爸都高兴，吕老师也夸我作业做得认真。

第四天放学后，我、谭小波和高山菊还没走拢院门口那棵大槐树，突然，听见一串嚷声："嘿嘿嘿，停停停！"接着，像是一只猴儿从大槐树上蹦了下来——你猜着了吧，那是"炒豆儿"。

好几天没跟"炒豆儿"玩了，他像是有点不高兴。他双手叉腰，挺着肚子拦住了我们的去路，挑战似的问："你们玩过递球吗？"

我们三个笑弯了腰。高山菊跺跺脚说："地球那么老大，怎么玩呀？"

"不是地球，是递球……""炒豆儿"使劲摆手，急得脑门子上直出汗，眨巴了几下眼睛。忽然他又问："你们看过《瓦尔特保卫萨拉热窝》吗？"

我抢着说："那谁没看过，我看过三遍呢！"

"炒豆儿"这下解释清楚了："你们想想看，吉施住在什么地方呀？递球厅！对不？告诉你们吧，我家现在就是个递球厅。不信，你们瞧瞧去！"

嗬，"炒豆儿"真有新鲜的！我们拔腿就往"炒豆儿"他们院子里去。

一进"炒豆儿"他们家，我们三个就乐得又蹦又跳。别看"炒豆儿"才上三年级，他可真会动脑筋！他利用家里的桌子、椅子、凳子和几块木头板，真搭出了个先低后高的"球道"，最高的那截，木头板不够长，他把搓衣板也用上了。他拿个胶皮玩具球，给我们"示范"了一次——用巧劲把球往"球道"上一递，球由低向高滚去，最后滚过了搓衣板，"咚"的一声掉进了接在下面的洗衣盆里。还没等我们拍巴掌，"炒豆儿"就大声为自己喝起彩来："真棒！一比〇！"

我们四个兴高采烈地玩起了"递球"，还展开了争夺冠亚军的竞赛。

高山菊投飞镖挺冲，玩这"递球"可就不灵了：球递出去不是半截滚回来，就是从半路上掉下去。玩了一会儿，我和"炒豆儿"都成功五回以上了，她还是只成功了两回。她又一次递球，又失败了，谭小波高兴得直拍肚皮——他只比高山菊多成功一回，生怕她追上自己；我冲高山菊挤鼻弄眼，"炒豆儿"哇啦哇啦地嚷："哦嗬，哦嗬，'地球'真叫大哟，你可玩不动哟……"

高山菊脸儿涨得红红的，几绺头发被汗水粘在脑门上，紧咬着嘴唇，看也不看我们。

玩呀玩呀，高山菊一直落后。又该她递球了，我把球扔给她，她接住球，拂拂额上的头发，忽然，她想起了什么，眼睛四处寻找——啊，她是在找钟，一看小衣柜上的闹钟指着四点五十，她便把球往地上一搁，说："不玩啦，该回家啦。"

听她这么说，我的心一动。我不是跟爸爸妈妈保证过吗——放学以后顶多玩到五点钟。于是，我拍拍手上的土，也打算回家。

"炒豆儿"却对着高山菊羞上了："输喽输喽，怕当末一名哟！"

谭小波也不愿意让高山菊走，因为她一走，谭小波自己就成末一名了，所以他也火上添油地说："输了走，变小狗！"

高山菊一听，猛地又弯腰拾起了球，使劲地晃晃小辫说："玩就玩！说不定谁是末一名小狗哩！"

高山菊不走了，可五点钟到了，我怎么办呢？

这时候，"炒豆儿"和谭小波都赶上了我，我们三人都是成功了十四回。

又该我递球了。我两眼只望着小衣柜上的闹钟，"炒豆儿"把球扔给我，我都忘了接。闹钟上，长针已经斜过了"12"。我咽了口唾沫，抓起书包，大声地说："我不玩啦！我得回家做作业啦！"

"炒豆儿"的嘴角简直要撇到耳根："甭假门假事充好人——你的冠军当不成啦，怕当小狗是不是？"

谭小波直捅我胳膊肘："你就再玩一会儿吧，看咱们谁先成功二十回！"

没想到连高山菊也劝我说："你就再递一回吧！"

这时候，就像有根鸡毛在轻轻挠我的心，痒痒呀，真痒痒……对，就再投一回吧！我弯下了腰去，手指头碰到了胶皮球……可是，要是他们再让我投一回呢？这么一次一次投下去，不就又没结没完了吗？嗯，不能！说不玩了就不玩了，我猛地又直起腰来，握紧书包带说："反正我要回去做作业了——反正！"

高山菊见我这么坚决，便也取过自己的书包说："算了！就玩到这儿吧！"

"炒豆儿"拉住谭小波说："他们走他们的，咱俩玩个够！"

谭小波用鞋尖搓搓地，叹口气说："咱俩也该做作业啦，'炒豆儿'，我帮你把这些东西'各就各位'吧，要不，你爸爸妈妈回来，该生气啦！"

谭小波说完就收拾起来，我和高山菊也动手帮忙，"炒豆儿"坐到床上，两只胳膊抱在一起，嘴撅得能挂上个大灯笼。

收拾完了，临走的时候，我拍拍"炒豆儿"肩膀说："咱俩这么比赛吧——看谁改贪玩的毛病改得快，好吗？"

"炒豆儿"把身子一扭，不搭我的碴儿。

回到家，我把小猫眨眼的闹钟搁到铅笔盒边，认认真真地做上了作业。

吃完晚饭，我跑到院子里，仰头一看，蓝盈盈的天空上缀满了亮闪闪的星星，嘿，一颗又一颗都像在对我眨着眼！

方伯伯摇着车椅来到我的身边，问："小远近，怎么这么高兴呀？"

我指着满天的繁星说："星星在对我笑呢！方伯伯，您猜，星星为什么对我笑？"

方伯伯用手搓着下巴上的白胡子楂，笑吟吟地说："我知道，我知道。"

那么，你能猜着吗？

5. 金鱼肚子疼

我打开小纸盒，用火柴棍，拨弄着死苍蝇，又数了一遍："一、二、三……六！七！……哦！十三！"数完，我撂下火柴棍，摇头晃脑地拍起巴掌来——瞧吧，明天下午的大队会上，总辅导员冯老师说不定会这么表扬我："咱们大队的灭蝇冠军是谁呀？远在天边，近在眼前——就是袁远近！"

我一出屋，只见高山菊正举着苍蝇拍，在枣树底下转悠。嗯，她知道我比她多歼灭了四只，不甘心落后呢。我走到她身边，故意扯着嗓门问："喂，心算一秒钟——十三减九等于几？"

高山菊扬起头，皱皱鼻子对我说："得三！我刚才又打着一个！"

哼，那她也追不上我。说实在的，经过一整天的"红领巾灭蝇活动"，要想再在我们胡同里找到一只活苍蝇，那可不是件容易的事。

不过中午垃圾箱那儿的苍蝇还是满多的。我们一群红领巾到那儿挥拍战斗了一阵，死苍蝇就落了一地。我们各自用树枝"筷子"把自己歼灭的"敌人"挟到了自备的小盒子中，这不仅是为了统计战果，也是因为总辅导员冯老师告诉我们，把死苍蝇集中到一起用火烧掉，能更有效地消灭苍蝇肚子里的蛋蛋，使它彻底地不再繁殖。谭小波中午跟我在那儿共同战斗过一阵，当时他也歼灭了不少"敌人"，这会儿他又跑到垃圾箱旁边的杨树枝上挂什么东西去了！看，真好笑，难道是挂条标语，勒令剩下没死的苍蝇自动投降？

我跑了过去，老远就问："嘿，你挂的是什么呀？"

谭小波兴奋地对我说："粘蝇纸，懂吗？"

我歪着头看了看，只见那纸条两面都像是涂上了黄颜色的胶水，谭小波得意地解释说："我自己刚做的，还掺了一勺蜂蜜呢，苍蝇准得上当——明天一早咱们来瞧吧，准能粘上五六只。"

我立即心算了一下：谭小波比我少歼灭七只苍蝇，嗯，就算他再粘上六只吧，冠军也还是我啊！

我在那条"粘蝇纸"下背着手踱了几步，故意一本正经地说："粘上蛾子可不能冒充啊！"说完，便跑开了——我打算找"炒豆儿"玩一阵子。

刚进"炒豆儿"家，就发现气氛跟平时有点不大一样。

"炒豆儿"大模大样地坐在方桌旁，正在欣赏鱼缸里的金鱼。一见我进屋，他就得意洋洋地宣布说："我姥姥来了，给我蒸猪油豆沙包呢！"这时我才闻到，好一股猪油豆沙包的香味儿！

我朝他们家厨房一瞥，可不，一个身材瘦小、腰板挺硬朗的姥姥，正在那儿忙呢。

不知为啥，我心里头突然挺不痛快，原来"炒豆儿"跟我完全是一个情况——爸爸妈妈双职工，妹妹在幼儿园全托，平时一个人在家没人给做饭，我们就下点面条吃；现在可好，他姥姥打郊区来了，给他蒸豆沙包呢！

我坐到"炒豆儿"对面，故意装出无动于衷的样儿，说："我姥姥也快来啦，她蒸的包子才叫好呢——叫做猪油芝麻花生核桃包！"

"炒豆儿"嘴一撇："甭吹！你姥姥在四川，离这儿好几千里地呢！"

我生气了："坐飞机来呀——呜……刷！几个小时就到了！"

"炒豆儿"还想跟我抬杠，可他姥姥从厨房里走了过来，手里端着冒热气的一盘包子，亲热地招呼我尝尝。

我先说啥也不吃，可搁不住"炒豆儿"姥姥劝，"炒豆儿"捏了一个往我手里送，我这才尝了一个，嗯，真好吃！

吃完包子，"炒豆儿"指着鱼缸，又冲我显摆上了："瞧，'紫帽子'！我大舅送的！"

　　嘿，真是一条"紫帽子"金鱼，大尾巴一摆一摆，悠悠地在水草边游着。我虽说也养着金鱼，可始终就没弄到过一条"紫帽子"。

　　我装出对"紫帽子"金鱼不感兴趣的样儿，懒懒地说："老玩鱼有什么意思？我表哥立东说了，过几天送我一只带小电滚子的军舰模型哪！安上个小电池，往水池里一放，瞧吧，嘟嘟嘟……自动朝前开，多棒！"

　　"炒豆儿"望着我，没话可说了。立东经常来我们家，给我和"炒豆儿"照过相，"炒豆儿"知道他最会摆弄科技玩意儿，所以他相信了我的话。其实，立东这一阵造飞机模型，根本没有要送我军舰模型这回事儿。

　　我俩又决定下棋啦，我知道"炒豆儿"的军棋一贯搁在窗台上，就主动跑过去拿了，这就发现了窗台上的废火柴盒——我知道那是"炒豆儿"装死苍蝇的，便随口问了他一句："你今天打死了多少只？"

　　"炒豆儿"说出的数目让我吃了一惊："十四只。"

　　高山菊、谭小波那样的积极分子都没我打得多，他——"炒豆儿"——居然会比我还多出一只来？可是，"炒豆儿"当着我的面，用火柴棍拨拉着点了一遍数——真是十四只！

　　我完全没了下军棋的兴致。明天大队会上，总辅导员冯老师首先得表扬"炒豆儿"啰——唉，表扬谁我也服气，可是"炒豆儿"！他是个净挨批评的角色啊。上星期冯老师不是还在大队会上说过，我们有的队员光顾自己高兴，在院子里吵吵闹闹，搞得院里大人睡不好中觉——当时，大伙全往"炒豆儿"那儿看，"炒豆儿"低下了头，脸红得恰像炒熟了的花生豆一样；可明天"炒豆儿"却要被冯老师大声宣布为冠军了……

　　我心里像梗着根火柴棍儿，哪还能下好军棋？没几下就输掉了一盘，"炒豆儿"还要再来，我不干了。

　　我眼睛盯着鱼缸里的金鱼，忽然生出了一个计策来。

　　"'炒豆儿'你拿什么喂这鱼呀？"

　　"干鱼虫呗！"

"咳，喂那个长得慢，告诉你吧，要喂苍蝇那才长得快呢！"

"真的吗？我不信！"

"信不信由你！你想想，咱们钓鱼用苍蝇当鱼饵，鲫瓜儿不是挺容易上钩的吗？这是立东表哥告诉我的呢，他呀，是从《科学画报》上看来的！"

"是吗？！""炒豆儿"瞪大了眼睛，不由自主地从火柴盒里夹出一只死苍蝇，扔进了鱼缸，那"紫帽子"金鱼陡然一窜，一口把苍蝇吞了，逗得"炒豆儿"咯咯咯乐个不停；他一高兴，就接着又扔进两个苍蝇，"紫帽子"金鱼也都吞了进去。

"够了吗？""炒豆儿"问我。

"够了，够了！"我点着头说。可不是够了吗，这下，"炒豆儿"只剩下十一只苍蝇了，比我的足足少了两只！

第二天，冯老师果然在大队会上宣布我是"灭蝇冠军"，同时，也表扬了积极灭蝇、成绩显著的许多队员，"炒豆儿"、高山菊、谭小波都在其中。

"炒豆儿"找冯老师去了，我悄悄跟在后面，听见他对冯老师说："我比袁远近多打死一只，冠军应该是我！"

冯老师说："中队长交来的统计表上，你是十一只呀。干吗非争那个冠军呀，咱们开展这项活动的目的主要还是为了搞好卫生，预防疾病……"

这天晚上，我越想越不是滋味，就跑到他家去，只见他托腮坐在方桌旁，两眼直勾勾地望着鱼缸，一脸的愁容。

一看鱼缸，"紫帽子"金鱼已经浮到了最上层，嘴巴似张非张，肚子鼓得老大，尾巴懒懒地耷拉着，身子似乎还时不时地一歪一歪……

金鱼不舒服！啊，金鱼肚子疼呢……我的心怦怦怦地跳动，我懊悔啦！

6. 穿花衣服的战斗机

"炒豆儿"见我进来，白了我一眼说："还好意思来呢，'紫帽子'都肚子疼了……""炒豆儿"望望我，又望了望鱼缸里吃了苍蝇的"紫帽子"金鱼。

我鼓起勇气，走到"炒豆儿"身边，拍了他肩膀一下说："都怪我不好。走，咱们去学校吧，我当着你面告诉冯老师，'灭蝇冠军'应该是你！"

从他那表情上能看出来，他不生我的气了，可心里真为金鱼着急。

"要不，我掰点大山楂丸喂它吧！""炒豆儿"忽然生出个主意来。我把他劝住了："别瞎给金鱼吃药！走吧，找冯老师去，没准他能告诉咱们怎么治金鱼肚子疼！"

"炒豆儿"同意了，我们俩就一块去找冯老师。冯老师刚从师范学校毕业没多久，他就住在学校里。他的宿舍门口，种着一排向日葵，金黄的葵花被夕阳照着，格外好看。

冯老师刚锻炼完身体回来，拧着热毛巾擦脸呢；他穿着鲜红的背心，结实的胸脯把背心撑得紧紧的。

我首先把头天晚上的事讲了，我说："我也不知道为啥，心里头就冒出个馊主意来……"

冯老师擦完脸，坐下来耐心地帮我分析说："那就是因为你有嫉妒心。嫉妒心，就是见着别人有好东西，有好事儿，心里头不舒服，变着法儿给别人闹点事故，弄出点不痛快来。一个红领巾，可不能让这嫉妒心滋生起来。你刚冒出点儿嫉妒心来，就知道后悔，来认错，这是进步的表现。今后，要把嫉妒心变成竞赛心，就是说，人家有了八分成绩，你既不是不服气，也不是灰心，而是刻苦努力赶上去，去争取九分、十分的成绩……"

我和"炒豆儿"坐在冯老师对面，聚精会神地听他讲着道理。我低着头听，冯老师的话，句句点到我的痛处。

"下回大队活动，是举行一次科技模型制作展览，过后还要评奖，你们都要积极参加，每人亲自动手，制作出一件科技模型来，希望争取得奖！"

听冯老师这么一谈，我跟"炒豆儿"的劲头全来了，立刻开始盘算自己该制作个啥样的模型。结果，都离开冯老师宿舍，走到胡同里了，我才想起来，忘了问冯老师，金鱼肚子疼该怎么治。

"甭问了，""炒豆儿"兴奋地说，"先把'紫帽子'金鱼搁到一边吧——嘿，我呀，要做个人造卫星模型！"

让他做人造卫星吧！我呢，先沉住气——我有个好参谋啊，急什么呢，先请教了立东表哥再说！

星期日，我一大早就跑到姑妈家去。刚走近姑妈家住的那栋楼房，就听见一片小朋友们的喧嚷声。怎么回事儿呢？仔细一看，嗬，原来立东表哥站在他们中间，手里托着个飞机模型。那飞机模型做得特别精致，银色的翅膀上对称地漆着星星火炬的红色图案，头上有个螺旋桨。也不知是怎么一来，立东表哥手里的飞机便腾空而起了，我眨了眨眼，才看清楚，原来他手里握着两根钢丝，钢丝的那一头连在飞机上。立东表哥一会儿朝后退着，一会儿转动着手腕，只见银色的飞机一会儿冲上，在空中划出个大圆圈；一会儿机头冲下，刚划了半个大圆圈，又突然斜着向上冲去……周围的小伙伴们欢呼着，拍着巴掌，我也忍不住笑了起来，多好玩呀！

表演完了，立东表哥才从人群里发现了我。我蹦过去大叫一声："立东哥哥，快教我做架飞机模型吧！"立东表哥推推眼镜，笑嘻嘻地说："这回可不许像那回做幻灯机一样，做到一半就扔下啊！"我拍拍胸脯说："这回是真的决心，不信你就瞧着！"

跟着立东表哥到了姑妈家，顾不得吃姑妈递给我的煎年糕，我就一头钻到立东表哥的小屋里，兴致勃勃地参观上了他已经做完和还没做完的飞机模型。

立东表哥一一介绍给我："这是弹射模型滑翔机，用橡皮筋把它弹到天上，它自己就能滑翔起来；这是安了发动机的模型，叫做'自由飞'；那是二级无线电模型飞机，做好了，能在空中飞8字呢！"又拿起刚才表演过的飞机模型对我说："这是架线操纵特技飞机，全靠用钢丝操纵升降舵做特技动作……"

我决心制作一架空军歼击机模型。

打第二天开始，放学后做完作业，我就摆弄上了飞机模型。立东表哥几次跑来指导我，手把手地教我用砂纸打磨机翅，我懂得了飞机翅膀的剖面为什么既不是长方形，也不是椭圆形，而是有点像蒜瓣的模样，原来只有做成这个样子，才能利用流体力学的原理，使飞机升到天上去呢！

大队举行的科技模型制作展览就要开始了，冯老师让各个中队督促同学们，及时把制作的模型交上去。

临交上去的头天晚上，我先跑到谭小波家去，他正往做成的天文望远镜模型上涂油色呢，他用了好几种颜色：深咖啡的、柠檬黄的、豌豆绿的、枫叶红的，凑成的花纹还真好看！我们对着月亮和星星看过，月亮上的阴影深了些，星星也大了些，蛮不错的。

从谭小波家里出来，我又跑到高山菊家里，她也正往做成的新型联合收割机模型上涂油色，主机涂成鲜红的，附件涂成深黄的，还有些地方涂成蓝的、紫的，瞧上去真漂亮！

回到家里，我瞧着已经完工、只等着刷银粉的歼击机模型，有点发愁了：往他们的天文望远镜、联合收割机边上一摆，颜色够多单调呀！托着腮帮子想了一阵，我突然灵机一动……

第二天，大伙上学的时候全带着自己做的模型。我在胡同里遇上了"炒豆儿"，他举着人造卫星的模型，那银色模型上画着"紫帽子"金鱼的像。他告诉我说："'紫帽子'金鱼肚子疼好啦，我把这卫星叫做'紫帽子'号。"他要看我那纸包着的歼击机，我说："别着急，交到冯老师那儿，你再看吧！"

到了展览室，我把自己的模型交给了冯老师，好多同学挤成一圈，伸长脖子看。冯老师打开了纸包，于是，露出了我制作的飞机。"啊哟——"大伙不由得都惊叫了起来，我挺高兴，以为都是赞叹我做得好，可是我发现冯老师的双眉皱了起来……

我那架飞机，被涂上了绚丽的颜色：一块红、一块绿、一块黄、一块蓝……冯老师举着那架穿上了花衣服的飞机，仔细地端详着，纳闷地问我："这飞机形体、结构都很好，可为什么要涂上这么多颜色呀？"

啊，果然是问这个。我早准备好了答案，便挺起胸脯，大声回答说："这是保护色呀！电影里的坦克、高射炮阵地上的帐篷，不都涂成这样的吗？……再说，这样好看啊！"

没想到冯老师和同学们全笑了。

冯老师说："飞机在天上飞，你这么多鲜艳的颜色，在蓝天白云衬托下更容易暴露目标，怎么能起到保护色的作用呢？飞机一般都是银灰色，可有它的道理。"

我仔细一想，也真是，歼击机就是歼击机，干吗非打扮得花花绿绿的呢？这么一来，也许我的飞机评不上奖了，不过，我心里还是挺快活。因为我们参加这样的活动，不单是为了评奖，主要是为了学到科学知识。

我得赶快找立东表哥，问问他，为什么飞机一般都是银灰色的？

7. 扔到窗外的橡皮

嘿！你会做这道填空题吗——

"我用葫芦（　）从缸里（　）水。"

阶段考试考语文，我偏遇上了这道题。只眨巴了三下眼睛，我就填上了"舀水"的"舀"字；可是，"葫芦瓢"的"瓢"字怎么写，我却怎么也没法确定。我挠了半天脑瓜，咬了半天笔杆，唉，就是写不出这个字！

怎么办呢？我两手托住腮帮，心里别提有多别扭。

教室里安静极了，只有同学们动笔答卷的沙沙声。我由这声音想起了春天养的那些蚕宝宝，它们吃桑叶的声音，不也是这样的吗？"蚕"字也好，"桑"字也好，我都会写，可这张试卷上并没有关于蚕宝宝的题目，还是集中思想想"瓢"字吧！

不知怎么的，也没听见脚步声，我就知道吕老师从教室后面走拢了我的身后。准的，吕老师在浏览我的试卷，她一定已经看出来，除了这个填空，别的题我都已经做完。她会怎么想呢？要知道，这学期以来，我的语文测验虽然从没下过九十五分，可就是总得不上一百，每回都是这样，要么偏有一个字写错，要么标点符号上出个什么问题。这回阶段考试以前，吕老师问过我：

"袁远近呀，这回，你能不能做到一个错也不出呢？"

记得当时我脚跟猛地一碰，行了个军礼，像侦察兵出发前向首长下保证似的说："出不了错，请您放心！"

我的决心的确挺大。这些天，我跟谭小波一块复习语文，凡是难写点的，容易出错的字，我们都一遍又一遍地抄、默……可谁想得到，偏偏这个"瓢"字我临场懵了，"瓜"字究竟应当搁到左边，还是应当搁到右边呢？按"瓢"字的写法，似乎应当搁到右边，可按"漂"字的写法，又似乎应当搁到左边……

吕老师从我身旁走开了，她背着手，轻轻地朝教室前面走去；甚至从她的背影上，我都看出了一种遗憾的表情，她的声音似乎又响在了我的耳边："要把祖国的每一个字都写正确。有时候，一字之差，能够造成不堪设想的后果……"

可是我写不出"瓢"字来，又能造成什么了不起的后果呢？我填上一个拼音，不也应当算对吗？或者，我干脆画上一个葫芦瓢得了，吕老师不是讲过，有"象形字"吗？

几声椅子响，呀，又有人离开座位去交卷了。我用眼扫了扫周围，只剩下不多几个同学仍在埋头答卷。我的座位靠窗，望出去，柳树荫里，高山菊她们几个交完卷的女同学，已经跳上了猴皮筋……

算了，这回就得九十九吧。嗯，到底不甘心，我忽然想起了妈妈头两天笑着许下的愿："这回语文你要是考一百，奖你一根旅行雪糕！"旅行雪糕我还没吃过呢，外头包着一层巧克力壳，里头是奶油味的，那味道准错不了……

正胡思乱想着，我的眼光忽然落到了打开的铅笔盒上。啊！我的眼睛陡然一亮，你猜我瞧见了什么？我瞧见了铅笔盒里的橡皮——不是那块已经被我用得只剩一半的蔚蓝色香味塑料橡皮，而是那块前几天才"住"进我铅笔盒的长方形的大橡皮。那块大橡皮有啥新鲜的？没啥新鲜，是一块挺平常的绘图橡皮；是立东表哥来我家玩的时候，掉在我家了，我就把它装进了自己的铅笔盒，打算等立东表哥再来时还给他……嘿，你瞧我啰啰嗦嗦说这些干啥，这跟我考语文有啥关系呢？难道用那橡皮擦，能擦出个"瓢"字来？

你还真说对了——真是那么回事，只要我拿出橡皮，翻过来看上一眼，"瓢"字怎么写就一清二楚了！

原来，前天傍晚，我从理发馆理完发，就直接跑到谭小波家里跟他一块复习功课。我俩复习了一阵解词和造句，不知怎么引起的，就互相开起玩笑来了。我在他语文书的包书皮上，给他画了个像，把他那"崩儿头"画得特别突出，还在头上添了四根毛，说他是"三毛的弟弟"；他呢，看我把头发理得特短，就拍着手叫我"大秃瓢"，我不让他在我的包书皮上画我，他就从我的铅笔盒里取走了那块大橡皮，在没印字的那面画了个我，并且写上了"大秃瓢"三个字，我记得，他写"秃瓢"两个字时，还特别查过书。我当时没顾得去记这两个字的字形，只是咯咯咯地乐着跳下位子去逮他，他呢，窜出了屋子，我俩就在院子里追打起来了，结果，碰倒了方伯伯屋前的花盆，这才抢着扶盆道歉，算是结束了我们的复习……

真是巧极了，现在考语文恰好考到了"瓢"字；正当我想不准这个字的时候，崭新的绘图橡皮提醒着我："把我翻过来吧，翻过来吧，我背后正好有个'瓢'字！"

我把手伸了过去，手指头触到了橡皮，不知为啥，我觉得那橡皮像个冰块，使我的手指尖有种异样的感觉……

如果我翻过橡皮，算不算作弊呢？

不应当算，不应当算……因为，又不是我故意事先写好放在那儿的，凑巧了嘛！

可是，为了凑满一百分，为了一根旅行雪糕，我就这么做吗？我低下头，下巴颏正碰着红领巾。手指尖碰着的橡皮像块冰，这下巴颏碰着的红领巾却像一束火，冰和火，是不能相容的啊！

"应当靠扎扎实实的基本功获得一百分，不应当用小聪明去骗取一百分！"这是谁的话？啊，这是立东表哥告诉我的话，不过这话也不是他发明的，是他的语文老师告诉他的。有一回他们考语文，要求用三个词造句，立东表哥因为没有好好复习，拿不准那三个词是什么意思，于是他脑瓜一转，便写出了这样的答案：

盘桓——我现在正用"盘桓"这个词造句子呢。

亭亭玉立——请注意，我正在用"亭亭玉立"这个词造句。

奥秘——用"奥秘"这个词造句子是很容易的。

老师没给他分，他还跑去狡辩："我那不也造的是句子吗？我用上了规定的词语，句子也通顺呀！"老师让他坐下，严肃地同他谈了两个多钟头，最后，告诉了他那两句话。立东表哥那学期因为这三个句子没造出来，影响了总平均分，没评上三好学生。他告诉我说："这对我是件大好事，我懂得了扎扎实实的基本功是顶要紧的……"

是呀，"瓢"字写不好，是我基本功不扎实的表现，我翻过橡皮凑上这个字去，的确能换个一百分，可这样的一百分对我有什么好处呢？我应当甘愿得个九十九，好促使自己今后复习得更细致、基本功更扎实啊!

说时迟,那时快,我决心下定,就一把抓起那块橡皮,猛地扔到了窗外——不能让你再躺在那里引诱我!

这么一来,可就引起了轰动:吕老师皱起眉头,吃惊地望着我;我左右的同学,有的竟"啊"地叫出了声来;交完卷在窗外游戏的同学,"呼"的一下,几乎全聚拢到了扔出的橡皮那儿;我还看见高山菊弯腰拾起了橡皮,晃着小辫向周围的同学宣布着橡皮上的"秘密"……

最后的结果怎么样呢?我不讲啦,你们猜猜吧!

8. 我们大家的姥姥

"哈!我有两个姥姥啦!我有两个姥姥啦!"

"炒豆儿"手里举着一封信,连笑带嚷地跑了过来。

我正和谭小波、高山菊在大槐树底下跳"房子",一齐围拢他身边,我一把从他手里抢过了那封信,谭小波和高山菊从我左右伸过脑袋,同我一起好奇地端详,只见信皮上写着:

> 北京新开胡同十七号王建国同志收
>
> 河南大磨坊村王寄。

这有啥可乐的呀!我们这条胡同的确是新开胡同嘛,"炒豆儿"他们院正是十七号呀;"炒豆儿"的学名可不就是王建国吗,难道人家写信来,能在信上写"炒豆儿收"呀——真不知道"炒豆儿"乐个什么劲!

我从信封里掏出了信,展开读出了声来:"建国:我十日一早动身,十一日下午六点到达北京站,给你和玉娟带了不少东西,你可务必来车站接我。你的姥姥,括弧,董学锋代笔,括弧。本月七日。"

"你们说逗不逗呀——我姥姥早就来我们家啦,怎么又跑出个姥姥来了?""炒豆儿"不等我念完,就又乐了起来。

我想了想,就宣布说:"有啥可乐的,这信准是寄错地方了!"

高山菊接着说:"可不,我爸爸说的,北京有好几个新开胡同呢!"

谭小波也补充:"那个新开胡同里,恰好也有个叫王建国的,就是这么回事呗!"

"炒豆儿"听完还是一个劲地乐:"嘻嘻……巧事都让我占全了!"

我把信还给他,推了他一把说:"收起来吧!明天邮递员阿姨送报纸来,你把这信退给她吧!别傻乐了,来,跟我们跳'房子'玩——你跟我一头!"

可是,高山菊不知为啥在发愣。.

突然,她把我手里的瓦片一巴掌拍到地下,大声问我:"今天几号啦?"

我们全都莫名其妙,高山菊这是怎么啦?

"今天十一日呀。"谭小波回答她。

"现在几点钟啦?"高山菊接着问。

"快五点了吧!"我回答她。

高山菊猛地一转身,从"炒豆儿"手里夺过信,又读了一遍,就激动地对我们说:"这个河南姥姥,她再过一个来钟头就到北京站了。也许她还是头一回来北京呢!她上了年纪,又带了好多东西,没人接,她可怎么出站、怎么坐车、怎么到那个新开胡同去呀?"

"炒豆儿"不动脑筋地说:"嗨,她家的人当然会接她去的呀!"

我推了"炒豆儿"一把:"你呀你!她把信寄到你这儿了,她家的人哪知道她到北京呀!"

谭小波挠着后脑勺说:"糟了!"

高山菊摇摇小辫,两眼亮闪闪地望了我们一遍,一挥拳头:"走,我们去北京站接她!"

我和谭小波立刻点头说:"对!咱们赶紧去!"

"炒豆儿"却皱着眉头发愁:"北京站多远呀,坐车去,我可没钱买票啊!"

高山菊拍拍衣兜说:"没问题!我这儿有八毛钱,是妈妈给我买书用的——我先用了它！"

就这样，扔下大槐树底下的"房子"，我们立即出发去北京站了。

我们下电车的时候，恰好是五点半，钟楼的大钟正发出悠扬的钟声。

穿过车站广场上熙攘的人群，我们进入了车站高大堂皇的正厅。值勤的叔叔告诉我们，接从河南来的那趟车的旅客，要先买月台票，然后从东边的地道走到月台上去；时间已经不多，我们可得抓紧！

当我们拿着月台票穿地道去月台时，"炒豆儿"两手勾在一起，表示是架机关枪，嘴里"嗒嗒嗒嗒"地发出机关枪的射击声，躬着身子，在地道里跑起了"8"字……结果，当我们登到月台上时，"炒豆儿"却不知到哪里去了。

火车到站了！我问高山菊和谭小波："咱们没见过这个姥姥，可怎么接呢？"

谭小波出主意说："咱们别着急。等下车的人都走光了，剩下一位东张西望直发愁的老大娘，那准就是了！"

火车停稳以后，旅客们纷纷下车了，接客的人们不时发出欢呼声，迎上前去。

可是，月台上的人几乎都走光了，运行李的电瓶车从我们身旁驶过，我们仔细地朝月台前后望去，却并没有发现一位东张西望直发愁的老大娘……这是怎么回事呢？

穿过地道往出站口走的时候，我们仨心里别提多难过，就像我们丢失了亲姥姥似的，喉咙那儿堵得慌。

刚走到出站口的门厅，忽然，我们听到了从嵌在墙上的暗喇叭里传出来的广播声："……请袁远近、高山菊、谭小波三位小朋友，赶快到广播室来接你们的同学王建国……"

嗨，河南来的姥姥没接着，反倒接着"炒豆儿"！

我们跑到广播室时，"炒豆儿"正坐在沙发上看小人书呢，瞧他美的……不过，嗯，我可看出来了，他脸上有眼泪画出来的道道。

我们仨一叠声地埋怨他，这回"炒豆儿"老实了，他低着头，看着脚尖走路，一声不吭。

善 的 教 育

我们走到了北京站前的广场中央，一位脸颊黑红、浓眉大眼的解放军叔叔走拢我们身边，用南方口音问："小朋友，你们知道去新开胡同坐什么车吗？"

"新开胡同！"我们简直是一齐蹦了起来，怎么今天净是巧事儿？

"叔叔，北京有好多个新开胡同呢，您要去哪个新开胡同呀？"高山菊仰起脸，兴奋地问。

"这——"解放军叔叔为难地微笑了，"我是要送……我外婆去新开胡同，我还是再问问她吧……"

外婆？哈，南方人叫外婆，我们北方人不就该叫姥姥吗？

解放军叔叔没注意到我们惊奇的表情，他转身朝柱子那里走去，啊，在柱子旁边，一位老大娘，头上包着白毛巾，坐在自带的小板凳上，一旁搁着好大一个藤筐，另一旁搁着好大一个黑布包袱……

高山菊头一个冲了过去，她掏出"炒豆儿"收到的信，递到那老大娘手里，大声地问："姥姥，这信是您寄的吧？"

那姥姥和解放军叔叔都大吃一惊。姥姥仔细看了看信封，满脸的皱纹都抖动起来，连连说："中呀，中呀，这是俺让小董写的信呀……"

你当然能猜出来，解放军叔叔是在火车上同姥姥认识的……

剩下的问题，就是确定该把姥姥送往哪一个新开胡同了。还好，这位姥姥五年前来过一次北京，她记得那个新开胡同离北海公园不远……

我们簇拥着姥姥登上路过北海公园的无轨电车时，我们四个小朋友和一位解放军叔叔全都"姥姥"、"外婆"地叫着，售票员阿姨不由得惊讶地说："嗬，这位老大娘，有这么多个外孙……"

我大声地回答她说："可不，她是我们大家的姥姥！"

……当我们四个伙伴回到我们那条新开胡同时，晚霞已经不那么亮了，真像一些快要谢掉的紫玫瑰花瓣。

别的没啥好讲的了，单告诉你这么个小镜头吧：第二天傍晚，妈妈下班一进屋，就举着一样东西，笑吟吟地递给了我……那原本是只有我语文考了一百分，才能得到的，哈，你猜着是什么了吧？

9. "勇士们，向碉堡冲锋！"

我和"炒豆儿"一手提着半干半湿的游泳裤衩，一手举着雪糕，边吃边聊地往家走。

刚走拢我们那条胡同，只听"开炮！打呀！"几声呐喊，我们还没弄明白是怎么回事儿，一把热烘烘、麻扎扎的沙子已经甩到了我们脊背上；我扭头一看，从胡同口上的砖堆后面，蹦出来两个五年级的闹将，打头的外号叫"黑大力"，他长得不比我高，可又黑又壮，一双牛眼睛，一对大虎牙，满脸神气劲儿；跟在他后头的那个大名叫王绪，大伙平时只管他叫"小绪子"，是"黑大力"形影不离的好朋友，又瘦又高又白，一双眯缝眼儿，鼻子两边净是雀斑。

"黑大力"几步跨到我们跟前，双手叉腰，挺着肚子说："小子们！不许走，给我当兵！"

"小绪子"手里端着木头钉的冲锋枪，站在"黑大力"身旁，枪口对着我们。

我伸手到背后去刮被汗粘住的沙子，撇撇嘴说："你是国民党，抓壮丁呀？"

"炒豆儿"气得脸发紫，他眼泪汪汪地望着手里刚吃了几口的雪糕——上头落满了沙子！

"黑大力"吸吸鼻子，紧紧裤腰带，反驳我说："谁是国民党？我要盖碉堡，你们给我当兵！"

"小绪子"赶紧把枪口单单对着"炒豆儿"，配合着说："当兵的不许吃雪糕，听见吗？"

我气得喉咙里像是跳着一团火，一边把自己那还能吃的雪糕递给"炒豆儿"，一边大声地向"黑大力"宣布："你甭欺侮人，没人怕你！"

"黑大力"啥也没说，只是露出虎牙一乐，把圆领衫的袖子捋到肩膀上去，使劲地把胳膊一弯，只见他那二头肌鼓得高高的，活像一只小耗子；"小绪子"神气地发话了："怎么样，你们的力气有我们大吗？"

"炒豆儿"哭了，我的心就像安在了弹簧上，随时都会蹦出嗓子眼儿来；望望"黑大力"那副明摆着以力压人的模样儿，我把游泳裤往地下一摔，咬咬牙对"黑大力"说：

"谁的力气大，不能你说了算！咱们摔跤！"

我话音没落，"黑大力"就扑了过来，转眼间我两就扭成了一团；这时候，"小绪子"呆呆地立在一旁，"炒豆儿"也止住了哭，望着我两发愣。

说实在的，"黑大力"可把我摔惨了，可我就是不服气，摔倒了，我就又爬起来攻上去。这么摔了几个回合以后，"黑大力"也喘得接不上气来了。于是，"小绪子"趁我摔倒了还没爬起来的工夫，扶着"黑大力"撤退到了砖堆后头。

当我和"炒豆儿"回到胡同里的时候，"炒豆儿"把快化完的雪糕递到我手里，一边让我吃，一边给我身上拍灰，愤愤地说："哼，咱们找宋大哥去，宋大哥一根胳膊顶他两根粗。"

"炒豆儿"一句话提醒了我，嘿，这可是个好主意，我提着沾满沙土的游泳裤，就同"炒豆儿"一块去宋大哥他们院找他。

你说巧不巧，宋大哥恰好轮休在家，见我和"炒豆儿"脏得像一对刚从烟囱里钻出来的猫儿，宋大哥忍不住皱着眉头笑了。我和"炒豆儿"抢着开口向他告状，一五一十地把"黑大力"欺侮我们的情况讲了一遍。

果然，宋大哥听完我们的汇报，浓眉一皱，问："'黑大力'这会儿还在胡同口吗？"

"炒豆儿"激动地说："准在！"

宋大哥把敞开的衬衫扣上扣儿，沉稳地说："好，去看看！"

我和"炒豆儿"对宋大哥的崇拜，这时候达到了一个新的高潮，我两跟在他那宽大厚实的肩膀后头，神气地回到了胡同口外。

"黑大力"果然没回家，他和"小绪子"俩人坐在墙根的阴凉里，一边嚼着雪糕，一边看着几个二、三年级的小学生在那里用砖头搭碉堡，显然，那几个小学生是在我们之后被他"俘虏"的。

"黑大力"本来没注意到，"炒豆儿"嚷了一嗓子："'黑大力'，甭神气！""黑大力"一扭头，瞧见了宋大哥，不由自主地站了起来，牛眼睛里的表情顿时没有刚才那么狂气了；"小绪子"跟着跳了起来，他手里还没吃完的雪糕掉到了地上。

宋大哥的表情十分严厉，可说话的声调却很和蔼："'黑大力'，这是怎么回事呀？"

"'黑大力',欺侮人!"我忍不住嚷了一句。

"就是!""他说我们要不给他当兵,他就让我们尝尝他胳膊的厉害!""他说谁力气大谁就得当头头!"几个小学生全都不干了,站到我们身旁告状。

"你是这么说的吗?"宋大哥盯住"黑大力"问。

"黑大力"把眼光移到沙堆上,不吱声了。

宋大哥缓缓地把衬衫袖又卷了起来,一直卷到挨肩膀的地方,然后猛地一弯胳膊,命令说:"'黑大力',你看!"

啊呀,"黑大力"那二头肌算个什么呀,宋大哥的二头肌,活像是一个在皮肤下滚动的铁疙瘩!你还记得宋大哥在业余摔跤比赛里得过的名次吗?

"黑大力"的眼睛里全是惧怕的神色了。

宋大哥缓缓地放下衬衫袖子,又挥挥手说:"来,大家一齐动手,把这砖堆复原!"

大家都心甘情愿地跟着宋大哥干,"黑大力"不知为啥格外卖力,我们一次顶多移三块砖,他却一次移五块,不一会儿,砖头重新垒成了砖堆。

在大家拍着手上的灰、吁着气的当口,宋大哥这才把道理讲出来:"我们的力气,应当用来搞建设,不能用来搞破坏、欺侮人!"

"黑大力"低下眼眉,站在那儿一声不吭。

"谁是真正强有力的人?"宋大哥问。

"你,宋大哥!""小绪子"抢着回答。

"为什么?"宋大哥问他。

"因为宋大哥力气最大!""炒豆儿"接过话茬,语气里透着自豪劲儿。

"可是,搞建设,光有力气就行了吗?"宋大哥接着问,不等我们回答,他就又对"黑大力"说,"你算一算吧——你们因为瞎玩,弄坏了多少块砖?"

我们重垒砖堆的时候,拣出了不少碎砖,扔到了一边。"黑大力"听了宋大哥的命令,只好过去清点,他费劲地扒拉着碎砖,把那些被摔得不成形状的小碎块,往一块儿拼。他急得脑门上的汗像珍珠般大。

"你看,光有力气,没有智慧,能算强有力的建设者吗?"宋大哥指着"黑大力"

问我们，"你们谁能想出个简便的办法，替他算出来？"

大伙七嘴八舌出了好些个主意，宋大哥都摇头。

可是，我只来回走动了两次，就胸有成竹地向宋大哥和大家宣布："一共弄碎了十八块砖！"

大伙全都佩服地望着我，"黑大力"的眼睛瞪得溜圆。

"你怎么算出来的呢？"宋大哥问。

我便解释说："我看了一下，本来每堆砖的块数是一样的，码法也一样。所以只要作两次乘法，把没坏的一堆砖和这坏了的一堆砖的总数分别乘出来，然后再一相减，不就算出来了吗？"

"小绪子"和"炒豆儿"全笑了，"黑大力"连耳朵都变得通红，宋大哥赞赏地冲我点头。

"'黑大力'，你看你带头毁了多少块好砖！你的力气今后要用到建设上去，还应当多多锻炼脑子，变得聪明些啊——只有德智体全面发展的人，才是强有力的人哩！"宋大哥走过去，拍着"黑大力"的肩膀说。"黑大力"害羞地别过头去……

"你们爱玩攻碉堡的游戏？好！"宋大哥环视着我们一群，说，"到我休息那天，你们到我院子里去，我们一起玩一种能锻炼身体又能提高智力的游戏，名称也叫攻碉堡，到那天——勇士们，我们一起向碉堡冲锋吧！"

大伙全乐了，"黑大力"正过脸，恰好遇上我的目光，我伸过手去，他一把握住了，我俩异口同声地对宋大哥说："成，到时候找你去……"

正在这时，高山菊忽然气喘吁吁地从胡同里跑了出来，见了我就嚷："嗨呀，到处找不见你，原来你在这儿！……我已经给你报上名啦！"

这可真让我摸不着头脑，她给我报上什么名啦？

10. "你别让着我！"

学校组织班级象棋对抗赛，四、五年级每个班出一个人，星期天比赛，用简单淘汰制确定冠亚军。这事情刚定下来，高山菊、谭小波他们就向吕老师反映说："袁远近行！咱们班就出他吧！他能杀败我们院方伯伯哩！"这样，就把我的名字报上去了。

我挺高兴。的确，自从去年我学象棋以来，赢过好多大人哩！高山菊告诉我，这回的比赛，体委还要派人来观看呢——为的是发现好苗子，将来培养成象棋运动员。

这事让爸爸知道以后，他不以为然地说："你？你们班就你下得好吗？"

我说："那怎么着！上星期您不是输了我一盘吗？"

妈妈笑着插话："你爸可让了你一只'车'啊！"

我说："今天晚上咱们再赛，您别让我'车'好啦！"

晚饭后，爸爸抽着烟斗，跟我对上了阵。走了十几步以后，我就被爸爸的一对"连环马"压得够呛，我忍不住把身子往椅背上一靠，双手抱在胸前说："不干了不干了，重来重来！"

爸爸嘿嘿地笑着说："星期天比赛的时候，也允许重来吗？"

"赢我们小孩有啥了不起呀？哼！"

我一把抓走了"连环马"当中的一匹马，终于扭转了劣势，下了个平局。

第二天放了学，高山菊跑来对我说："你还不多练练——后天就该上阵啦！你跟方伯伯下吧，我们来观阵！"

方伯伯一听是这么回事，呵呵地笑着说："咱们可得按正式比赛的规矩下啊，不许悔步，不许看棋的人支招。"

我说："那当然！咱们这是正经对弈嘛！"我故意把"对弈"两个字说得很响，在一旁等着看热闹的"炒豆儿"一脸惊奇，悄声问谭小波："什么叫'对一'呀？还有'对二'吗？"

开棋了，头五六步，无非是"当头炮，把马跳"一类的平常招数。到第七步，我的"车"一下子插到了方伯伯那边的"象眼"上，局势顿时紧张起来。高山菊和谭小波忍不住喊喊喳喳议论开了，我把眉头一皱说："不许支招！"

方伯伯只是抿着嘴笑，仅仅三步以后，他就攻破了我的阵式。接着，他双"车"

出动，一下子使我的形势危急起来。

我心里不自在了，想了好一阵也不知挪动哪个棋子好。高山菊、谭小波他们，瞪大眼睛瞧着棋盘，哼都不哼一声；"炒豆儿"倒想帮我的忙，嚷了一嗓子："跳这边的马！"可明明别着马腿，能跳吗？

再下了七八步，我简直就要被"将"死了，我眼圈也红了，嘴也撅起来了……方伯伯看出我受不住，心软了，他便故意走了两步"臭棋"，结果高山菊他们大吃一惊——经过让他们眼花缭乱的那么十来步快攻，我转败为胜了！

瞧，我就这样保持了不败的纪录。

星期天到了，象棋对抗赛正式举行了。跟我"对抗"的是谁呀？抽完签以后，我望着"程海岩"这个名字直发愣。这人在学校可太不出名啦，准是个蔫不叽叽的男同学——谁知道，走拢棋桌边我才发现，原来是个胖胖的女同学。她梳着朝鲜女孩那样的"妹妹头"，月牙儿般的眼睛，红喷喷的脸颊，坐到椅子上以后，抬眼瞧了我一下，满脸腼腆的神态。我心里不禁暗笑，嗨，她算什么对手哇？我第一轮放松点吧，集中精力去应付第二轮和最后的冠亚军赛吧！

跟她下头几步，我真是轻松极了，一会儿仰靠在椅背上，一会儿东张西望。当我一下子吃掉她一个"车"以后，我忍不住轻轻地吹起口哨来，当裁判的同学不得不提醒我要遵守赛场纪律——可是，又走了几步，啊呀，我不禁目瞪口呆，原来人家是故意舍"车"取路，用"马后炮"配合单"车"来"将"我啊！我浑身不自在了，直想伸手把她的"马"拿走。慌乱中走了一步废棋，棋子落盘后，我后悔了，一把将棋子抓起来，要重走，裁判急得直拽我袖子，大声嚷："不许悔棋！不许悔棋！"我浑身燥热，可一瞥对面程海岩，嗬，可真有涵养，还是文文静静地坐在那里，一双眼睛只盯着棋盘，吭也不吭一声……

比赛的结果可想而知——第一轮上我就被程海岩"刷"了下来。我也没心思看人家进行第二轮比赛了，心里像堵着一团乱麻，低头跑出了学校——跑到校门口的时候，正碰见体委的几个同志走进校门。唉，我心里真是难过。

回到家里，正在包饺子的妈妈惊奇地问我："怎么这么快就回来啦？"我也不回答她，走到床铺前头就往上一倒，还扯过一个枕头捂住了头。

这可让妈妈着慌了，她赶紧走到我身边，掀开枕头，把手掌平贴在我的额头上，关怀地询问："你不舒服啦？怎么回事呀？"

我翻了个身，烦躁地说："没有没有，人家没病嘛！"

妈妈看我不发烧，也就只好由我去，接茬包她的饺子去了。

等到饺子快下锅的时候，谭小波、高山菊和"炒豆儿"一齐跑到我家，妈妈这才明白是怎么回事。

谭小波说："真没想到一下子就碰到个强手，袁远近今天输得好惨！"

高山菊说："嗨，咱们把袁远近的技术估计高啦！"

其实他俩都没说到点子上，倒是"炒豆儿"一语道破了"天机"——

"程海岩干吗不让着我们呀！"

妈妈笑了，她走到床边把我拉了起来，拍了我脊背一下说："甭撒娇啦！问题就在这儿，老得人家让着你，哪能练出真本事呀！下棋是这样，别的事情也是这样，'让'出来的成功，其实就是金纸裹着的失败——以后不许人家让着你，兴许你还能练出点真本事来！"

我被妈妈这么一拍一训，头脑清醒多了。

这以后，我又和爸爸、方伯伯他们下了好多盘象棋，说实话，十几盘里，我统共只赢了两盘。可是我挺高兴，因为我心里清楚——他们没有让着我！

你要同我下象棋或进行别的什么比赛吗？你要先依我一句话，要不咱俩可弄不到一块，那就是——

"你别让着我！"

11. 三只蝴蝶

秋天多么好！冯老师、吕老师带我们去香山爬"鬼见愁"。啊，从峰顶上往下看，那是多么美妙的一幅彩画啊！大块的稻田像金黄的绒毯，银色的公路和翠绿的行道树像镶在绒毯上的花纹，远处的昆明湖像一块明镜，这是玉泉山，那是万寿山，呀，那贴近地平线的远方,就是北京城! 我和高山菊站在呼啦呼啦迎面飘展的队旗下面,望着前面开阔奇丽的景色,伸出胳膊呼唤了起来:"北——京——! 你——好——! "霎时,从两侧满覆红叶的山谷里传来了重叠的回声:"好! 好! 好! 好! ……"惊得一群群鸟儿从红叶里钻出,朝谷外盘旋着飞去。

从香山回到家里,我们除了带回满身山林的气息,每个人都有一件"天然纪念品"。高山菊是一簇殷红的枫叶,谭小波是四个透明精巧的蝉蜕,"炒豆儿"是一根大鸟的银灰色尾羽,我呢? 我的纪念品装在了一只不大不小的纸盒里。

一路上高山菊好奇地盘问了我不下几十次:"你带回点什么呀? "伸手就要去揭盖,我赶忙把她制止住了:"嘿,别瞎动,那可是个秘密! "

这可是个规律:你越是保密,人家就越想知道究竟。都已经下山了,高山菊还缠着我问个没完。这又是个规律:只要你下定了决心,就能保密到底。到家了,我还是没把秘密告诉高山菊。我看见她是撅着嘴往家里走的。不过,到第二天,高山菊好像把这件事忘了。

半个多月过去了,是个星期天,我家搞大扫除,谭小波、高山菊、"炒豆儿"都来帮忙。因为"炒豆儿"是越帮越忙,比如说,他本意是要帮着擦玻璃,可不知为啥,玻璃并没擦干净,他的脸颊上却抹上了不少黑道。所以,我妈妈就动员他只集中完成一项任务——把我妹妹领到他家去,同他妹妹一块玩。

该整理书架了,我还没回过神来,高山菊已经把那只纸盒捧到了手中——我还没来得及发话,她已经麻利地掀开了纸盒的盖子——"呼"的一下,纸盒里飞出三只蝴蝶,眨眼的工夫,便从敞开的窗户飞到了院子里,一下子升到了屋顶那么高,转眼便不见了。

"你你你——你赔我! "我愤怒得像一头狮子,一伸手便把高山菊推了个趔趄。她往后一退,碰倒了涮抹布的水桶,污水立时漫了一地。高山菊微张着嘴巴,瞪圆了眼睛望着我,仿佛不认识我了。我的怒火正旺,冲口说:"滚! 以后再也别来我家! "

只觉得两根小辫子在我眼前一舞,高山菊便不在我家屋里了。爸爸妈妈在院子里扫橱顶、晒衣物,谭小波在屋里擦玻璃。我一个人愣愣地站了好几分钟,这才拾起了掉到地上的纸盒——纸盒里残存着三个干裂的蛹皮：啊，我从香山挖回来的蝶蛹孵出了蝴蝶！没想到今天偏偏让高山菊一下子给放跑了。

到第二天，谭小波才发现我和高山菊互相不说话。他跑来问我："怎么回事呀？"我把原因一五一十地说了一遍，他想了想说："我去逮三只蝴蝶，替她赔你吧！"哈，我这个人呀，真糊涂！竟一句话把他噎了回去："你就知道向着她！"谭小波听了，一甩手转身走了。

班上该换黑板报了，吕老师布置我和高山菊抄下一期黑板报。放学以后，扫除完了，别的同学全都跑到操场玩去了，教室里只剩我和高山菊俩人。我站在黑板左边抄我的稿子，高山菊站在黑板右边抄她的稿子，只有粉笔碰在黑板上的"嗒嗒"声，我俩一句话也没有。我不时抄错句子，总得用板擦擦了重抄，心里头老在想：只要她先跟我说一句话，我就立刻向她认错……她也总在出错，也许，她心里想的跟我一样。

黑板报抄完了，我俩临出教室回头一望，啊，板报上两篇不同笔迹的文章，接缝处的字仿佛在互相排斥，形成了一个明显的枣核形空白，那是我俩互相躲避形成的。

第二天，同学们一进教室，就看见黑板报上，两篇文章当中画着一棵枣核形的松树。原来，那是吕老师昨晚看到了，有意补画上的。这样一来，左右两篇文章，就像是因为美术设计上的需要才那么躲开似的。

这天放了学，吕老师把我找去了。吕老师静静地听我讲完了事情的经过，没有责备我，也没有讲成套的道理，只是语重心长地对我说："友谊啊，要珍惜！你应该鼓起勇气，主动向高山菊道歉。我想，她一定会跟你和好的！"

我抱着这样的决心向院里跑去。刚跑进院门，就遇上了谭小波，他对我说了句话，我的心顿时像泼上了一瓢凉水："高山菊她的家明天就要搬走啦！"

这是真的？是真的！高山菊爸爸的单位分配给他家一套新住房，明天就要搬走。搬到哪儿去？垂杨柳！离我们住的胡同足足有三十里！高山菊就要到垂杨柳中心小学去了，今后见面可就不容易啦。"友谊呵，要珍惜！"当我不懂得珍惜它的时候，我天天和她在一起；当我懂得珍惜的时候，她却要走了！

第二天是星期天，一大早，我就窜出屋子，直奔高山菊他们家。进了屋，只见谭小波和"炒豆儿"正帮高山菊抬一只箱子。我二话没说，抢上去站到高山菊一旁，同她一起抬。她呢，既没吃惊也不见高兴，跟什么事也没发生过一样，神情自如地同我肩并肩抬着箱子。

院门外的大槐树上不时飘下几片发黄的槐叶，我想起头几个月，我们用飞镖打槐花的场面。唉，心里头又闷又凉！

我多想找个机会向高山菊说几句道歉的话，可就是找不到机会。直到高山菊和她爸爸就要登上驾驶室旁的座位，院里的人们全都站在门口，说着惜别的话时，我终于鼓起全身的勇气，迈一步走拢高山菊身旁。我决心当着全院的人向高山菊道歉——可是，还没等我说出话来，高山菊就把一个纸盒递到了我的手中，笑吟吟地说："给你，我赔的！"说完便登上了车。

我都不知道车子是怎么开走的，人们是怎么散去的，反正当我从万分激动中清醒过来时，身边只剩下了谭小波和"炒豆儿"，他俩的目光全都集注在我手捧的纸盒上。我轻轻地、轻轻地揭开了纸盒，啊，谭小波和"炒豆儿"不由得一齐叫了起来："三只蝴蝶！"

是的，是三只蝴蝶，并且是三只永远不必担心它们飞跑的蝴蝶，每只都是用四五种颜色的玻璃丝编织的，色彩艳丽，栩栩如生。说真的，比我那从蛹里孵出的蝴蝶好看多了！

一回到家，我赶紧把这三只蝴蝶珍藏起来。那天，立东表哥来我家，他见了这玻璃丝编成的蝴蝶，一点也不感兴趣，挑剔地说："这是凤蝶吗？后翅臀区应该有尾突，你这都没有，不像。你要是真喜欢这类东西，那应该去找卢爷爷，他满屋子全是蝶呀、蛾呀的。"

我好奇起来："卢爷爷？是住在你楼下的那个白胡子老头吗？他那么大年纪，干吗还像我一样，爱玩这些东西？"

立东表哥说："他是个昆虫学家。去看看你就明白了！"我"嗯"了一声，可我心里想的是另一回事。我表哥家离垂杨柳不远，去了卢爷爷家，我一定上高山菊家去一趟，好好向她道个歉。

于是下午我随立东表哥上卢爷爷家去了。跨进卢爷爷家，我就愣住了：啊，高山菊也在卢爷爷家呢！卢爷爷乐呵呵地说："来来，我介绍一下，这是我的小助手高山菊，她常帮我搜集幼虫成虫的标本……"我低着头涨红了脸，一句话也没听进耳朵。只是想着应该鼓起勇气，给高山菊道歉，千万别再错过机会。我抬起眼睛望着高山菊，刚想开口说话，高山菊就"咯咯咯"欢笑着，一下子抓住了我的双手，身子往后一仰，滴溜溜转起圈子来。在高山菊欢快的笑声中，我跟着她转呀转……直转得天花板上那电灯的乳白圆罩，变成了一朵被春风吹得绽足了花盘的大牡丹！

12. 再给你看张照片

冬天到了。谁说冬天花儿少？嘿，当天上往下撒雪花的时候，你摊开巴掌接吧。每朵花的形状都不一样，可都那么美丽！

又是一个星期日。早晨，天上灰蒙蒙的，下雪儿了。等大地铺上厚厚的雪毯儿，我们就能团雪球儿，在胡同空地里打雪仗了！

"炒豆儿"戴着好大一顶狗皮帽子，脖子上围着好厚一条围脖，手上套着熊掌般的一对大棉手套，跑到我家，喷着白气，扬着大嗓门，向我宣布："我发现了几个真格儿的侦察兵！搞不清是'侵略军'还是'友邻部队'！"

"嗨，"我不在意地说，"准是'黑大力'、'小绪子'他们吧。"

"不是'黑大力'他们！""炒豆儿"顿着大棉窝，急得结巴起来，"是是是几几几个大人！不信你去看！"

我就抓起帽子、围脖，顾不得拿上手套，随他跑了出去。跑到胡同当中的空地边上，"炒豆儿"指给我看："唷，可不是真格儿的侦察兵吗！"

也难怪"炒豆儿"那么认为。只见离我们五六步远的地方，有两个穿皮茄克、戴皮猎帽的叔叔，支着一个比我们小孩还高的三角架。三角架底下吊着个用线拴着的小铜锤，那两个叔叔轮流把眼睛凑到三角架上好似望远镜的东西前头，看一阵，打开皮面本子记一阵。而对面一百多步远的地方，站着一个用大红拉毛围脖裹住头的阿姨，用戴着红毛线手套的手扶着一根带尖铁脚的木柱，看上去仿佛是根特大号的尺子……啊，我眨眼想了想就明白啦，这是搞测量呢！

十几分钟以后，我和"炒豆儿"就把一个令人振奋的消息带回了院里——明年开春我们这条古老的胡同就要拆掉，将在这里盖又高又大又美的现代化大厦。那时候，我们各家都将搬到那新住宅区舒适的单元楼里去住。

雪下得越来越大了，院里的大人小孩们关于这件事的议论也越来越热烈。"炒豆儿"在院里得意地晃来晃去，活像发现了美洲新大陆的哥伦布一样。

方伯伯把我们几个小学生叫到他屋里，一边从取暖的花盆炉子里夹出烤白薯来请我们吃，一边打开了话匣子。方伯伯感慨地说："咱们这个院子，还有'炒豆儿'他们那个院子，再过去点程海岩她们那个院子……原来是连在一起的，是清朝一个王府的祠堂。我这间屋子，原来是搁祭器的——"

谭小波立即好奇地问："我们家那两间呢？"

"是祭祖先的仪式开始以前，王爷他们休息的地方。"

"我们家的呢？""我们家的呢？""我们家的呢？"这一来大伙全询问上了。

方伯伯望着炉子里跳跃的火舌，缓缓地说："后来，辛亥革命推翻了清朝，这祠堂成了军阀作恶的地方；再后来，又成了国民党的衙门，日本的特务机关……抗日战争胜利以后，落到了几个国民党'接收大员'手里，他们打着没收敌产的名义，把这几个院子贪污下来，隔开租出去捞钱……解放后，这几个院子才回到劳动人民手里，成了居民院。一住，可就快三十年啦！"看上去，方伯伯有点舍不得这个院子似的。

我们的心情可不一样。

谭小波说："快点拆了吧！我可不喜欢那么高的纸顶棚，一掉土沙拉沙拉响，挺怕人的。"

我也说："住楼多好呀，我表哥立东他们就住楼，比这旧房子强多啦！"

另外几个小朋友也都说，宁愿工人叔叔早点来，把这些古老的院子拆掉。

"炒豆儿"吞完最后一口香喷喷的烤白薯，舔舔嘴唇，认认真真地说："我喜欢这样的房子。"

"为什么呀？"我和谭小波抢着问他。

"因为，住楼就不生炉子了，不生炉子就烤不了白薯，我爱吃烤白薯呀！"

方伯伯在内，大伙"哗"地全笑了。

正笑着，立东表哥跑进来了，他已经知道了我们即将拆迁的消息，就建议说："快到院里照几张相吧，留个纪念啊！我带着相机哩！"

我们欢呼着跑到了院子里。雪下得更大了，地上已经积了两寸厚的雪，几棵松柏树戴上了美丽的雪帽，密密的雪花织成了一面网。

我们请方伯伯一同来照，方伯伯问立东表哥："这么个天，能照出来吗？"

立东表哥自豪地说："没技术的照出来准砸锅，有经验的仔细点能照好！"

正说着，"黑大力"、"小绪子"跑来约我们出去打雪仗，我们就热情地邀他们一块照相。程海岩也恰好跑来找我们院的女孩子玩，方伯伯便把她叫到身边，约她照完相杀一盘象棋。刚拍了一张，立东表哥让我们别动，打算再拍一张，我们却又蹦又跳，拍着巴掌跑向了门口——原来是班主任吕老师和大队辅导员冯老师来了。大考临近，他们一块来串胡同进行家访，检查我们温习的情况。我们不由分说就把他们推到了正对镜头的位置。吕老师紧了紧咖啡色的花毛头巾，四面望了望说："今天少一个人哇！"

我立刻猜出了她的念头，转念一想，便大声提出了一个建议："相片上应该有高山菊——她没来，咱们堆个雪人代表她，好吗？"

嗬，赞成的声音差点没把雪花吓回天上去。不一会儿，一个瘦长的雪人就堆好了。谭小波拿来了两支笔，一支蘸黑墨水的用来画鼻、眼、耳，另一支蘸红墨水的用来画嘴，你别说，他画得还真有点像高山菊的神气。

"可这是个秃小子呀，哪是高山菊呀！""炒豆儿"挑毛病说。

"脑袋上扣顶草帽，不就显不出秃啦？""黑大力"动上了脑筋。

话音落下没多久，一顶草帽就扣上去了。

"高山菊得有辫子呀！""炒豆儿"还挑毛病。

我想了想，便飞快地跑回家去。进了小厨房，我把墙上挂的蒜辫子摘下来，跑了出去。到了雪人前头，我把蒜辫子往草帽底下一搁，嘿，两只辫子就搭在雪人肩膀上了。谭小波跟着就用墨把那辫子涂黑，于是，一个眉开眼笑的高山菊就站在我们当中了。

立东表哥退后好几步，刚要按快门，"黑大力"陡然嚷了一嗓子："等等！我请宋大哥去！"拔腿便跑出去了。

不一会儿，宋大哥随"黑大力"来了，他只穿着一身枣红的运动绒衣，没戴帽子，头上却冒着热气——原来他正在练举重呢。吕老师见了他便同他握手说："谢谢你配合学校做了好多工作！"冯老师捶捶他肩膀说："你真有两下子，把'黑大力'的坏毛病都给扭过来了！"宋大哥只是乐呵呵的，也没说啥客气话。大家自自然然地站到了一起，立东表哥拿出浑身解数，拍成了这张特殊的"全家福"。

现在我给你看的，就是这么一张照片。希望你看到这张照片上的人物时，能想起有关的故事来。当然，都是些平平常常的事儿，你如果听着还有点滋味，那么以后也许我还会接茬往下讲，不过，那些故事将发生在另外的地方了。

1979 年

八十六颗星星

一个金晃晃的早晨，一个背书包的小男孩，手里捧着一个大纸匣子，走进了松柳街托儿所。托儿所所长李阿姨迎了上去，她端详着那小学生，问："你原来是咱们托儿所的吗？"

小男孩摇头。

李阿姨有点奇怪，又问："你有什么事吗？"

小男孩把手里的大纸匣子递给了李阿姨，简单地说："我姐姐让我送来的。"说完，扭头跑出去了。

李阿姨冲他的背影喊着问："你姐姐叫什么呀？你们住在哪儿？"

小男孩已经跑出了门，听见这话刹住脚步，扭回身来说："她不让我说！"接着，仿佛意识到自己做错了什么事，脸红了，快速地说了一句"阿姨再见！"便又转身跑去。

李阿姨把大纸匣子捧回办公室，揭开了纸盖。啊，里面是一堆各色电光纸叠成的玩具。她一件件地把它们取出来，立放在玻璃板上，越来越兴奋地鉴赏着。有一些，叠法并不稀奇，只不过比例掌握得格外准确，因而形态特别生动有趣；有一些，例如那只拼接成的纸猫，即便以折纸专家的眼光来看，也不能不惊奇叹服——她是怎么琢磨出这样一种折叠方法，构成了这样一种夸张而活泼的童话形象呢？

李阿姨把这些折纸玩具送到了小班，在小班的孩子中引起了一阵轰动。

当孩子们睡觉的时候，李阿姨和托儿所里最会折纸的钟阿姨，小心翼翼地拆开了一部分玩具，又仔仔细细地加以复原。她们打算学会这全部玩具的折法。然而就连会折九十六种东西的钟阿姨，把那纸猫拆开后，急出了一脑门细细的汗珠，也没能在孩子们醒来前把它复原。

那小男孩的姐姐究竟是谁呢？她怎么掌握了这么复杂而灵巧的折纸手艺？

有一天下午，李阿姨看见那送纸匣子来的小男孩从托儿所门口路过，便走出来，跟在他身后，看他住在哪儿。

原来那小男孩就住在附近的葡萄珠胡同，那是一条短短的死胡同。

葡萄珠胡同里，有三个小朋友托在李阿姨他们托儿所里，可是那小男孩进的那个门里，并没有李阿姨认识的小朋友和家长。李阿姨在院门口站了一会儿，犹豫了一阵，才迈进了院门。

那是古老的北京城的一个典型的胡同杂院。前院里家家都盖得有小厨房，种得有向日葵、蓖麻以及丝瓜和刀豆。院里很安静，听不见那小男孩的声息。于是李阿姨便穿过小厨房之间的狭窄通道，朝后院走去。后院有一株很粗大的核桃树，撒下一片阴凉，树枝上肥大的叶片掩映着一些青绿的核桃果。树下是公用的自来水管，李阿姨走进后院时，正巧那男孩提着个水桶来水管接水，当他俩的目光相遇时，小男孩竟慌张得把水桶"哐啷"一声搁在了地上。

李阿姨忙走拢他身前，微微弯下腰，轻声对他说："啊，小同学，对不起，我想见见你姐姐，她给我们托儿所的小朋友叠了那么多有意思的玩具，我来谢谢她……"

小男孩脸上呈现出为难的神色，他扭头望望身后什么地方，结结巴巴地说："我姐姐她、她……她不乐意见生人！"

这回答令李阿姨感到十分意外。

忽然，从不远的什么屋子里，传出来一个姑娘的声音："小明，你跟谁说话呢？"

小男孩扭头对着那传出声音的窗子，告诉她："是托儿所的阿姨，她要看你。"

屋里立即传出那姑娘的回答："请她进来吧！"

李阿姨便随小男孩走到院子西边的屋里。先进到外屋，再走到里屋。李阿姨看见一个十七八岁的姑娘，半躺在床铺上，下身盖着厚厚的被子，脚那头还用布带子捆扎着,显然是怕漏进风去;她胸前是一张特制的炕桌,正好使她的双手,能在炕桌上操作。李阿姨迈进里屋的门,一眼便看见那炕桌上摆着一条即将完工的纸折长龙,那姑娘手里折叠着的,恰是那长龙的分叉龙尾。

李阿姨心里明白了几分,她自己端个方凳,坐拢床前,笑着对那姑娘说:"我叫李毓珍,是松柳街托儿所的,你就管我叫李阿姨吧!"

姑娘高兴地望着李阿姨,开朗地说:"我叫韩秋爽,弟弟叫春明。我是秋天生的,他是春天生的。我们俩的名字,都是前院刘伯伯帮着给取的。刘伯伯在大学里教书,有学问,您说他给取的这名字好吧?我爸我妈念书不多。我爸是切面铺压切面的,我妈是电车售票员。我爸一会儿就回来。我妈得收了车才能回来呢。在我们家,弟弟管做饭。您别看他才上四年级,他蒸的馒头,不比饭馆里卖的差……"说到这儿,姑娘扑哧笑了:"瞧我,一整天没个人说话,您来了,我光顾自个说,就没您开口的工夫了。"

李阿姨在姑娘说这些话的时候,细细地打量她。逆光看过去,姑娘头部让窗外泻入的阳光镶上了一道浅浅的金边,脸庞乍看上去很丰满,头发也很丰厚。可是说话间稍一转动,便可以看出她的脸色很苍白,那丰满其实是浮肿,而头发也并不黑,倒是有些焦黄。显然,她下肢瘫痪已经很长时间了,她现在上半部身体的状态,也并不怎么好。李阿姨想到她弟弟说过的她不乐意见生人的话,意识到自己应该回避说什么和可以说什么,便在她扑哧笑了以后,亲热地说:"秋爽,你给我们托儿所送去的纸折玩具,真是太好了!你那纸折立体猫,我们琢磨了十来次,才把它学会!你真有手艺!你这条纸龙,可就更棒了,我现在眼睛都看花了——你是怎么折出这龙头和龙尾来的啊!"

韩秋爽把折好的龙尾插到纸龙身后,小心翼翼地捧起整条纸龙来,轻轻地摇晃着说:"我再折上一条纸龙和一个纸球,你们拿去,小朋友就能玩二龙戏珠了!"

李阿姨从她手里接过纸龙来,研究着说:"我这就拿走吧。我们可以学着再折一条。纸球好叠,我们多叠几个准备着。"

韩秋爽从身边窗台上取过一只纸匣子来,递给李阿姨说:"那您就先卸了它,装这里头拿走吧。我原来也不会折多少东西，后来，我反正没事儿，整天琢磨，费了不知道多少张旧纸，才折出了这些猫呀熊呀龙呀……您过些天，再用这纸匣子来取吧，我想照着杂志上的照片，折几架航天飞机试试。"

李阿姨说："你为了我们托儿所，费了多少电光纸呀。已经拿走的，我们算好成本钱，赶明儿给你送来。以后再折，用我们的电光纸吧。说实在的，你的手工钱，我们也该给呢……"

韩秋爽蹙起眉头，两只秋水般澄澈的眼里，闪着委屈的波光，摇着头说："我不要，我不要……我为的是这些吗？您不了解我，您还不如，不如那八十六颗星星……"

李阿姨没有听清："什么？不如什么？什么星星？"

这时候，外屋门响了，是韩秋爽和韩春明的爸爸回来了。李阿姨站起来，迎出去，一见，原来认识。他们托儿所，不是隔几天就要从这位韩师傅他们那切面铺里，买回一大笸箩富强粉细切面吗？

李阿姨忙招呼："韩师傅，敢情您是秋爽她爹呀！您可真养了个好女儿！"

韩师傅一时不明白这位李阿姨怎么会出现在这儿，而李阿姨这话，无意中刺痛了他的心。他颇为不快，"嗯"了一声，从衣袋里，掏出路上刚灌满的一扁瓶子白干酒，往饭桌上重重地一放，这才含含混混地冲李阿姨说："您来啦！您坐吧！"

李阿姨回味过来，知道自己失言，忙把为什么找到这儿来，以及着实感谢韩秋爽的话，细说了一遍。韩师傅那满腮的胡子，这才微微有点颤动，算是现出了一点笑意。他又请李阿姨坐，李阿姨趁便告辞，他也不留。李阿姨出了屋，路过他家小厨房，见韩春明正往蒸笼里搁生馒头，动作十分熟练。李阿姨朝他微笑了一下，算是告别，但韩春明只顾做饭，并没有注意到。李阿姨捧着那装纸龙的纸匣子，走出了院子。她在金红的夕阳斜照中，慢慢地朝托儿所走去。尽管沿路不时有人同她打着招呼，她也微笑地点着头应答，但她心里，只萦绕着一个问题：韩秋爽说的那关于星星的话，究竟是什么意思呢？

随着夜幕降临，喧腾的北京城安静下来了。然而生活的脉搏，并没有停息。北京饭店门前，灯火辉煌，各种牌号的小轿车鱼贯开上坡形门道，一个什么招待会，马上就要在饭店豪华的大厅里举行；东郊的工厂里，下中班的工人在充满肥皂气味的淋浴室里淋浴，而上夜班的工人，已经把车床开动，车间里回响着一片切削声；卖夜宵的小吃店里，桌上堆满吃过的碗盘，没有人及时收走，而占好座位的顾客，已经又端来盛满吃食的碗盘，他们才坐下，身后已有人站着等座，并且还提着撑得鼓鼓囊囊的旅行袋；在不用打票随意进出的公园里，花坛旁的路灯下，一些男人围坐在那里下象棋，另一些男人在他们身后，弯着腰观看；剧场里，头场戏已经开始，来晚了的演员在化妆室里匆匆上妆，而早已化好妆等着上场的龙套，则穿着古代人物的服装，嗑着葵花籽，聊着上午刚看过的一部外国电影里的情节；松柳街托儿所里，李阿姨在巡查着全托儿所的住房，给露出了肩膀的孩子掖好被子……

可是这一切，都不属于葡萄珠胡同古老杂院里的韩秋爽。她静静地靠在高高的枕头撂上，两眼朝窗外望去。

从她躺的那个位置，透过窗户，可以看见双人床那么大的一块天空。原本可以看得更多些，但是自从院里盖起了小厨房，加上核桃树的枝丫伸展了过来，她就只能看见这么大的一块天空了。她已经躺在那里整整两年了。无论春夏秋冬，夜幕降临后，她总是凝望着那可贵的一块夜空。她一次又一次地数过，春天和冬天，她要很仔细地搜寻，才能数出有限的星星来。而夏天和秋天，夜色清朗时，可就不一样了。那亮的、暗的、闪动得厉害的、不怎么闪动的、发白的、发红的……大大小小的星星，数起来相当困难，常常是数出三十个以后，就弄乱了，搞不清哪个已经数过，哪个还没有数。然而，韩秋爽总是耐心地从头数过。结果，她统计出，最多的时候，她能看见的，是八十六颗星星。八十六这个数字，在她心中唤起一种神秘的、酸楚的，然而又是振奋的、渴望的复杂感情。她还能再活八十六天吗？她还来得及再做八十六件好事吗？

她的屋子没有开灯。外屋也没有开灯，可是闪动着银光，爸爸和弟弟在外屋看电视。原来电视是搁在里屋，并且主要是给她看的，但是最近她提出把电视搁到外屋去，她说觉着自己天一黑就犯困，想睡觉。爸爸妈妈和弟弟依了她，可从此他们看电视时便难得安心，常常会在看电视的过程中，进里屋来看她睡了没有。其实她总是并没有睡着，她在默默地数星星。然而她一听脚步响，便闭上眼睛，仿佛她早已沉睡。

她又听见了脚步响，是爸爸的声息。她赶紧闭上眼睛。她听出爸爸走近了她的床边，并且闻出了爸爸身上散发出的白酒气味，她听见爸爸从喉咙里叹出了混浊的一声，并且感觉到爸爸那只被压面机手柄磨得又硬又糙的大手，轻轻在她额上按了一下，然后她听出爸爸又走回了外屋。她没有睁开眼睛，她那闭合的睫毛，不由得潮湿了。

爸爸原来是农村的，十多岁就到城里一家粮店当学徒，后来粮店归国家了，爸爸就被调到切面铺压切面。他压呀压呀，不知道附近有多少居民吃过他压出的切面。有的干部升呀升呀，遇到打击，又降呀降呀，甚至被关进了"牛棚"乃至真正的监狱，后来又平反昭雪、官复原职，有的接着又升呀升呀……他们吃了多少切面？可爸爸既没有升也没有降，他压切面给他们吃。还有前院刘伯伯那样的人，他们家被抄过以后，只发八块钱的生活费，他就天天蒸窝头，就咸菜吃，偶尔去买一斤切面、一毛钱肉馅，下面吃，就说是"打牙祭"。可是后来他又用手提包提回了满满一口袋的补发工资，院里人眼见着他不时从菜市场提回大条的鲤鱼和成串的大螃蟹来，他家厨房里烹调鸡鸭鱼肉的气味，常常顺风飘进韩秋爽他们家来。可刘伯伯家也还是少不了去买爸爸压出的切面，买的时候，说是"省点事儿，凑合一顿算了"。生活就这样在韩秋爽周围发展着，谁考上科技大学，到安徽合肥去了；谁到美国考察，穿着在红都服装店定做的西装，坐波音 747 飞机飞走了；谁家从海外来了亲戚，给他们带来了二十吋的彩色电视机，他们坐特快车到广州迎接去了……他们都吃过爸爸压出的切面，他们的生活像变戏法一样，不断迸发出令人惊奇欣喜的新场面。然而爸爸的生活始终还是那样，他压呀压呀……只是脸上的皱纹越来越多，胳膊越来越粗越硬。

爸爸三十多岁才同妈妈结婚。韩秋爽觉得对不起爸爸妈妈，她不争气，弟弟还没出生，她的腿就瘸了。原来都以为只是小儿麻痹症的后遗症，可是，三年前，她开始觉得腰痛，两年前，当她刚刚升到高中一年级的时候，她突然瘫痪了……爸爸妈妈他们刚开始有奖金，日子刚富裕一点儿，她却成了这样。爸爸用木椅安上轱辘，给她做了一把活动椅子，推着她到几个大医院去反复检查了几遍。爸爸什么也没对她说，妈妈也什么都没对她说，可是她知道自己是什么病。爸爸妈妈的生活本来就那么平淡、艰难，她不但不能为他们增添乐趣和财富，反而累得他们付出了不少医药费，并使他们的心上蒙上了一抹阴影……八十六颗星星啊，告诉我，有什么神奇的方法，能够改变这不幸的状况？

韩秋爽就那么躺着，合眼冥想着。外屋的电视机声音调得很小，隐隐约约听得出来是在演一出什么评剧。爸爸最爱看评剧了，可是自从她病重以后，爸爸就再没买票进过戏院。爸爸已经把每天要喝的二两白干，从一毛七分钱一两的换成一毛三分钱一两的了。爸爸妈妈和弟弟从吃上一分钱一分钱地节省着，这才终于从要更换彩色电视机的人家，用比较便宜的价钱买来了这台半新的黑白电视机。可是爸爸妈妈舍得买好的单做给她吃。她怎么吃得下呢？爸爸喝酒，有时候就揪一头蒜当下酒菜。多少次，她坚持着，甚至赌气宣布绝食的地步，才说动弟弟，把本是单为她准备的炖肉，端去给爸爸下酒。爸爸不会说什么温柔的话，也不会像一些小说、电影里表现的那样，爱抚女儿。可是爸爸给自己端来的面碗，上头堆的是豆芽，吃到碗底，却是一簇瘦肉。这样的爸爸，这过去、现在和将来都将为人们压出一斤又一斤切面的爸爸，难道不值得爱吗？

韩秋爽听出来，是弟弟的脚步声移到了床前。

"姐，你喝水吗？"

她在枕上默默地摇着头。

"姐，我到刘伯伯家看电视去了。"

她在枕上默默地点着下巴。

弟弟的脚步声远去了。真是个懂事的弟弟。他想着看朝鲜的电视系列片《无名英雄》，可他不跟爸爸争频道，他知道爸爸最爱看评剧，他又知道刘伯伯家是不爱看评剧的，所以他到刘伯伯家去看《无名英雄》。这样的弟弟，将来会有怎样的前途呢？弟弟说过："将来我顶替爸爸，压切面。"这不是开玩笑。弟弟上的不是重点小学，弟弟要为家人做饭，弟弟从家里人那里得不到额外的辅导，弟弟更没有家庭教师来给吃"小灶"，就像刘伯伯的大孙子那样……更何况，更何况弟弟常常在夜幕降临以后，提着瓶子，拿着铁扦子，到胡同深处，到那些古老的墙缝里，去逮母土鳖；他把那些土鳖卖到药铺，把钱攒起来，攒在一个旧蜡笔盒里，常常捧着那蜡笔盒，站在韩秋爽床前，得意地问她："姐，你要买什么，说呀！"

她接过那旧蜡笔盒来，摸着，喉咙里发热。她告诉弟弟："我什么也不要。你给爸爸买瓶好酒吧。"

可是弟弟有一天递给她一个漂亮的小纸盒子，沉甸甸的。她打开一看，原来是一个袖珍收音机。她没细加考虑，就责备弟弟说："你干吗乱花钱？咱们家的收音机，不还能听吗？我不要这玩意儿，你拿去退了吧！"

弟弟没想到，姐姐会是这么个反应，他委屈了，眼圈一红，泪珠子叭哒叭哒掉了下来。他们家那收音机，搁在外屋饭桌上，活像一只生锈的旧轮船，停泊在古老的港口。那是爸爸妈妈结婚时候买的，是一台电子管收音机。爸爸爱听评剧，妈妈爱听越剧，他爱听相声，姐姐爱听歌，一台收音机怎么够？他想来想去，才把好不容易攒下的钱，给姐姐买了这么个袖珍半导体收音机。从百货商店里拿出来，捏在手里，都给捏热了，可姐姐不要，还涨红了脸责备他……

弟弟一掉眼泪，韩秋爽心软了。她觉得自己太无情，让弟弟这么难受。她鼻子一酸，她用手抹眼泪。弟弟一见这情景，心想：糟了！大夫一再嘱咐说，不能让病人伤心生气，只能让病人高兴痛快，忙用拳头把双眼一揉说："姐，我骗你呢！我哭是假的！"他把半导体收音机拿过来，插上耳机，选好一个欢乐的曲子，又把耳机塞到姐姐耳朵眼里。姐姐感动得不行，弟弟却真的笑了，腮边上，却还挂着没擦掉的泪珠儿……

就是这样一个弟弟。他们的前途是明摆着的：他将考不上重点中学，他不可能上到大学，他如果也考不上中专或职业学校，他就将顶替爸爸去压那切面，压给所有的人吃，压给那些上了重点中学、上了大学、考上了研究生、出国留学、当上博士、回国当专家、被领导人接见，并且将被无数的新闻、小说、戏剧、电影加以渲染表现的人物吃，他将心甘情愿地给他们压切面，这只是社会分工不同，真的……

　　啊，社会分工，我在这个博大、喧嚣、缤纷、流动的社会里，分配到的，是怎样一个角色呢？韩秋爽的后腰又疼痛起来，那是一阵剧痛，她把两手狠劲地捏成拳头，一直捏得指甲几乎嵌进了手心肉里。她再一次意识到，她停留在这个社会上的时间，不会太多了。然而她是多么热爱、多么留恋这个社会啊。这个社会里，有着那么多的好人。前院的刘伯伯，时常给她送些过期不久的科普杂志来，并且能耐心地坐在她的床前，娓娓地同她讲些新奇得不得了的事情；还有前院的张婶，她总是把一碗饺子，或者一盘包子，直接端到韩秋爽床前，不容分说地，亲手往韩秋爽嘴里喂去；又怎能忘记前院盛大爷的关怀呢？他一走到韩秋爽床前，总要声明："我可刚洗的澡，刚换上衣服！"他是清洁队专管打扫公厕的工人，正是他，为韩秋爽设计安装了附着在床板下面的、取换方便的便溺容器；还有同住在后院的食品研究所的技术员冯阿姨，她几乎每天都要送过一杯自己配制的红茶菌来，让韩秋爽喝……还有那些偶尔一来的昔日同学，她们往往忘记考虑韩秋爽的精神状态，叽叽呱呱谈个不停，韩秋爽拼命忍住疼痛，又希望她们离去，又希望她们再多谈些有趣的事儿……

　　只有那样的人，韩秋爽怕见。例如有一回，妈妈的一位年轻的同事，打扮得非常时髦，进了屋就先对着镜子整理她那满头的大卷儿，转身瞧见了韩秋爽，仿佛被吓了一跳。完了，又是问得的什么病，又是问传染不传染，又讲了好些个虚情假意的安慰的话，胡诌了一些个所谓的偏方……当晚，韩秋爽数着窗外的星星，心里非常难过。她不需要廉价的怜悯，她希望别人把她看成一个也能对社会有用的人。

　　于是她决心为别人做事。一点一滴地做。她把弟弟叫了过来，问："你的蜡笔盒呢？"

　　弟弟激动地取过了蜡笔盒，放在她的手里。她费劲地从蜡笔盒里取出了一叠钱来。看去并不厚，但数完以后，她惊讶了：足有十多块钱。

　　她问："都是卖土鳖卖的吗？"

　　弟弟说："还有拣烂纸卖烂纸得的。"

　　她怀疑："我怎么没见过你拣的纸呢？"

　　弟弟仿佛真做错了什么事，红着脸低下头说："我怕你不让我干这个活，拣了烂纸，我都存在前院盛大爷那儿。"

她数出三块钱来,对弟弟说:"你去买玻璃丝吧,各样色的都要。我要给大伙儿的玻璃茶缸子编套子,你先把盛大爷的茶缸子拿来吧。"

弟弟欢天喜地地买来了各色玻璃丝。韩秋爽几乎给院里每家人的玻璃茶缸都编了花样别致的套子。最后,她才给自己家里的玻璃杯编。可是轮到编弟弟的那茶杯的套子时,她的手发抖了。她知道自己的病情已经进一步恶化,编套子的劲头,她已经使不出来了。她对妈妈说她编腻了,让妈妈把那未完成的套子编完。过了些日子,她便让弟弟去买电光纸,她觉得,自己的力气还足够折纸……

阵痛过去了,韩秋爽迷迷糊糊地睡了过去。她恍惚骑上了自己折出的纸龙,是那纸龙变大了还是自己变小了?弄不清楚。反正她骑着纸龙,两条腿轻松地下垂着,并且不时可以用劲夹紧龙腰,促它快飞。她耳边响起了风声,她觉得自己正骑着纸龙朝那八十六颗星星飞去。星星渐渐变大了,闪闪发光,并且仿佛有着人似的五官,朝她微笑着……

一阵窸窣的声音使她从梦境中惊醒过来。她听见妈妈的声音,那是在问弟弟:"你姐今天的大小便怎么样?"

弟弟显然正在给她换便溺盆。她听见弟弟回答说:"还是光有尿,没有别的。尿挺黄的。"

妈妈叹了一口气。

弟弟在问妈妈:"妈,您今天怎么又不高兴?"

妈妈又叹了一口气,说:"还不是让那起年轻人气的。上车不打票、不让座,还骂人。你长大了可别学他们。"

弟弟懂事地说:"我才不学他们呢,我学爸爸跟您,老老实实地干活儿。"

妈妈叹了第三口气。不过,再没有说什么。她一定很累很累了。

过了一阵,妈妈到外屋,同爸爸一块睡觉去了。弟弟在里屋靠墙的床上,很快发出了轻柔的鼾声。韩秋爽睁开了眼睛,望着窗外那熟悉的夜空,她又仔细地清点了起来:一、二、三、四、五、六……

托儿所院里的银杏树，有几片早黄的叶子，袅袅地飘落了下来。李阿姨拂掉落在肩上的一片叶子，走出托儿所，往葡萄珠胡同走去。她在前次给韩秋爽送电光纸的时候，约好了这天去取韩秋爽折妥的航天飞机。

她发现，韩春明在葡萄珠胡同口站着，似乎已经等了她一阵子。还没等她说话，韩春明跑几步来到她身前，板着脸对她说："李阿姨，我姐让我告诉您，您别去我们家了。"

李阿姨吃了一惊，她忙问："你姐怎么啦？她……病重了吗？"

"谁说的？！"韩春明最不爱听这类的问话，他急得脖子上的筋都跳了起来，"她好着呢！她能活一百岁！"

李阿姨越发纳闷了："那她为什么不愿意见我呢？我是跟她约好了，来拿她折好的航天飞机啊！"

韩春明也不知道姐姐为什么不乐意见李阿姨了。姐姐单是要他在胡同口等着，告诉他，如果李阿姨来了，无论如何别让李阿姨来家，要把她劝回去。姐姐难得求他个事，他放学撂下书包，放在院门口等着，来执行姐姐的命令。

李阿姨继续发问："是不是你姐姐还没把那飞机折好？不要紧的，我不急着拿，我只是想看看她，告诉她她折的那些玩具，我们托儿所的小朋友们有多喜欢……她怎么能不乐意听这些个事呢？"

韩春明犹豫了。他知道姐姐早两天就把航天飞机弄好了，就搁在靠床的窗台上，显得特别新鲜好看，而且姐姐还把航天飞机是种什么东西，解释给了爸爸妈妈和自己听……是呀，姐姐为什么又不愿意把折好的航天飞机送给托儿所了呢？

韩春明犹豫的工夫里，李阿姨已经朝院门走去了。韩春明拦不住她，便在她身前身后绕着圈地说："我姐不让嘛，不让嘛……"

可是李阿姨还是来到了韩秋爽睡的那间屋子。韩秋爽见李阿姨朝床前走来，就召唤弟弟说："小明，你请李阿姨在你床边的椅子上坐。"

李阿姨只好坐到了离韩秋爽比较远的椅子上。她仔细地观察着韩秋爽，觉得她与上次相比没有多少变化。她还看见了韩秋爽床边的窗台上，排列着三架折好的航天飞机。

　　李阿姨心细，又学过心理学，她并不问韩秋爽什么，只是把托儿所的小朋友们摆弄纸折玩具的活泼劲儿，绘声绘色地讲给韩秋爽听。可是等她讲完了以后，韩秋爽却绞着十指，咬咬嘴唇说："李阿姨，您回去，就把我折的那些东西全烧了吧！您以后，也别再来了！"

　　李阿姨愣愣地望着韩秋爽，一时说不出话来。她想，韩秋爽是个病人，这种表现，实在只是一种病态。她不应当计较和追究一个病人的话。于是她站起来，真诚地微笑着说："秋爽，原谅我打搅了你。我走了。我是每天都要想着你的。我希望你能在哪一天，派小明来叫我，我一定马上来。"

　　李阿姨出了屋，韩秋爽用两只手掌捂住脸，捂得紧紧的，压住眼里的泪水，不让它溢出来。不一会儿，弟弟从厨房咚咚咚地跑了过来，气呼呼地问："李阿姨欺侮你了吗？我找她算账去！"

　　韩秋爽把双手从脸上移开，巧妙地抹去了眼里的泪水，微笑着对弟弟说："李阿姨真好、真好！"

　　弟弟望着她，不明白是怎么回事，但是既然姐姐笑着，他心里便感到高兴。他告诉姐姐，他这就去给全家蒸包子，他要单为姐姐，蒸两个净瘦肉的薄皮包子。

　　一个星期以后，又是一个金晃晃的早晨。李阿姨正站在托儿所院子里，听钟阿姨按着风琴，练一首要教小朋友们的歌，忽然看见韩春明背着书包跑了进来。她高兴地迎上去，没等她发话，韩春明把一个沉甸甸的信封递给她，说了声："姐姐让我给您的！"便扭头跑开了。

　　李阿姨回到办公室，打开了信封，信封里是一盘盒式录音带，还附有一封信。

　　她先看那信，信上的笔迹非常稚拙，有一些词句，看得出是用橡皮擦过，改填上去的。信上写着：

　　李阿姨：

　　　　您好！您没生我的气吧？我为什么不把折好的航天飞机交给您？我为什么求您把以前拿去的折纸玩具烧掉？我为什么不希望您再来看我？这些

问题，一定经常在您脑子里转悠吧？

您一定早就知道，我得的是什么病。我的病，按说是不会传染给别人的。可是，前些日子我从刘伯伯拿来的杂志上，看到一篇文章，这篇文章说，国外有的科学家认为，我这种病，是也可能有一定传染性的，读过这篇文章，我心里难过极了。我想到，托儿所里的小朋友，他们抵抗力很低，我可千万不能把自己的病传染给他们。我是多么、多么爱他们，愿意为他们做一点事啊，可是，可恨的病，它把我害成了这样！

李阿姨，这些天，每当晚上，我望着窗外的星星，就对自己说，韩秋爽啊，你要坚强，你看那星星，它们那么小，可它们不停地发着光。你要学爸爸，像他那样，甘于每天默默无闻地压切面；你要学妈妈，像她那样，受了气也还是好好地卖票；你要学弟弟，像他那样，不羡慕人家请得起家庭教师，甘心去拣烂纸，心里充满了爱……终于，我想出了一个办法，我让弟弟用他攒的钱，给我买了一盘录音带，又让他从刘伯伯那儿，借来了一台录音机，我让他把我讲的故事，录下音来，给您送去。这些故事，都是我自己编出来的。我打算讲八十六颗星星的故事。这头一盘带子里，一共录了十颗星星的故事。我希望这些故事，能让你们托儿所的小弟弟小妹妹们听了，心里头高兴，更愿意当一个好人，更热爱生活，热爱周围的人们。

李阿姨，声音是不会传染疾病的吧？我还要把想好的故事，一个接一个地讲下去。我能讲足八十六个关于星星的故事吗？我一定抓紧时间，我想，我是可以讲足的！

再凑足一盘录音带的故事，我再让弟弟给您送去。

您很忙，不用来看我。

韩秋爽（韩春明代笔）

1981 年 8 月 21 日

善 的 教 育

　　读完这封信，李阿姨立刻找来录音机，把那盘录音带放了进去。她听到了韩秋爽那柔美的声音。她的第一个故事，讲河边的一块小石头，如何努力投入到奔腾的河水里去，把自己磨炼得又光又亮，又如何让天鹅把它飞到天上去，镶在天上，成为一颗闪亮的星星……就这头一个故事，已经勾起了李阿姨无数的思绪，两粒泪珠，从她的眼角溢了出来……

　　北京的夜。这博大、喧腾、绚烂的北京城啊，韩秋爽在你怀抱中的位置，该是多么渺小，她的声息是多么轻微，她的生活是多么平淡……

　　然而，树梢的风说，它听见了她；夜空的星说，它看见了她；那准备着升起的霞光说，它惦念着她……

　　因为她对这宇宙中一切值得爱的东西充满了最深沉的爱，因此这宇宙中一切可爱的东西都紧紧地拥抱住她。

1981 年 10 月 20 日写于北京沙板庄

我可不怕十三岁

吃晚饭的时候，我问爸爸："外国人为什么害怕十三这个数？"

爸爸解释说："西欧、北美，也许还包括澳大利亚一类地方，也就是信奉基督教的人比较多的地方，是有那么一种风俗，忌讳十三，甚至害怕十三，剧院里不设第十三排，没有第十三号，旅馆房间十二号过去就是十四号……这当然是一种迷信心理，以为十三这个数不吉利，其实没有什么道理。至于为什么会形成这么个心理，有好多种解释……"

我正听得起劲，妈妈用筷子敲着碗边说："行啦行啦，吃饭的时候还说那么多的话！"

爸爸就不再说了。

我可不甘心。我把筷子往桌上一放，宣布说："我先不吃了。爸，你给我说清楚，外国人究竟为什么害怕十三？"

妈妈生气了，她先冲着我说："你一个小孩子，琢磨这些事干什么？"又冲着爸爸唠叨起来："你也是，他才多大，你就跟他胡扯这些个没用的题目……"

到晚上看电视的时候，我又把这个题目提出来了："爸，你倒是告诉我呀——外国人为什么害怕十三这个数？"

妈妈一听，瞪了我一眼，随后便瞪着爸爸。

爸爸心不在焉地说："其实他们也没有统一的解释。反正就是那么一种迷信心理。"

我心里结了个疙瘩。

自从我上了初一以后，心里头结了无数个疙瘩。我提出的问题，老师、家长以及我所碰上的大人，不是不给我正面回答，就是说他们也弄不清，这倒还罢了，他们竟常常责怪我不该提出那样的问题来，这就在我心里结上了一个又一个的疙瘩。

哼，他们不回答我，我自己来解答！我要靠自己的力量，把一个又一个的疙瘩全解开！

电视上正播出一部电视剧，嘿，你以为我看不出来吗？别提多假了——那个女英雄身中数弹，可偏不死，她抿着个嘴、瞪着双眼，扔出一个手榴弹去，"轰"的一声，不消说，五六个坏蛋反倒一下子全报销了！他们骗谁呢？那些个什么编剧呀，导演呀——骗小学生还差不离，我可是上了初一的中学生了，谁还信他们那一套！我立刻指着荧光屏说："那几个坏蛋真是傻帽儿！就算开头没把那女的打死，见着她举起手榴弹了，也得赶紧补几枪呀，怎么能挤成一团干等着挨炸呢？"

妈妈一听就烦了，她谴责我说："你怎么能向着坏蛋呢？你这样下去还得了？是非不分，爱憎不明……"

可是电视剧往下的场面更滑稽：另一个女英雄，搞地下工作的，打扮得妖里妖气；坏人发现她了，来逮她，人家把手枪举起来了，她呢，把手里的扇子甩过去——那扇子上原来装着尖刀，刀尖一下子扎进了坏蛋的手背，坏蛋手里的枪掉在了地下……

甭等我发话，爸爸先忍不住哈哈地笑出声来，他连连摇头说："瞎编！唉，瞎编……"

我立刻跟上去说："什么破节目呀，给他们一个'大哄子'！"

妈妈这回冲着爸爸去了："你瞧你给孩子都是些什么影响？跟你实说吧，小凯身上最近出现的毛病，十有八九都跟你这种影响有关！"

爸爸望着我说："小凯呀，你对大人的议论不要照搬照套……比如这个电视剧吧，毛病确实很多，可他们的立意还是好的；再说，搞一部电视剧也很不容易……"

我可不服。许他说人家"瞎编"，就不许我给人家一个"大哄"吗？

我觉得大人们——从老师到家长，从邻居到偶然遇上的人——对我们实在是太不平等。不知怎么搞的，最近我心里头总有那么一种反叛的情绪，大人不许我问的问题，我偏要问；大人不让我知道的事，我偏要知道；大人不准我干的事，我偏要干。

有一天我问妈妈："妈，你究竟是打哪儿把我生出来的？是真的打肚脐眼里生出来的吗？"

妈妈吓得差点把手里的盘子掉到地上，她一张脸变得煞白，嘴唇哆嗦着。我仅仅是因为可怜她，才放弃了继续追问。

事后，妈妈严肃地教训我说："小凯，你可不许胡思乱想！你可不能学坏啊！"说着，她双眼里竟涌出了泪水。

我莫名其妙。我怎么可能学坏呢？我可不是不知好歹。我只不过是好奇罢了。不过，我毕竟不愿意让妈妈伤心。我心里头其实很爱她，尽管她总叨唠我，把我当那种什么都不懂的小学生看待。为了不让妈妈伤心，我再没问过那个问题。我任心头结着那么个疙瘩。那并不是个了不起的疙瘩。在我急着想解开的疙瘩里，还数不上它。

还有一天，我家来了客人——爸爸上中学时候的老同学，我得叫他马叔叔。马叔叔刚从法国回来，他好像是去法国参加了一个什么国际性的学术会议。爸爸和马叔叔聊得很欢，我坐在一边听得也很带劲——尽管他们有的话我听不大懂。谁知当我正听得出神时，妈妈忽然严厉地把我叫到隔壁屋去，我老大不高兴地问妈妈："叫我干吗呀？"

妈妈说："做功课！"

我宣布说："我功课早就做完啦！"

妈妈说："你上小学时候，做功课多细心呀！就说作文吧，每个字都工工整整，摆在格子当中；现在呢，可好，那一行行的字真叫'龙飞凤舞'！我刚查了你的作文，内容嘛，还可以，可字迹潦草得不行，你重抄一遍！"

我可不是上小学时候的我了，我皱皱鼻子说："您甭跟我使计——我知道您干吗把我叫过来，才不是为作文的事呢，您是不愿意我坐那儿听爸爸和马叔叔聊天！"

妈妈承认这一点："你能知道我的心思就好。他们俩越聊越随便，你听了理解不了，没好处！"

怎么没好处？起码我知道了好些原来不知道的事。再说，我怎么就一定理解不了呢？为了证明这一点，我得意扬扬地对妈妈说："法国以前有个戴高乐将军，对吧？毛主席都说他了不起，对吧？毛主席还邀请他来中国访问呢，他也可愿意来啦，可是真叫遗憾——他没来成，就逝世了……他个头特别特别高，咱们国宾馆里，所有的床他都睡不下，他要来呀，得给他特制一张大床，您听说过吗？那得是一张特别特别长的床，床单、被子也得单给他做……不过，妈妈，戴高乐是好人还是坏人呢？得算好人吧？可马叔叔干吗又说他是'右翼'呢？"

"你瞧，"妈妈烦恼地摇着头说，"你灌进一耳朵这些玩意儿有什么好处？把你的思想全部搞乱了！这些问题，只有到你大了以后，才能够弄清楚！以后再有马叔叔这样的客人来，大人说大人话的时候，你就别往里掺和了，你要自觉地到这间屋来，功课做完了，你看看课外书也好嘛！"

我觉得很委屈："干吗呀？以前你们倒不轰我，现在我长大了，反倒受限制，我不干！"

妈妈只是焦虑地望着我。妈妈不叨唠的时候比叨唠的时候更具有说服力。我从她的眼光里看出来，她实实在在是为了我好。倒也是——我上小学那阵，当爸爸跟客人高谈阔论的时候，我就是在他们腿跟前摆弄玩具，耳朵里也留不住他们一句话，可如今就算我待在了这边屋里，他们那边偶尔飘过来的一句话，也总引得我心痒难熬……

还有一天，一个什么单位给爸爸寄来了两张戏票，爸爸、妈妈开头挺高兴，可一看日期，就傻眼了——那晚上我们全家要去看大姨，是早就定好的，因为那天是大姨和大姨父的"银婚纪念日"，就是说，他们结婚整三十年，所以要隆重地纪念一下，我们全家都要去大姨那里吃晚饭，不用说，一定会有好多好吃的菜，最后一定还有一只大蛋糕，说不定还是在有名的春明食品店专门定做的——倘若爸爸、妈妈那晚上不去大姨家而去看戏，大姨非气疯了不行。

当妈妈把那装有戏票的信封往我家墙上的蜡染布信袋里一插时，我问："什么戏呀？"

妈妈随口应答道："不适合你们小孩子看的戏。对你来说，倒没什么遗憾的。"

哼，我都上中学了，她还总是左一声"小孩子"，右一声"小孩子"，谁说我没有独立思考的能力？谁说我分不清是非？谁说我不想学好净想学坏？

我暂时没吱声。可临到该去大姨家的那个晚上，爸爸、妈妈正穿衣服准备动身，并且妈妈还扬着嗓子喊我也快穿衣服的时候，我忽然皱着眉头，揉着肚子，哼哼唧唧地向他们宣布："哎呀，我肚子有点疼，我不想去……你们去吧，反正我是个小孩子，去不去大姨家也无所谓……"

妈妈大惊小怪地赶紧用手掌来捂我的脑门，还一叠声地问我："究竟哪儿疼？是胃，还是肠子？左边，还是右边？……"

爸爸扬起一只眉毛，怀疑地望着我。

我装得恰到好处，而且理由也越来越堂皇正大："没什么，不要紧——可能是中午吃炸带鱼吃多了……不要紧的，你们放心去吧……再说，我还有三道代数题没做出来呢……你们回来给我带块蛋糕就成……我还想把英文复习一下，明天有测验……"

妈妈逼我吞了两片什么药，又埋怨了一顿爸爸不会买东西——"那种炸带鱼多半都不新鲜，以后别再买了！你呀，要么从来不给家里买东西，要么一买就瞎买……"——这才跟爸爸走了。

爸爸临出门对我眨了眨眼说："小凯，你可得让我们放心啊！"

其实我有什么让他们不放心的地方！

我才不会胡米呢！我最瞧不起那些流氓小偷和不好好学功课的坏学生了，大人恐怕我跟他们学坏，他们就是弄不明白，像我这样的瞧着"各色"的初中一年级学生，其实跟那号家伙完完全全是两码事儿！

等爸爸妈妈走了一刻来钟，估计他们已经乘上公共汽车了，我这才行动起来——换下拖鞋，穿上外套，出得屋去，锁上屋门，然后一溜烟地跑下楼梯……

我兜里揣着那两张戏票。我不过是要去看那出所谓不适合我看的戏而已。

我就不信我看不懂那出戏。大不了是出外国戏。要么就是出古装戏。什么了不起的！我可知道英国好几百年前就有个大戏剧家叫莎士比亚，我也知道"卧薪尝胆"是怎么一回事儿……再说我兜里有好几毛零钱，除了坐车、吃糖葫芦，足够买上一份说明书，那种只能让大人牵着手进剧场、不懂说明书有什么用处的时代，对我来说算是彻底结束了。

我来到了剧场门口。门口贴着大广告。一看广告我却"二乎"了。

原来当晚上演的是无场次话剧《十五桩离婚案的调查剖析》！

最后我当然没看。不是我不适合看那出戏。是那出戏不合我的口味。你当我还是小孩子，凡戏都能耐着性子看么？我得挑那我乐意看的看。

我长大了。我觉得周围的一切不再那么神圣。同时又觉得周围的一切格外神秘。

上小学的时候，我对老师——不管是哪一位老师——全都有一种畏惧感。

上了中学，我可开窍了。现在我知道，老师跟老师可不一样。不光是性格、年龄、长相什么的不一样。他们学历不同，挣的工资也大有差别。

比如我们的班主任杨老师。要搁在小学，我可不敢小看她。可现在我对她的"老底"一清二楚：她是师范专科的毕业生，比人家师范学院毕业的老师差两年的学历，工资才挣四十多块，你说她有什么了不起的？我们班也真倒霉，人家初一（三）班的王老师是三级教师，一月挣一百好几呢；初一（四）班的齐老师不光大学本科毕业，还在杂志上发表过文章……我们班的呢？"你们班主任是谁呀？"一有人这么问我就发烦，我敢把眼一白，撇撇嘴说："你管是谁呢！"

开学不久，杨老师布置大扫除，她一本正经地宣布："要爱护学校里的一切公物……"

我立即举手，她很吃惊，让我站起来："罗世凯，你有什么问题？"

"您说，学校里的一切公物都得爱护吗？"

她望着我，微张着嘴，莫名其妙。

我扬扬得意地继续问："学校后门那儿垃圾箱里的垃圾，我们也得爱护吗？"

她和全班同学都被这突如其来的妙问镇住了，一时全场哑然。

我幸灾乐祸地望着杨老师，看她怎么回答。

她的脸开始涨得发红，生气地对我说："罗世凯，你不要无理取闹！谁让你去爱护垃圾了？"

我不慌不忙地反驳说："咦，不是您说的要爱护学校里的一切公物吗？那些垃圾难道不是学校的，而是我们哪个私人的吗？"

全班同学哄堂大笑。

杨老师气得腮帮上的肉直抖。她用黑板擦敲敲讲台，让同学们安静下来。

我等待着她当众发火，但是她竟把冲到喉咙的火气压下去了。她静默了几秒钟，然后用强硬的语气对全班同学说："我们说爱护公物，指的是爱护公共财物，'财物'的意思就是指有价值的物品；垃圾是废物，不是财物，没有价值，所以当然不能去爱护它，而应当把它清除掉！"

我想大多数同学一定立即被她征服了。我一时也不得不佩服她的涵养和口才。

杨老师对全班同学讲完，又把目光集中到我身上，严厉地问我："罗世凯，你听懂了吗？"

我也不知道为什么我非反抗到底不可。忽然我灵机一动，梗着脖子继续争辩："垃圾可以用来压成建筑材料，电视上演过那样的节目，有一种机器，能产生很大很大的压力，把垃圾压成一块一块的建筑材料……所以垃圾也有价值，也是财物……"

同学们被我引得又活跃起来，教室里立刻充满小声的议论……

杨老师这下可真气坏了，她的脸色比猪肝还要难看。她挥手让我坐下，宣布说："好，开始扫除吧！扫除完毕，请罗世凯同学到校长室去一趟！"

什么？到校长室去？不是到年级教师办公室去，而是到校长室去？哼，她以为这就能把我吓倒吗？我才不在乎呢！

在大扫除的时候，我干得比谁都欢。我要让杨老师知道，我提出那样的问题，绝不是因为我反对大扫除，更不是我故意捣乱。瞧吧，我才不是坏学生呢，我能既不怕累，也不怕脏！

临到参加清除学校后门的垃圾时，我更表现得积极，一边用铁锹往车上铲垃圾，一边吆喝着，一会儿嚷："我可不能爱护你呀！"一会儿叫："你可不是没价值呀！"

逗得班上的男生全都不住地哄笑。

扫除完了，我去校长室。要搁在上小学的时候，一听"校长室"这三个字，我没准就得吓个半死，可现在我一点也不怵，校长又怎么着？校长这官可没多大，上头还有教育局管着他呢，再说就是教育局局长也没什么了不起，不是还有教育部吗？部长上头也还有人管他，你看，都有人管。他们谁也不敢错待我，要是错待我呀，我就往上告他们！

我敲了门，喊了"报告"，得到允许，这才进去。别以为我是个无法无天的家伙。

我们校长姓吴，瘦高个儿，戴副眼镜，看样子比我爸爸大不了多少。

他请我坐，我便大摇大摆地在他办公桌对面的椅子上坐下了。他给我倒了杯开水，我说了声"谢谢"，也便大模大样地端起来喝了几口。

我等着他开训。他却仿佛完全忘记了杨老师所告的状，而是跟我闲扯开了。他问我来学校报到那天，对校园的总印象怎么样。我说印象不错。他缓缓地摇头说："不见得吧。你不觉得失望吗？——咱们学校的楼太旧了！"我点头承认。是有点失望。我问他："不是说咱们学校要盖新楼吗？"他点头说："的确。过两个月就开工。"我见他说这话的时候愁眉苦脸，不禁奇怪，忍不住问："盖新楼不是大喜事吗？您干吗好像不高兴似的？"

他叹口气，好像跟我商量似的说："要盖新楼，就得先把东边的旧楼拆了呀。这样，初二和高一两个年级，恐怕就得按二部制上课了。对他们来说，这可是学生时代的损失呀！可不安排他们上二部制，又怎么办呢？"不知怎么的，多半是吴校长那推心置腹的神态语气，感动了我，我拍拍胸脯说："干吗让初二上二部制呢？让我们初一的上二部制吧，我们也都不小了嘛，是不放心吗？怕我们没有自觉性？不上课的那半天满世界跑，胡闹？"吴校长沉思地说："其实二部制对哪个年级都不利，都会有个别的学生因为这原因变坏……可是综合各种因素权衡起来，还是不能让初一的学生上二部制，因为你们这个年龄，还是最不稳定的时候，最容易……"我截断他的话说："您以为我们最容易变坏？因为我们还小？"吴校长望望我，和蔼地笑着说："那倒也不是。说实在的，我还是倾向于想另外的办法，比如说，租一批活动房屋，不过，那样操场又没有了……也许，我们可以把体育课拉到护城河边去上？"

我一听就嚷了起来："嘿！您想得倒美！人家会罚您的款的！——现在园林局把那些地方全管起来啦，您当能随便在那儿跑百米哇？"

吴校长点着头笑了起来，笑得直咳嗽，他赞许地说："你真是一针见血！是那么回事儿！咱们可不能让他们罚款，是吧？"

我们俩聊得挺欢，吴校长还拿出新楼的图样来给我看，忽然杨老师来了。显然，吴校长跟我交谈的情景让她大为吃惊。

杨老师在这种情况下出现，使我尴尬起来。

吴校长却若无其事，他招呼杨老师"快坐"，又对她说："罗世凯同学也主张我们租活动房。至于体育课怎么上，总能找到解决办法的。"

我没想到，杨老师一开口，反倒是向校长表扬我："刚才同学们一致反映，大扫除当中罗世凯表现得特别好，尤其是不怕脏，积极地清除垃圾……"

我真想跟她说："我那么提怪问题，跟您抬杠，不对……"可就是说不出口。干吗非我得认错呢？我只是低着头，假装正在研究新楼立面图中的一个细节。

这时候我耳边响起了吴校长的话语："罗世凯，你是班上有影响的人物，特别在男生里头，你是有代表性的一员，希望你一定从各方面支持杨老师的工作，就像从各方面支持我这个校长的工作一样。从小学到中学，是人生从童年时代过渡的阶段，这是一个非常重要的阶段啊！它的意义，不比中学毕业以后，从少年时代向青年时代过渡的那个阶段意义小呢！"

啊，敢情人生有好多个阶段：幼年、童年、少年、青年、壮年、中年、老年……

吴校长的话，让我动了心。可也不知怎么搞的，我还是改不了跟大人抬杠的劲头。你说东，我偏要说西。你让我往南，我偏要往北——最要命的是，我明明知道大人让我往南是有道理的，我也偏要先往北拱一段，然后再悄悄地朝南拐。

我忽然变得爱照镜子了。上小学的时候，镜子对我毫无意义——除非公园里花钱才让照的哈哈镜——我那时候甚至记不清家里究竟有几面镜子，可是现在我不仅充分地利用着洗手池前的小镜子、爸爸妈妈屋里那大立柜上的穿衣镜和妈妈那梳妆匣上的椭圆形镜子，而且，我那磁铁开关的塑料铅笔盒中，也有一面专供我使用的小镜子。现在不用妈妈督促，我就能主动把脸洗干净，而且绝不让耳朵背后留存污垢；我一个月里至少在洗澡堂里洗两回澡，过去总是爸爸带着我去，现在，对不起，他叫着我的时候，我总是"没工夫"，而我去的时候根本也不约他。在澡堂淋浴的时候，我特别有一种异样的感觉，就仿佛我身体里窜进去、流动着一种原来不属于我的东西……

正当我跟杨老师处得不错的时候，忽然有一天吴校长来班上宣布："你们的杨老师病了。她需要住院治疗。也许还要动手术。以后由彭老师来代她的课并担任你们的班主任。"

这位彭老师一开始很让我们兴奋——他有四十来岁了，听说挣七十块钱的工资，不消说学历、教龄都比杨老师强；而且他讲话比杨老师风趣，头一堂课就把我们逗得不断发笑。可是几堂课上过去，我就发现他备课没有杨老师认真，他那些逗趣的话其实全不是什么知识，正经该传授的知识他却讲得含含糊糊，而且有时候也还把知识讲错。有一天下课的时候，我故意凑到讲台跟前向他提问，在他回答我的时候，我根本没听他的，只是注意观察他那摊开的备课本——跟鸡爪子扒过的一样！这几秒钟的印象，给了我一个很深的刺激——敢情不一定挣工资多的，课就一定讲得比挣工资少的好！

当晚在家里看电视，新闻里有一段开一个什么科技方面的会议的报道，当画面上出现一个满脸褶子的老专家时，我故意大声地发表议论说："嗬，呆头呆脑——甭看资格老，其实不一定有什么真学问！"

妈妈一听就急了，训斥我说："你怎么张口就这么反动？你跟谁学的？"

我理直气壮："谁反动？我有我的看法，许不许？"

妈妈决定立即压下我的气焰，她宣布说："不许！你还不到对这类事有你的看法的时候！你应当听老师和家长的话，不许胡思乱想，更不许胡说八道！"

我扬起下巴，冷笑着。恰好电视屏幕上出现了孙中山先生的像，我便故意又大声地议论说："其实孙中山特别喜欢蒋介石。北伐战争的时候，蒋介石是北伐军总司令呢！"

妈妈简直是打算把我扭送派出所，她用两个拳头捶着她的膝盖说："你还要犯浑是不是？你不当上小反革命不甘心是不是？你就这么浑下去吧——早晚有一天你给咱们家惹祸！"

爸爸一面劝她一面劝我："你也用不着上这么高的纲，别急成这模样——小凯呀，你不要故意惹你妈着急、生气。过去，老师跟我们教给你，让你知道蒋介石是大坏蛋，这个结论是推不翻的。这是就他在中国近代史上所起的总作用下的结论。当然啦，你现在大一点了，知道的也就多一点了。你知道孙中山先生信任过他，他当过黄埔军官学校的校长，当过北伐军总司令……也就是说，在他背叛革命之前，他也曾经有好的一面，那么，你应当怎么想呢？你不应当觉得原来大人告诉你的结论不对，只应当懂得：一个人的好坏不是一成不变的……"

"行啦行啦，"妈妈打断爸爸的话说，"你越讲那些个越助长他说反话的习惯！他这种乱说乱道的习惯说到底都是你纵容出来的！你就这么纵容下去吧！"

眼看他们就要对吵起来，我只好跺跺脚说："好啦好啦，我不说不问了还不行？快看电影吧！"

电视里播出的那部电影片本是我们盼望已久的，结果大家情绪都受了影响，兴趣大减。

第二天上彭老师的课，我比往常更注意挑他的错。他在讲解"阴森"这个词语的过程中，为了增添同学们的兴趣，举例说："法国巴黎，有个巴士底狱，嗬，那里头呀，又黑暗又潮湿，可瘆人啦！你们看过的电视连续剧《双城记》里头有的镜头，就是在巴士底狱里拍的……"

听到这儿，我立即把右手高高地举起。

彭老师把我叫起来："你有什么问题？"

"我没问题。可你讲错了，"我郑重其事地宣布，"巴黎的巴士底狱早在二百来年前就让人民给拆了，拆得一块砖头都不剩……"

彭老师耸耸肩膀说："是呀，那又怎么样呢？"

"你讲错了！"我怀着一种胜利者的喜悦，大声地宣布说，"你说《双城记》有的镜头是在巴士底狱里拍的,这根本不可能。巴士底狱早就没有了,现在那地方是个广场,叫巴士底广场,广场当中有个高高的纪念碑,上头有个自由神的塑像,背上有一对翅膀……"

彭老师很狼狈。可他绷着脸瞪着我,不愿意当着全班同学认错。他想了想,敷衍地说:"巴士底狱拆没拆跟我们讨论的问题关系不大,我们现在要弄清楚的是'阴森'这个词的含义,而巴士底狱的景象确实最适合用'阴森'这个词来形容……"

他挥手让我坐下。我没坐下,而是环视着全班同学说:"他讲得不对。巴士底狱肯定早就拆了。我爸爸的老同学马叔叔前些日子刚从巴黎回来,我当面听他讲过巴士底广场的来历。"

我的这种态度,以及班上大多数同学——包括一部分女生——对我的露骨钦佩,强烈地激怒了彭老师。他气得把讲台猛地一拍,冲着我怒吼起来:"罗世凯!你要干什么?究竟是你讲课,还是我讲课?"

嗬,给我来硬的,我才不怕呢!我从容不迫地对他说:"反正谁讲也不兴瞎讲,讲就要讲正确……"

彭老师气得眼珠都快从眼眶里蹦出来了,他气急败坏地伸直胳膊指指我,又指指门,命令说:"你不愿意听我的课,就请你出去!出去!"

要在小学,我非给这招吓哭不成。可现在我才不怕呢。出去?出去就出去!怎么着?

我冷笑着,毫不犹豫地离开座位,在同学们众目睽睽下,晃着肩膀走出了教室,并且在一股我自己也弄不清的力量支使下,又一直走出了学校,当我稍微冷静一点以后,我发现自己已经站在了热闹的街头。

风吹着我的脸。我这才觉得自己的脸有点发烫。我把双手插在裤兜里,挺着胸脯顺着人行道往前迈步。多数行人并不注意我,只有一个卖糖葫芦的大小伙子用一种古怪的眼光望了我一阵,还有一个显然是农村来的背着一摞丝绵的半老头儿,斜着一对老鼠眼瞥了我好几眼……我心里只是暗笑。我理也不理他们,管自朝前走。我想那些个编破电视剧的人物这下可有得瞎编的了——我,一个初中一年级的学生,因为被老师轰出了课堂,流落街头,结果轻而易举地被教唆犯俘虏,从此堕落下去……自然,最后我经历一番坎坷,总算"浪子回头",结尾是我又重新回到班上,受到老师和同学们的鼓掌欢迎,于是这时候唱起一首插曲,大概少不了还是请李谷一阿姨来唱,她用一种娇滴滴的气声演唱着:"回来吧,孩子! 回来吧,孩子! 你这迷路的孩子,快回到集体的怀抱……"于是镜头上是我的大特写,演我的演员因为哭不出来,导演拍那个镜头的时候就往他眼眶里点甘油……

"咳,什么呀——瞎编! 真该给他们一个'大哄子'!"我不禁笑出了声来,"我? 我能因为让彭老师轰出来就变成小偷流氓吗? 笑话!"

于是我刹住脚步。我决定要做一点有意义的事,非常有意义的事。哼,我要让大家知道,我在这种情况下不但不会堕落,反而会出乎他们意料地充分表现出我的优秀品质。

我应当做一件什么事呢? 忽然,我想到了杨老师。杨老师正在住院,我应当去看望她! 我不能空着手去,我要给她带去一样让她特别高兴的东西!

想到这里,我便对身上的口袋进行了一番彻底的搜索,结果一共找到了八毛六分钱,这都是我从妈妈给我的零花钱里节省出来的。

手里攥着八毛六分钱,我沿着大街往前走,望着每一家路过的商店。我该给杨老师买样什么东西呢? 吃的? 用的? ……啊,花木商店! 对呀,买吃的,买用的,都不如给杨老师买一盆花儿!

我便到花木商店里,给杨老师用八毛钱买了一盆翠绿的文竹。

捧着那盆文竹,我来到杨老师住的那个医院。我跟班上的同学前些时来医院看过她一次,那次她见到我非常高兴。这回她看到我捧着一盆文竹来看她,一定更加高兴。不过,她会不会问我:"你怎么这时候来? 这时候不是该上课吗?"我怎么办呢? 撒个小谎,还是干脆实说? ……

可是到了医院住院部,人家根本不让我进去。原来这天全天都不让探视病人。有什么法子呢,我只能把文竹留给了他们,让他们转交给杨老师。人家问我:"你是她家什么人?"又跟我说可以随花盆送进个条子去,我只是说:"你们就把文竹先送给她吧。"我条子也没写，就离开医院了。

　　离开医院以后，我忽然无聊得要命。我有点后悔我花掉的那八毛钱，因为我来到了电影院门前，刚好有一场《疯狂的贵族》，这电影爸爸往家里拿过招待场的票，那时候我根本不想看，可现在我要能看上一场该多好呀——票房里的那个阿姨托着腮帮子发愣，有的是卖不出去的票，但我手里归里包堆只有六分钱了。唉，没法子，我只好在电影广告底下转悠了一圈，用五分钱买了一根巧克力冰棍，小口小口地吮着，懒洋洋地继续朝前盲目地走去。

　　我真希望能遇上点什么奇迹，比如说，有个大流氓正欺侮一个小女孩，那么我一定立刻冲上去打抱不平；再比如说，忽然前面树根底下出现一个钱包，鼓鼓囊囊的，里头至少有一百块钱，还有工作证什么的，我立刻捡起来，并且立刻奔跑着去交给警察叔叔……末后失主找来了，他感动得要命，抽出一张十元的钞票要酬劳我，我便高傲地说："你要这么看待我，我就把你的钱包还扔回那树根底下去！"……可我又干吗非得扮演正面角色呢？我干吗不拣起一块石头，朝那药房的大玻璃窗扔过去？也许那就会把我逮起来，关进拘留所，我都这么大了，尝尝拘留所的滋味又有什么不可以呢？还有那信托商店的收购部，挂着好大的一块牌子："谢绝参观"。凭什么"谢绝参观"？我干吗不勇敢地闯进去？人家轰我也不走，我就是要参观嘛！……喏，前头是一家储蓄所，究竟存钱是怎么一回事？干吗要给存钱的人利息呢？这不是鼓励不劳而获吗？我身上正好还有一分钱，一分钱给不给存？一个月给多少利息？……

　　可是到头来我既没遇上什么奇迹，也没真的胡来，我走进一座百货商场，很快便找到一件既能消耗我那多余时间和多余精力，又很有意义的事来做——我帮助清扫场地的那位师傅推着地刷来来去去，那地刷跟地面的接触宽度足有一米半还多，蘸了汽油，推着锯末往前那么一走，地面就变得干净极了，推把上还安装着一个铃铛，遇到有顾客挡路时，我们就按铃提醒他们。

　　那师傅有我帮忙，省劲多了，工作效率也提高了许多。当然，他问了我："小同学，你们今天怎么不上课呀？"我就撒谎说："昨天我们学校开运动会了，所以今天休息。"他表扬我说："你昨天也有竞赛项目吧？瞧，累了一天，你也不歇着，还来义务劳动！"

我随口说："没事儿！我爱推铅球，帮您这么扫地，我胳膊不就长劲了吗？"

说实在的，我干得蛮快活。不知不觉就到了商店关门的时候了。我还要帮那师傅作最后的清扫，他无论如何不让了，说我该回家了，不然家里大人会着急的。临告别时，他一再问我是哪个学校的叫什么名字，我挺不情愿地告诉了他。出了商店以后，我为这一点后悔了半天。

我蹦蹦跶跶地往家里去，心里很轻松。我觉得天边的晚霞像一团团粉红色的草莓冰激凌，而那些从电线杆上伸向马路当中的新型路灯，活像一把把可以用来吃那些冰激凌的大勺子。我把跟彭老师闹纠纷的事撇在了脑后，就仿佛那已经是很久很久以前的事了……

直到上了楼，来到我家住的单元门口时，我才感觉出今天毕竟有些异样。我家的门没有掩实。推门进去，耳边立即传来两个重叠的声音：一个是妈妈抽泣的声音，一个是吴校长劝慰的声音："要知道，十三岁的确是个可怕的年龄。孩子在这一岁里生理上、心理上都发生着某种剧烈的震荡，我们一定不能简单化地去理解他们和对待他们，尤其要避免从政治上、品德上去给他们生硬地下结论，而应当学习一点少年心理学，准确地把握他们的心理状态，同时引导他们逐渐地认识自己和约束自己，像关心他们的生理卫生一样，帮助他们搞好心理卫生……"

我站在过厅里，屏住气息听了听，说实在的，没有听懂，可我忽然非常感动。光吴校长讲话时那种声调就让我感动。而且我觉得他的这些话比我以往听到过的任何话语都更神秘……十三岁是可怕的！十三岁为什么是可怕的呢？还有，什么叫心理卫生啊？

爸爸最早听出了我的动静，他突然从里屋走出来，望着我，脸上的表情说不出的复杂。

"他回来了。"爸爸向里屋的人们宣布说。

我随爸爸进了屋。

坐在沙发上的妈妈一看见我，竟然用手绢捂着鼻子，索性哭出声来，就因为我正好十三岁，她就怕成了那样吗？

屋里还坐着彭老师。他见了我,脖子上的喉骨直滑动,仿佛在这以前他一直有口气咽不下吐不出,这下才开始松快起来。我注意到我的书包已经搁在桌子上了,显然,是彭老师给我带来的。我忽然可怜起他来。巴士底狱真不该拆得精光,哪怕拆得只剩一间牢房也行,那样我跟他就全都正确了……

只有吴校长表情很平静。他见了我点点头说:"正在说你呢。其实我知道,就是你说着反话的时候,跟老师和家长抬杠的时候,你的心眼也并不那么坏。你现在是不是挺喜欢照镜子?"

我点点头:"喜欢。您怎么知道的?"

吴校长说:"因为我也有过十三岁。可是我跟好多好多的大人一样,平平安安地过来了。还有一个十六岁。这是两个生理上、心理上震荡得最厉害的关口。要学会像照镜子检查自己的容貌一样,经常地约束住自己的心理冲动。你听得懂我的话吗?"

我站在他们当中,对吴校长,也对爸爸妈妈和彭老师说:"我不大懂。不过,我可不怕十三岁!你们相信我吧,起码我再也不会像今天这样,弄得你们一群大人都为我着急!"

妈妈发出一阵形容不出的声音,又像哭,又像笑……

1984 年

达·芬奇的故事

1. 画沙惊母

"列奥纳多！亲爱的宝贝，你在哪儿呢？"

母亲的呼唤，回荡在小村边。

那是 15 世纪中叶，在意大利托斯堪尼地区，有一座芬奇镇，芬奇镇外，有一个安嘉诺村，村中有位名叫卡泰里纳的少妇，她是村中小酒店的侍女，现在她从酒店打工回到家中，却不见爱子列奥纳多的踪影，因此朝村边小河奔去。

村外的小山坡上，是一片片的葡萄园；小山坡下，是一片片的橄榄林；一条清澈的小河，静静地在山坡下流淌；河边有浅浅的沙滩，水边长着高高的藜芦和蒲草，河湾里有圆圆的莲叶和奶黄的睡莲；空气里弥漫着树木花草的香气；夕阳斜铺过来，蜻蜓在夕阳中飞舞。卡泰里纳却顾不得欣赏这夕阳中的美景。她怕列奥纳多又跑到河边来嬉戏。前两天列奥纳多鞋袜裤腿全打湿了，说是在河边追逐一对蝴蝶和一对蜻蜓，不小心跌进了水里；他说他是要弄清楚，为什么蝴蝶光能不停地飞，而蜻蜓却可以停在空中半天不动？卡泰里纳听了搂住他笑，同时又拍着他脸蛋嘱咐他一定别到河边去玩，掉进河里会被大鱼吃掉哩！

"列奥纳多！宝贝儿！该回家啦！"

卡泰里纳朝河边跑去。

村边柠檬树下，一对刚从葡萄园收工出来的农妇望着卡泰里纳的背影窃窃私议。

一位说:"可怜的卡泰里纳!没有结婚就养下了儿子!"

另一位说:"人家塞尔·皮耶罗在佛罗伦萨当公证人哩,听说已经娶了第四任老婆,儿女一大堆哩!他跟卡泰里纳不过逢场作戏,门不当户不对的,就算他现在没有老婆,也不会娶卡泰里纳啊!"

头一位又说:"不过列奥纳多却是个小天使!长得多漂亮啊!卡泰里纳有了他,看上去挺知足挺快乐哩!"

另一位点头:"不光漂亮,还真聪明!现在才五岁吧?嘿,那天我亲耳听见他从一数到三百……卡泰里纳说,由他数下去,他能一直数到一千哩!"

的确,如今卡泰里纳生活的唯一意义和全部快乐,就是养育列奥纳多。当她跑到河边时,她仍然没有望见列奥纳多的身影,她胸膛里的一颗心不安地跳动着,惶急中也顾不得揩掉脸上的汗水。

脚下的一丛金盏花,险些把她绊了一跤,然而金盏花前方的沙滩上,有两行小小的脚印,这使卡泰里纳又喜又急,喜的是可以肯定列奥纳多就在附近,急的是这孩子怎么又跑到了水边。

卡泰里纳本想再扬声呼唤,却在一抬眼之际,看到前方的沙滩上,列奥纳多正蹲在那里,不知在摆弄着什么。她心中一块石头落了地,站在那里,欣慰地望着爱子小小的背影。掏出手帕揩揩脸上的汗,又双手伸到脑后理了理发髻,这才笑吟吟地、轻轻地走拢去。

卡泰里纳走拢列奥纳多身后,才知道列奥纳多是拿着一根树枝,在沙滩上画画。

卡泰里纳俯身仔细一看,不禁大吃一惊!

列奥纳多喜欢涂涂抹抹,卡泰里纳早已发现。列奥纳多用炭条在羊圈的拦板上画过绵牛,用刷墙剩下的白垩土在灶房的墙壁上画过公鸡,都得到过卡泰里纳和她父亲——即列奥纳多外公——的热烈赞叹,然而这一回列奥纳多画的可没那么简单!

卡泰里纳发现,列奥纳多在沙滩上画的,是她这个母亲的面影!尽管只是线条勾勒的图形,然而她竟能一眼作出判断!

泪水涌上了卡泰里纳的眼眶。塞尔·皮耶罗同卡泰里纳定情时,送给卡泰里纳的礼物，是一面从佛罗伦萨彭特·维基奥老桥珠宝店买来的小玻璃镜，那个时代里玻璃镜可是非常珍贵的东西，卡泰里纳一般只在一个人独处时，才把那有小银盖的玻璃镜取出来照，她常常惊叹一片小小的圆玻璃，怎么能把一个人的面貌反映得那么清晰；没想到小小的列奥纳多竟是一面更了不起的镜子，他仅用一组沙地上的线条，便勾勒出了母亲的面容！

"列奥纳多！"卡泰里纳感动地呼唤。

"妈妈！"列奥纳多转过头，扔掉树棍，一头扑进卡泰里纳怀抱中。

卡泰里纳不住地吻着儿子的额头、眼睛和红喷喷的脸蛋，激动得说不出话来，列奥纳多却得意地对妈妈说："我在这河边玩了好久，刚才有好几个伯伯在这儿钓鱼，我把他们钓的鱼都看了，这河里的鱼都没有牙齿，它们可吃不了我哩！"

卡泰里纳把列奥纳多搂得紧紧的，心里想："这孩子该有多出众啊！将来长大了，他会成为怎样一个人呢？"

2. 女妖吓父

塞尔·皮耶罗鬓角斑白时才回到故乡芬奇镇。他家的住宅建筑在镇中的高坡上，从卡泰里纳所在的安嘉诺村望过去，皮耶罗家的住宅简直就是一座城堡，有着粗厚的花岗石围墙，红瓦白壁的屋宇，以及高高耸起的带尖顶的塔楼。

塞尔·皮耶罗并没有忘怀卡泰里纳；卡泰里纳更难忘怀那失去的一切。但是塞尔·皮耶罗为了家族的名誉和自己在佛罗伦萨的公证人地位，努力克制自己跑到安嘉诺村重叙旧情的冲动。卡泰里纳为了爱子列奥纳多的前程，在九年前忍痛让塞尔·皮耶罗的父亲安东尼奥·皮耶罗把列奥纳多接进了那威严的城堡，后来又同村中一位手艺人结了婚，每当村中小教堂与城堡中有高塔的教堂钟声交相鸣响时，她就总要跑到屋中的圣母玛利亚像前，喃喃地为列奥纳多祷告。想到老安东尼奥·皮耶罗并没有改掉列奥纳多的姓名，仍让他叫列奥纳多·达·芬奇这个名字，列奥纳多·达·芬奇就是"芬奇镇的列奥纳多"的意思，这名字是卡泰里纳的父亲取的。又想到列奥纳多在城堡里可以有家庭教师教他拉丁文及其他文化知识，并且可以任他用许多的纸笔和颜料尽情尽兴地画画，还能得到许许多多进入上流社会的必要教育；再想到各种消息来源都报道说老安东尼奥和塞尔夫妇都善待列奥纳多，甚至把列奥纳多视为掌上明珠……她也就良心稍安、转悲为喜了。

一天塞尔·皮耶罗正在城堡花园中逗弄小马，仆人来报说有个农民求见。塞尔接见了那农民。原来那是个富足的果农，他带来了一个好大的盾牌，他恳求塞尔·皮耶罗说："这盾牌是用我家的无花果树做成的。那真是棵有年头的无花果树！听说佛罗伦萨城里有些有名的画家，他们能画出非常精彩的图画，我想请您过些天回佛罗伦萨的时候，顺便把我这素白的盾牌带去，您帮我找那有名的画师，给我的盾牌画上画；这几年我也算发了点财，报酬嘛我想多一些也是付得起的；画好了您托顺路的人捎回来，我也不会亏待他的！麻烦您真是不好意思，可希望您体谅我的心情……"

塞尔·皮耶罗是个心软的人，搁不住人家好言好语相求，便一口答应了下来。那时代那一带农民是有那么个风俗，在家里摆个画有吉祥或避邪图画的木盾牌，一作装饰又保家主平安。可是那农民走了以后，塞尔·皮耶罗忍不住笑了起来。因为他知道佛罗伦萨那些有名气的画家几乎个个都生性狂傲，城里的名门富户求他们画个什么都非易事，这位乡下的老兄却以为凭他那几个臭钱就能让那些名画家为他献艺！笑完，塞尔·皮耶罗又犯起愁来，当面答应了人家的事，又怎能不去办理？

恰巧这时列奥纳多走了过来，塞尔·皮耶罗便开玩笑地招呼他说："列奥纳多！你来得正好！你能画这个盾牌吗？要是你画了，将来送还给那老兄，告诉他是请佛罗伦萨城里的名家画的，他信以为真，那我可就真依你爷爷的主意，把你带到佛罗伦萨去拜名画家为师，使你也成为一个大画家！"

列奥纳多毫不犹豫地说："爸爸，我能画，而且一定能画好！"

好多天以后，一家人在宽敞华丽的餐厅里吃早餐时，母亲问列奥纳多："噢，乖孩子，那盾牌你画好了么？"

列奥纳多回答说："还早哩！总还得十多天才能画完！"

父亲摇摇头、撇撇嘴说："画不了你也别勉强么！搞不好我还得把那盾牌带到佛罗伦萨去哩！"

爷爷倒在一旁解释："列奥纳多这孩子干什么事都又认真又细致，从来也不心浮气躁！只是他画画实在未免太慢，他画一幅油画总要先搞许多的素描、草图，临到正式动笔又总是改来改去，所以你看，他在这宅子里画了八九年了，墙上一共没挂出八幅画来！"

列奥纳多便说："我总想达到完美！"

父亲望着他，只见儿子鬈曲的金发丰丰满满，红润的脸庞光光润润，一双眼睛亮亮晶晶，一管鼻子高高正正，两片嘴唇鲜鲜艳艳，雪白的脖颈秀秀美美，健壮的肩膀宽宽挺挺，禁不住一阵喜悦，心想列奥纳多你真是个完美的宁馨儿，不过，你才不足十四岁，你画的画儿，又能成熟到哪里去呢？亏你现在就扬言要达到完美！

谁想到十多天后的一个傍晚，列奥纳多走到塞尔·皮耶罗面前说："爸，盾牌画好了，请您去过目。"

塞尔·皮耶罗便去往列奥纳多的画室。列奥纳多让父亲走在前面。塞尔打开画室的门，只觉一片昏暗，原来垂着一大块深色的帷幔，他顺手将那帷幔一拉，朝前望去，一束从窗外泻进的夕阳，正落在画好的盾牌上，他不觉"哇"地叫喊一声，本能地转过身去，拔腿便跑，心里怦怦乱跳，边顺走廊跑边忍不住叫喊："蛇！女妖！梅杜萨！……"

原来列奥纳多在盾牌上画的，是希腊神话中的一个著名的故事，故事中的英雄贝尔修斯，去斩杀名叫梅杜萨的女妖，这女妖口喷烈焰，头发全由毒蛇构成，见了贝尔修斯便群蛇乱舞，张口吐信……

3. 画蛋不烦

1466年，列奥纳多·达·芬奇14岁的时候，随父亲到佛罗伦萨城定居，父亲果然把他送到当时一位有名的画家和雕刻家韦罗基奥那里正式拜师学画。

当时的佛罗伦萨相当繁荣，梳纺羊毛的工业颇为发达，对外贸易也很活跃，城市建设更首屈一指——那时全欧洲最宏伟壮丽的鲜花圣玛丽亚大教堂经过150多年

善 的 教 育

的修建已经竣工，它不仅有由比列奥纳多早生 185 年的大画家乔托设计督造的优美塔楼，更有由比列奥纳多早生 75 年的雕刻家布鲁涅尼斯基设计督造的覆盅状大圆顶，那融拜占庭式、古罗马式、哥特式建筑风格为一炉而又完全创新的大圆顶，穹窿内径达 42 米，高 30 余米，下面八角形鼓座高 12 米，从地面算起到圆顶上的瞭望亭攒尖有 175.5 米，其规模与气派都是空前的。早在列奥纳多诞生的 187 年前，佛罗伦萨就出现了大诗人但丁，留下了不朽的长诗《神曲》；还有诞生在列奥纳多 1448 年前的大诗人彼特拉克，以及诞生在列奥纳多 129 年前的以故事集《十日谈》流芳百世的薄伽丘，这些前辈文学大师的作品，史家都认为是结束着一个时代又召唤着一个时代，所结束的是中世纪的黑暗时代，所召唤的是文艺复兴的时代。关于文艺复兴的成因、内容、深层意义及科学评价，至今仍有许多争论，这里且不论及。

话说 14 岁的列奥纳多来到韦罗基奥画室学画，韦罗基奥师傅有一天把一只鸡蛋放在柜子上，让列奥纳多画蛋。

列奥纳多对韦罗基奥师傅本是非常尊重的，但望着师傅摆到柜子上的鸡蛋，他心里实在别扭，甚至怀疑师傅是不是有点讽刺他的意思，他斜眼瞥瞥师傅，脸上现出委屈的表情。

韦罗基奥师傅看出了他的心思，便对他说："列奥纳多啊，我知道你已经画过不少的画，你画的那个有梅杜萨女妖的盾牌，不是因为画得活灵活现，把你父亲的魂儿都险些吓跑了吗？结果你父亲把那盾牌用很高的价格卖给了城里的一个富商，倒找别的画师画了另一个送给那村里的农民交差。听说那富商把你画的那个盾牌放置在门厅里，每当生客进门时发出尖叫，他就得意地捋着胡子哈哈大笑哩！不错，你有天分，也很摸到了一些绘画的诀窍。但是你若想成为一个伟大的画家，而不是只甘心于当一个能用画去刺激人感官的画师，你就应当苦练基本功，让你的天分在勤奋观察、深入体验、反复摸索的土壤里生根、抽叶、开花、结果。你看这蛋，它似乎简单到极点，但仔细想想，一千个蛋里，难道真能找出两个完完全全相同的蛋吗？就是这同一个蛋，从不同的角度看它，在不同光源的照射中看它，以及在同一个光源的强弱变化中看它，不是都不一样吗？你这样去看蛋、画蛋，慢慢地，你甚至可能发现蛋的表情、蛋的心境，最后进入到蛋的灵魂哩！"

列奥纳多听了这番话，对师傅肃然起敬。从此他果然用大量时间来画蛋，苦练基本功，结果不仅练就了一双善于探微发隐的眼睛，也练就了一手善于精确而灵动描摹事物的功夫。

那时候佛罗伦萨的画家，大都多才多艺，一般不仅还擅长雕刻，举凡精细木工、打制金银饰品、烧制陶瓷器皿乃至设计督造教堂官邸，样样都拿得起来。列奥纳多不仅继承了这一优良传统，他的兴趣更加广泛，才艺更加超群，而且从艺术领域跨越到科学领域，一步步使自己成为那一时代全面发展自己的最突出的代表人物。

4. 愧煞师傅

娇艳的阳光普照着佛罗伦萨城，一年一度的洗礼者约翰的祭日大庆典快到了，洗礼者约翰被认作是佛罗伦萨的护城圣徒，所以这个节日在佛罗伦萨城格外受到重视。正日子还没有到，城里已是一派节日气氛，外地来的进香者穿着素白麻衣，虔诚地穿过繁华的街道去各修道院投宿；店铺里摆满节日特供商品，有长长的念珠串、粗细不一的蜡烛，还有成对成双出售的拱形盖子的"卡索里大箱"，那是一种供人们结婚时购作嫁妆的箱子，有着打制精巧的金属配件，并且绘制着华美的花纹图案，在这洗礼者约翰祭日前后出售的"卡索里大箱"上，一般都绘有关于洗礼者约翰的种种故事；酒馆饭铺的生意因而也更加兴隆，街巷各处飘荡着用洋葱鲲鱼和莫萨里拉奶酪烘出的比查饼的浓郁气息；花店内外插满了各色的玫瑰、香石竹、郁金香、番红花和雏菊；在圣·玛丽亚·诺微拉教堂、圣·克罗齐教堂、圣·马可教堂等不同教派的教堂前广场上，还有僧俗青年在排演节日那天游街串演的"圣迹剧"；整个佛罗伦萨城好不热闹。

画家韦罗基奥背着个行囊从城南的圣·皮耶罗·加托利诺门回到城里，刚走到亚诺河南岸的圣·斯彼里托广场，迎面遇上了圣·斯彼里托教堂的神甫，神甫一见他便大声地招呼说："韦罗基奥先生！您可回来了！眼看节日就到，我们教堂订的那幅《基督受洗》画，您还画得完么？可千万别误了我们的事儿！"

韦罗基奥镇定地回答他："我外出写生以前，基本上已经把整幅画完成了，只是左下角的小天使，还没有最后完成。不过我已经嘱咐徒弟列奥纳多把它补全，只待我回去修定，整幅画就大功告成了。过两天准给您送来，误不了事儿的！"

说完韦罗基奥就款步往家里走。佛罗伦萨城被斜贯全城的亚诺河分成两半，韦罗基奥穿过彭特·维基奥老桥，朝北城而去。他边走边想：也不知道列奥纳多能不能尽职，那幅《基督受洗》图，应该每一部分都美好和谐才能脱手哩！

据《圣经》记载，约翰是撒迦利亚的儿子，比耶稣提前六个月出生，他长大以后，来到约旦河一带，宣讲悔改的洗礼，使罪得赦免，耶路撒冷以及犹太各地的人，纷纷来到约翰这里，承认他们的罪，在约旦河里接受约翰的施洗。百姓指望弥赛亚（救世主）到来的时候，都在心里猜疑，或许约翰就是弥赛亚吧？约翰明确地说："我是用水给你们施洗。但有一位能力比我大的要来，我就是给他解鞋带也不配。他要用灵与火给你们施洗。"有一天耶稣从加利利的拿撒勒来到约旦河，见了约翰，要受他的洗。约翰拦住他说："我应当受你的洗，你反倒上我这里来么？"耶稣回答说："你暂且许我，因为我们理当这样尽诸般的义。"于是约翰便给耶稣施洗。当耶稣受洗的时候，天忽然开了，圣灵从天上飞下来，像鸽子一样，落在耶稣身上。天空中传下声音来："你是我的爱子，我喜悦你！"

韦罗基奥画的《基督受洗》，耶稣基督居中，他除了腰下系有一块条纹布，基本裸着身子，双手合十，眉目下垂，肃穆而庄重；约翰在画面右侧，两腿叉开，左手持着一根顶端有金十字架的长杖，右手正用一只碗朝耶稣倾水施洗，表情谦卑而郑重；画面上端、耶稣头顶和水碗上方，则是一只飞翔的鸽子，并有两只放飞鸽子的天父之手；左面韦罗基奥设计了一个小天使，但几次画而又废，总未完成。

韦罗基奥回到家中，刚解下行囊，还没进入画室，几个小徒弟就迎上来报告说："师傅！列奥纳多把画上的小天使画完了，可他自作主张，改了您的构图哩！"

韦罗基奥吃了一惊，心想这下糟糕，倘若把画坏的部分刮掉重画，那可就赶不上交货的最后期限了！他也顾不得休息，几步迈进了画室。

列奥纳多正在画幅边等候着师傅，他心里毕竟有些惴惴不安，但更多的是期待与自信，他等师傅走拢画幅，便将遮在画上的布幔一掀。

韦罗基奥双眼只朝画幅左下角望去，一望，他眼睛越睁越大，然后一阵眨眼，随即又后退几步、走拢几步，眯着眼凝神地看，脸上的颜色由红变白，又从白变红。列奥纳多和其他徒弟一时不知师傅是怎样的一种心情。

原来列奥纳多完成的那幅画，左下角是两个天使，一个双手握在胸前、因感动而脸朝基督受洗的反方向望去；另一个跪在地上，扭转脖颈仰望着这神圣的一瞬。头一个天使还脱胎于韦罗基奥原来的构思，但又比原来画出的生动而优美；那增添的下跪天使，显然是列奥纳多以自己为模特儿创作的，身姿是那样地自然，衣褶表达得是那样地准确，这都罢了，最让人一瞥难忘的是面庞上丰富的表情，特别是一双大眼睛里那无法形容的神韵，多看一阵，心弦就会被那天使拨动得震颤不已，可以联想到很深很远，而使心灵得到净化的大喜悦大跃升……

韦罗基奥忍不住搂住列奥纳多的肩膀，在他额头上吻了一下，真诚地说："我太惭愧了！这幅画我费了那么大力气，结果使它光芒四射的，并不是我自己画的部分，而是你画的这两个天使！从今以后，我不但没有资格再教你画画，而且我自己也不打算再画画了——我就专心一意搞雕刻吧！列奥纳多，你不必再在我这里学徒了，我的绘画生涯就此结束，你的辉煌前程就此开始！"

5. 一曲难忘

美第奇家族是佛罗伦萨世代富商，他们不但有钱有势，而且附庸风雅，在美第奇家族执政的年代，他们大兴土木，修筑风格特异的建筑，除鲜花圣玛丽亚大教堂的著名圆顶是在那期间建成的外，还修建了世界建筑史上有名的兰奇敞廊、圣·阿农齐阿塔育婴院等公用建筑；他们当然也为自己并带动别的豪门贵族修筑了许多瑰丽的宅第与奇巧的别墅；同时，他们乐于接纳、豢养文学艺术方面的人才，还经常在自己的豪华宅第中举办沙龙式的聚会，倡导形而上学的哲学清谈，尽情地享受轻歌曼舞与美酒佳肴。在列奥纳多的青年时代，正值罗伦佐·美第奇当权，市民送他一个绰号"豪华者"，其风度做派可想而知。

列奥纳多离开韦罗基奥画室独立从事艺术活动以后，深得"豪华者"罗伦佐赏识。有一天罗伦佐派人把他请去，见到他便说："我将迎接米兰大公洛德维科·摩尔来访。我想把你介绍给他，让他见识我们佛罗伦萨的人才。你是否准备一幅画儿献给他呢？"

列奥纳多却说："我想我可以给他一个更好的见面礼——不是一幅画，而是一首乐曲一支歌！"

罗伦佐大吃一惊。不过听了列奥纳多的说明，他点头准允了。

招待洛德维科·摩尔的宴会，在美第奇宫邸的大厅举行。大厅顶棚上垂下花坛式烛架，千百支蜡烛织就着一片光明，到处满摆着馥郁的鲜花，满铺着精美的地毯，满悬着名家的绘画，到场的达官贵人、士绅淑女、个个打扮得衣冠楚楚、珠光宝气。

罗伦佐·美第奇当时是个英姿勃勃文雅风流的美少年，而洛德维科·摩尔望上去则虎背熊腰、粗鲁狂放。两个人坐在一起，真是相映成趣。

宴请到了高潮时分，罗伦佐·美第奇忽然宣布："现在，我们请本城最有才华的画家列奥纳多·达·芬奇先生，为尊敬的洛德维科·摩尔殿下弹琴演唱！"

来宾们不约而同地发出惊讶的呼气声，接着绅士们不免互递眼色，淑女们则用扇子挡住半边脸庞窃窃私议；洛德维科·摩尔用满戴大钻戒的手指握住雕花玻璃酒杯，惊讶地望着走向表演席的列奥纳多。

列奥纳多那天打扮得清新高雅，素面素手而容光焕发。他坐到仿古罗马石凳样式的无背沙发上，把一只别出心裁的竖琴立在腿上，从容地用手指一拨，顿时一串清亮的琶音回荡在大厅中，所有的人都不约而同地安静下来。

列奥纳多手持的那架小竖琴，是从古希腊乐器里拉衍化来的七弦琴，并非19世纪法国人爱拉所定型的那种沿用至今的戳地式大竖琴，而且列奥纳多把那琴身雕成马头的形状，真是异想天开，奇趣盎然。拨完一段前奏以后，列奥纳多自奏自唱，他的歌咏婉转悠扬：

青春诚美好，

奈何似水流！

命运本无定，

及时把福求！

洛德维科·摩尔本是个性情暴虐的人物，但这人内心中却又有易受感染的一面，听着歌声，竟感动得忘了喝酒，两眼直勾勾地只望着抚琴吟唱的列奥纳多发呆。

命运本无定，

及时把福求！

列奥纳多把叠句唱得格外撩人思绪。

罗伦佐·美第奇听着列奥纳多的吟唱，呷着美酒，眼噙泪水。他一方面感到得意，因为列奥纳多演唱的短诗，本是他偶成之作；另一方面又无限怅惘，因为确确实实"命运本无定"啊！

两个国家的首脑既然如此欣赏列奥纳多的自弹自奏，其余宾客不管是真欣赏假欣赏，曲终声歇时自然都热烈地鼓掌喝彩。

洛德维科·摩尔回到米兰以后，常常回想起那个花团锦簇的宴会，耳边不免回荡着琴歌的余音。1482年，有一天洛德维科·摩尔忽然把他的一位亲信叫来，命令他说："你急速去往佛罗伦萨，作为我的特使拜见列奥纳多·达·芬奇先生，就说我恳请他到米兰来担任我的宫廷首席乐师，我将给他比佛罗伦萨市政府高几倍的薪俸！"那亲信却面有难色，向他汇报说："听说列奥纳多现在很少奏乐唱歌，虽然画了《受胎告示》、《拈花圣母》等几幅了不起的油画，可他那《东方三博士朝拜圣母》的壁画却画了好久总未画成；而且这人很怪，传说他经常出入冶炼场、机械作坊，设计了好多奇奇怪怪的新式武器，在那些地方试着打制；他还设计了新式的桥梁和城堡，听说能抵御炮火的轰击；此外他还研究着无数科学问题，真是上至天文下至地理，无所不感兴趣哩！"洛德维科·摩尔一听更急得跳了起来，连连顿脚说："那你就更要快些去把他请来！你告诉他，以宫廷乐师的名义邀请，不过是为了避免佛罗伦萨方面的猜疑，其实他到了这儿，愿意干什么就干什么，请他尽情地发挥！米兰对他来说比佛罗伦萨更有用武之地！"

列奥纳多被说动了。30 岁那年，他离别故乡佛罗伦萨去了北方的米兰。

6. 犹大之头

米兰的法庭正在审判几个窃贼和拐子，旁听席上，有位中年人并不注意听取法官和证人的问答，却坐在那里对窃贼和拐子作素描。那中年人，便是列奥纳多·达·芬奇。

当时列奥纳多正为米兰的圣玛丽亚·格拉契修道院的食堂画一幅长 8 米、高 4.6、占一面墙的大型壁画《最后的晚餐》。为了画好这幅壁画，列奥纳多作了多方面的、细致的准备工作。

《最后的晚餐》画的是《圣经》故事中有名的一幕：逾越节那天晚上，耶稣同他的十二个门徒同坐一桌进餐，耶稣待大家坐定后说："我实在告诉你们，你们中间有一个人要出卖我了……"这话犹如晴天霹雳，举座大惊。

这个题材，过去有许多画家画过。列奥纳多处理这个题材时，却别辟蹊径。以往画《最后的晚餐》，总拘泥于耶稣和门徒围桌而坐的格局，结果总不得不把其中几个门徒，画成背朝观众。列奥纳多却把耶稣和十二门徒处理成同坐在一个长条餐桌的里侧，全部面对观众，而且从透视角度上，使画中的餐厅与现实的餐厅相衔接，仿佛耶稣身后的门窗就是这食堂的门窗，门窗外的风光就是从这食堂望出去的自然景色，而画中左右墙壁及上面的天花板，也与现实的墙壁与天花板相连，因之倘若教士们在此食堂进餐，耶稣那"你们中间有一个人出卖了我"的表情，也就仿佛在检验着每一位教士的灵魂，产生出特异的效应。

列奥纳多把耶稣画在中间，左右各六个门徒，而每六个门徒又形成三人一组，各组之间却又相互钩连照应，最后又都集中呼应到耶稣身上，其构图缜密、完美，既仿佛一幕流动变化的戏剧，又浑然而为惊心动魄的一瞬。

为了画好这幅壁画，列奥纳多还突破了以往大家都采用的弗雷斯扣壁画法即湿画法，湿画法必须在墙壁灰面未干时便挥笔作画，以使彩色渗入石灰层中固定下来；这不符合列奥纳多精益求精、反复调适、慢工细活的创作习惯，因而他试验了一种用石灰胶着剂与鸡蛋黄配制颜料的新胶法。《最后的晚餐》这幅画列奥纳多从 1495 年至 1498 年费时四年之久，才终于大功告成。这样的创作速度也确实只有用新胶法才能适应。

画得最慢的，是十三个人物的头像。在那几年里，列奥纳多经常在米兰各处转悠，他腰里总拴着一个速写本，遇到了可供参考的人物形象，他就立即拿起速写本和笔，速写或素描下来。在他遗留下来的笔记中，有大段关于《最后的晚餐》的人物构想，比如："基督：和莫塔罗的红衣主教在一起的那一位年轻伯爵。""乔万尼娜有一副奇异的脸相，住在桑泰卡特里那的医院里。""帕尔马的亚历山大·卡里西摩，采用他的手作为基督的手。""一个正在饮酒的人把杯子放回原处，掉头对着讲话的人。""另一个人转身的时候手里的餐刀打翻了桌上一只杯子。"等等。这说明他耐心地寻找着模特儿，并极为细腻地设计着画上的每一个细节。

画来画去，只剩下出卖耶稣的叛徒犹大的头像还没有着落。到法庭去旁听审判，作窃贼和拐子的素描，正是为了寻求最合适的犹大之头。

一天列奥纳多和徒弟塞瑞正在搭有工作架的壁画前坐着休息，圣玛丽亚·格拉契修道院院长走了过来。这位院长的相貌并不怎么猥琐，然而他看人的眼光总充满猜疑，探头探脑的神态总仿佛在窥视别人的隐私，而且步态总那么欲行又止地充满鬼祟之气。

院长来看壁画，督促画师早些完工，这本是堂皇正大的事，然而此公走拢列奥纳多跟前以后，却只是一脸冷笑，阴阳怪气地说："列奥纳多先生要想睡觉，这里可非恰当之地。"

列奥纳多便向他解释说："要把壁画画好，根据已有的素材，冥思苦想也是一个重要的环节；你看着我坐在这里像打瞌睡的样子，其实我是在反复构想，这画上犹大的头像该如何描绘……"

徒弟塞瑞也一旁说明："师傅画这画儿真是又费心又费力，现在只剩下犹大之头没有着落……"

那院长却鼻子里哼出两声，毫不留情地说："这幅画总画不成，已影响了修道院和我的名誉！你找不到犹大的头，难道我去给你砍一个来不成！我也不跟你多说了，我且去告知洛德维科·摩尔大公！"

恰好洛德维科·摩尔大公来看壁画，迈进食堂时听见了院长末尾的话，便呵呵大笑着走过来问："要砍谁的头？我下命令让他们去砍！"

列奥纳多便对他说："这壁画只缺犹大的头没画了，我一直没找到最合适的模特儿——可刚才我在一瞬间突然找到了，那就是院长说难道我去给你砍一个来不成时的面容——真是翻脸无情、残忍冷酷啊！"

院长一听又急又气，连连摆手，洛德维科·摩尔大公却笑声如雷："好啊好啊！"

据说列奥纳多画成的《最后的晚餐》，那犹大的头像果然以修道院院长为蓝本。

为便于观画者欣赏这幅绝世名画，且从画右至画左把画上的门徒介绍一下：最右一组的三位是西门、马太和达太。西门坐在桌端摊手感到意外，马太和达太站起身来，达太双手伸向中央，这既表达出了他们的气愤又使这一组人物和靠中间的人物相钩连并与另一侧人物的高矮动态相均衡。画右边第二组三位是菲力、多马与大雅各，通过三人不同的手势与身姿刻画出三种不同的性格，尤其是菲力的善良与柔弱。从耶稣往画左看，第一组人物是约翰、犹大和彼得，约翰是耶稣最钟爱的弟子，以往画家总把他画成投入耶稣怀中，列奥纳多则把他画成向与耶稣相反的方向倾，垂目合手，仿佛极度忧郁而痛苦；犹大则做贼心虚，失措中身体不由自主向后仰去，痉挛的右手紧抓那个装有卖主而得的十三块银币的钱袋，仓皇中左手打翻了桌上盐罐，他的脸则笼罩在阴影之中；彼得本在犹大后边，却画成了他伸头抚着约翰肩膀与约翰耳语，这样恰好挡住了光源使犹大脸上的阴影毫不牵强，彼得另一只手握着餐刀本能地伸向身后，生动地刻画出他的疾恶如仇。画上最左边三位是安德烈、小雅各和巴多罗卖，安德烈举起双手惊愕莫名的神态最为突出。值得注意的是以往画家处理这类宗教题材总要在耶稣和圣徒头上加光圈，这幅《最后的晚餐》却全免了，这样，就使这幅壁画更接近人间，从而唤起许多关于世道人心的联想。

7. 铜像难铸

"啊呀！快躲开！惊马过来啦！"

米兰圣·辛普利齐古教堂前的广场上，一位骑马的青年拐入广场时，一个推着小车的小贩正横穿马路，马匹受惊，小贩逃离一边，小车倒地，滚落一地的柠檬和橄榄，而骑马的青年驾驭不住惊马，惊马疯狂地朝教堂侧门奔去；教堂侧门对过的小楼上，两位站在阳台上的盛妆妇女，便尖声俯身朝下面一位男士叫喊起来。

那男士便是列奥纳多·达·芬奇。

列奥纳多爱穿一袭玫瑰紫的长袍、戴一顶宽沿软帽，步态似乎永远那么安详而优雅；这天他在圣·辛普利齐古教堂前散步时，那阳台上的两位贵族妇女从衣着和步态上认出了他来；她们都暗暗地爱恋着他，于是便从阳台上抛下艳红的蔷薇，希望打中他的帽子或衣衫，使他能驻足仰望，只要他将那双睿智澄澈的海蓝色眼睛朝向阳台，她们便准备不顾一切地给他送去一个又一个的飞吻……然而她们抛下的红蔷薇并没有落到列奥纳多肩上，而偏这时马蹄声响、马鸣嘶嘶、人声嘈杂，她们发现惊马直奔而来，列奥纳多却并没有随惊惶的行人奔跑躲避，便不由自主地跺脚舞扇，狂呼起来。

令人惊诧的是，列奥纳多非但没有慌忙躲避，反而双腿微微岔开，稳稳地站在那里，手中迅即操起速写簿和炭条笔，双眼飞快地一抬一低，持笔的手飞快地用流利的线条捕捉着惊马直立、前蹄蹬空的姿态，直到那惊马几乎直逼到跟前，这才从容不迫地闪开。

骑马的青年好不容易才把惊马制伏住，制住惊马后他赶忙跳下马来，迎向列奥纳多道歉，同时忍不住问："先生，您怎么面对这样的危险，还要画速写呢？"

列奥纳多便对他说，自己渴望捕捉一个烈马扬蹄的姿态，已有好久，今天适逢其事，怎能错过。

两人攀谈起来。那青年得知面前竟是大名鼎鼎的列奥纳多·达·芬奇，不禁惊喜交加；原来他是米兰郊区的一个画匠，正想进城里来拜师深造，他原来根本没想到能遇见列奥纳多这样的大师；列奥纳多见那青年憨直可爱、求知心切，又感到机缘凑巧，便当场收他为徒,那青年便是塞瑞——后来跟随列奥纳多三十多年。

阳台上的两位妇女见列奥纳多同闯祸的青年牵马而去,好生失望。她们哪里懂得,当时萦绕在列奥纳多心中的,完全是雕铸大铜像的事情。

列奥纳多·达·芬奇应米兰大公洛德维科·摩尔之邀来到米兰之后,洛德维科·摩尔便请他为自己故去的父王弗兰西斯科大公铸一铜像,声言要高大雄伟、令人一望而生敬畏,至于所耗资财,让列奥纳多完全不必顾虑,需用多少便供应多少,他是在所不惜的。

列奥纳多倒也很愿完成一件巨大的雕塑作品。他构思的弗兰西斯科大公像,是大公骑在一匹雄壮的大马上,马正跃起前蹄,大公则威武地握缰控住大马,马为大公生威,大公借马展志;整个雕像将有三层楼那般高,一旦耸立在米兰大公宫殿前的广场上,人们从很远的地方便能望见那威武豪放的剪影,从而对米兰公国生出敬服之心。

列奥纳多的这个构思,不但艺术上新颖奇特——因为在那以前,武士骑马的雕像没有一座是马扬前蹄的;技术上也是空前复杂的——这样一种姿态,要使之稳定就必须在力学上计算得非常精确;铜铸雕像要先用石膏打型,这样巨大的雕像,用石膏打型已属不易,何况在用石膏模子浇铸铜像时,需要专门设计特殊的熔炉和鼓风机,这在当时都面临着一系列的困难。

列奥纳多不但是一个伟大的艺术家,也是一个伟大的科学家和工程师。在制作弗兰西斯科大公雕像的过程中,徒弟塞瑞不但从列奥纳多大师那里领悟到许多艺术的妙谛,而且,也协助列奥纳多大师完成了许多科学技术上的发明,比如,为了让超常重量的铜锭熔成铜汁,就必须使熔炉有超常的高温,于是列奥纳多便带领塞瑞作了多次试验,终于发明了先用水将燃煤弄湿,使煤燃烧时水蒸气和火焰混在一起,产生出超常高温的工艺;为此还设计出了比以往具有更大风力的风箱——这对后世的冶金业发展起到很大的推进作用。

但是快到弗兰西斯科大公的祭日了,那雕像还没有铸成,洛德维科·摩尔有些着急,他去催问列奥纳多,列奥纳多便告诉他,铸这样大的雕像要十万磅青铜,工艺相当复杂,恐怕还得再等一年才能铸成,洛德维科·摩尔发起怒来,列奥纳多便建议先把一具石膏的仿铜雕像树立到王宫广场上,待真铜像铸成后,再换下它来。洛德维科·摩尔这才转怒为喜。

那具石膏的雕像树立到王宫广场巨大的石座上后,米兰市民们纷纷跑去观看,个个惊叹,人人赞奇;外国的使节、商人、游客见了,也都感受到一种震撼;洛德维科·摩尔抚着浓密的胡须,洋洋得意,他感到父王的雕像大大增强了米兰公国的国威。

然而没有多久,到1499年,法国国王路易十二带着军队打到了米兰,平时咋咋呼呼、不可一世的洛德维科·摩尔却慌了神,不仅不能组织有效的抵抗,反而脚底抹油溜之乎也,米兰落入法军手中,那尊巨大的雕像,成了法军开枪示威的靶子,因为它本非铜铸而只是石膏的胎子,很快便千疮百孔、面目全非。

列奥纳多一生所有的雕塑作品,包括这尊弗兰西斯科大公像,都没有留传下来。这是他本人也是人类永远的遗憾。

8. 镜中文字

塞瑞在打扫师傅书房时,不小心把一面镜子碰到地上,跌成碎片,他又痛心又惶恐地叫了一声:"啊呀!"

列奥纳多师傅走过来,却并没有责备他,只是安详地说:"塞瑞呀,不要紧,呐,这是金币,我正要你去商店里买镜子哩——今天我们需要好几面镜子,你除了买一面同这跌碎的一般大的,再买两面最大号的来。"

那个时代,玻璃镜是非常贵重的东西,当时米兰没有像样的玻璃作坊,一般玻璃器皿都要从威尼斯进口,而玻璃镜,往往必须从埃及、塞浦路斯等遥远的地方很小心地运来;那时候还没有发明铅玻璃,当时的工艺也不可能使玻璃达到现在这样的光洁度,背面的涂料也不够理想,因此千万别把当时的玻璃镜想象成同今天的一样。

塞瑞一边去往卖镜子的商店,一边想:那店主一定会奇怪吧,列奥纳多师傅还没结婚,一个男子,屋子里摆放那么多镜子干什么呢?其实塞瑞刚到师傅那里时也很惊奇，大大小小的镜子竟有十来面之多！然而没几天塞瑞就明白了，师傅是用那镜子来做许多实验呢！师傅不止一次地对徒弟们说过："镜子为画家之师。"师傅领着徒弟们外出写生时，以及领着徒弟们在画室中对镜揣摩时，总是用坚定的语气说："我们一切知识的来源只能是我们的感觉！"塞瑞还记得师傅领着徒弟们做的实验：夜里将一盏灯放在相距一腕尺的两面镜子之间，于是可以在每一面镜子里看到无数灯火，依次一个比一个小……师傅由此向徒弟们讲透视学，他把透视分为三个分支：线透视、空气透视、隐没透视；倘若没有师傅指点，塞瑞和师弟们怎么能懂得，即使阴影当中也有学问哩，阴影又可分为原生阴影和派生阴影；而在阴天里作画最能体现出大自然丰富的光影层次，用师傅发明的那个"薄雾法"画出来的风景，巉岩山林的边缘全都消融在似有若无的雾气中，比如《拈花圣母》那圣母两边的四扇圆拱窗外显现的风景，活像一面镜子映照着对面的事物，又仿佛弥散着的如烟如雾的大气在朝观画者飘来……跟着这样伟大的一位师傅学艺，真是三生有幸啊！

塞瑞和商店的店员把镜子运到以后，列奥纳多师傅把两面中等大小的镜子立到书房的写字台上，拍着一摞浅咖啡色的粗糙纸张对塞瑞说："亲爱的塞瑞，我要带着你两个师弟出去一趟，烦请你帮我整理一下这摞笔记——它们的前后顺序完全弄乱了，你不必细读，你只要根据上面的图画和每张纸的末几行头几行，把它们的前后顺序弄清楚就行——然后烦请你给编上号码，以便今后保存和检索……"

塞瑞不解地望望写字台上的镜子，问："那，它们有什么用呢？"

师傅微笑着说："你且试着读上一页……"

塞瑞拿起一张纸，一看傻眼了——怎么一行字也认不得？倒不是因为写得匆促潦草，简直怪异非常，令人莫名其妙！

师傅便教给他："你且把我的笔记对着镜子照……"

塞瑞一照，恍然大悟——镜子里一行行文字尽管仍然潦草，却清楚可辨——原来，师傅在纸上手书的是从左往右的反文，必得对着镜子，才能够读出来……

列奥纳多师傅外出了，塞瑞坐在写字台边认真地工作着，他越弄越有兴趣，原来师傅那摞笔记内容十分丰富，既有运河工程、巨大兵器设计的草图和笔记，又有花卉、鸟羽、机械传动和人体比例的研究，最令人惊奇和佩服的是，师傅对人体肌肉、骨骼和内脏的探究是那样的细致，而对胎儿在母体中的发育过程，师傅竟也了解得那样地具体……

列奥纳多师傅回到书房时，塞瑞还专心致志地坐在那里对镜辨读。塞瑞见师傅回来了，便跳起来问："师傅啊！真是妙极了！可您究竟为什么要这样书写文字呢？"

列奥纳多先是把手一摊说："亲爱的塞瑞啊，难道你不知道我从小就是个左撇子吗？"然后又走过去拍着塞瑞肩膀说："塞瑞啊，实对你说吧，我这样书写，是为了避免不相干的人看见，引出误会和麻烦啊，特别是这些人体解剖的笔记——你现在是我信得过的爱徒了，所以我不避讳你，让你来整理这些东西；如果你也愿像我一样地研究人体，今后我可以领着你进行尸体解剖哩！"

塞瑞扑进师傅怀里，感动地说："师傅啊！我愿意哩！我要像您一样，为科学和艺术，为美，贡献一生！"

9. 解剖蒙难

月色迷蒙，小风吹动着榭树的枝叶，榭树下一所破旧的石板屋，门窗紧紧地关闭着，连窗隙也没透出一丝光亮，看上去阒无人迹。然而一只猫头鹰"哇"的一声飞落到榭树的大枝丫上，两只大眼睛闪闪发光，仿佛在期待着什么。

那是在米兰郊外，石板屋里点着好几盏灯，但门窗都遮着黑色的厚帷幔；屋当中一张台子上，摆放着一具死尸，列奥纳多和他的徒弟塞瑞，正在解剖那具尸体。

在那个时代，不仅宗教势力把尸体解剖称为亵渎神圣、罪不可逭，就是一般的民众，也把这事称为不可理解的疯狂行为。

列奥纳多和塞瑞所解剖的，是一个老乞丐的尸体，那老乞丐往常总在圣玛丽亚·格拉契修道院外面乞讨，列奥纳多和塞瑞在修道院食堂画《最后的晚餐》时，出来进去常常遇见他，每次总要给他一两个银币，久而久之，成了熟人。那老乞丐有一回牵着列奥纳多的衣角说："芬奇先生，我真忘不了您的恩德！可惜我简直想不出来，我能怎样报答您，因为我是一无所有啊！不过，我听到一种传言，就是您有着一种特殊的兴趣——你在家里解剖鸽子、啄木鸟、豚鼠……乃至于刚刚病死的老马，像您这样一位善人做这样的事，想必总是有道理的、上帝恩准的——所以，我想，有一天我死了，我能把自己的尸体献给您，由您去解剖好了……"

不几天那老乞丐果然死了。被修道院草草地收埋在教会的墓地里，列奥纳多和塞瑞说动了看墓人，将那老乞丐的尸体挖了出来，运到这个隐蔽的地方，开始了细心的解剖。

列奥纳多一边解剖一边对塞瑞说："解剖尸体，实在是一桩有意义的事。不仅作为画家，我们应当了解人体的构造，以便把画上的人物表达得更好；也不仅从医学的角度，人们应当把人体内部的情况弄个一清二楚，以便更好地为活着的人疗治保健，实际上，解剖尸体还关系着许许多多科学问题的研究探讨，比如说，我就常想，鸟儿为什么能飞，人为什么就不能飞呢？你会说，那是因为鸟儿有羽毛、有翅膀，人却没有；实际上问题并不那么简单！我就做过这样的试验，模拟鸟翅，给自己胳膊上绑紧像鸟那样的双翼，从阳台上往外跃起，结果我并没有飞起来，还是跌到了地上。为什么人飞不起来呢？我解剖了鸟的翅膀，发现它那个肌肉、筋腱和骨骼是很特殊的；而人的胳膊，骨骼、筋腱、肌肉，却是这样的……你看，你看……所以我想，人要飞上天空，恐怕还得想另外的办法。你记得我制作的那个下面是弹簧、上面是旋转桨叶的模型吗？我想通过上下的合力，让那玩意儿径直飞升起来，当然，一下子也不成功……"

塞瑞初次同列奥纳多师傅一起解剖尸体，开始还有些紧张，面对腐烂中的尸体也不免感到嫌厌，但听师傅这么一讲，就渐渐进入到一种忘我的境界，是呀，人类要想深入地了解自己，以及深入地了解人类同大自然之间的关系，又怎能回避尸体解剖这项工作呢？

谁想那墓地的看守者一天喝醉了酒，泄露出列奥纳多和塞瑞师徒挖取老乞丐尸体的事，消息传到圣玛丽亚·格拉契修道院院长耳中，那院长本来就为列奥纳多将自己的面貌画作《最后的晚餐》中的犹大而耿耿于怀，这下他感到报复的时机已到，便立即说动宗教裁判所，将列奥纳多和塞瑞拘押起来。

在那个时代，解剖死人尸体，依然被教会指斥为魔鬼的行径，虽然不一定像中世纪那样处以火刑了，但惩罚依然是严厉的。塞瑞是被很粗暴地带走的，关入修道院的地窖中，列奥纳多则是被客气地请走的，但经过简单的问话后，便将他软禁起来，不许他同外界接触。圣玛丽亚·格拉契修道院的院长，特意跑去探视列奥纳多，装出感到震惊与意外的模样，一脸冷笑地说："这显然是一个误会，就像把一个人的头错安在另一个人的肩膀上一样，真荒唐，荒唐！"列奥纳多懒得理他，他露了一面之后也就再无踪影。

列奥纳多正苦闷地等待着宗教裁判所的正式审判，他决心要为自己和塞瑞提出强有力的辩护。一天窗外传来了隐约的枪炮声，然后是异乎寻常的寂静，原来是法军攻入了米兰。米兰大公洛德维科·摩尔仓皇出逃，整个米兰城一时大乱，宗教裁判所的神职人员也都纷纷落荒而逃，列奥纳多因而被同情者所解救，他又迅即打听出塞瑞的下落，到圣玛丽亚·格拉契修道院的地窖里救出了塞瑞；那修道院院长早已溜之乎也，整个修道院空空荡荡，食堂里那幅《最后的晚餐》壁画，面对着没有一个人影的冷桌冷凳，画上的耶稣摊开着双手，仿佛不是在说《圣经》上的那句话，而是忧心忡忡地问：米兰将是怎样的命运？

10. 大师摆擂

在佛罗伦萨圣玛丽亚·诺维拉教堂外面的广场上，一群群的市民激烈地争论着。

他们刚从教堂里出来。教堂里陈列着列奥纳多·达·芬奇的一幅大型壁画《安加利之战》的草图。参观完那幅草图的市民，无论喜欢还是不喜欢，都觉得受到了一种强烈的刺激，他们情不自禁地要马上说出自己的感受，因而三五成群地站在广场上交换着意见，有的因为看法完全对立，便激烈地争论以至争吵起来。

喜欢的说，列奥纳多画得真是太棒了！画面上是对垒双方的骑手在拼杀并争夺军旗，人与马都搅成一团，面对着这幅图画人们不但耳边喧响着马嘶人喊、刀剑相击的声音，而且仿佛嗅到了人血和马汗的气息，画面的跃动感使人生怕那战马就要从上面跳出，而把观画者逼入那场殊死的搏杀。谁能想到一贯以表现恬静、安详、仁慈、柔情的圣母和圣婴见长的列奥纳多大师，如今一接过战争的题材，便能得心应手、出神入化到这般地步呢？真是天才！真是大手笔！

不喜欢的说，这幅《安加利之战》真太可怕了！看了它心脏受不住，灵魂仿佛在被撕掳；画面上乱糟糟的，既不优美更不庄严，真没想到画出过《岩下圣母》等瑰丽作品的列奥纳多，这回竟画出了这么阴森可怖的东西！

也有看完说不清自己是喜欢还是不喜欢的，他们只是发愣。

那已是 1504 年。1499 年法国军队攻入米兰以后，列奥纳多和塞瑞等徒弟就逃离了米兰，经过一年多的辗转漂流，列奥纳多终于在 1500 年年底回到了故乡佛罗伦萨。那时的佛罗伦萨已结束了美第奇家族专权，新的长老会议同法国人缔结了一项和约，避免了法军的入侵，对比于米兰情况，佛罗伦萨人很感骄傲；新的长老会议站稳脚跟后，便决定重新修整维基奥宫即长老会议大厦，并决定在大厦内的议事大厅墙壁上，画两幅巨大的壁画，一幅定名为《安加利之战》，要表现 1440 年佛罗伦萨军队战胜米兰军队的情况；另一幅定名为《卡西诺之战》，要表现 1364 年佛罗伦萨军队战胜当年尚未隶属于佛罗伦萨的比萨军队的情形。画这两幅画的用意，自然是为了激起佛罗伦萨人的爱国热情。长老会议决定聘请佛罗伦萨最高水平的艺术家来承担这两幅壁画的创作任务，他们把《安加利之战》订给了列奥纳多·达·芬奇，酬金 1 万个金弗罗林；把《卡西诺之战》订给了米开朗琪罗·邦罗内提，酬金 3000 个金弗罗林。

当时列奥纳多已经年过半百，而比他小 23 岁的米开朗琪罗还是个毛头小伙；米开朗琪罗出身于石匠家庭，他当时正雕刻出著名的大卫裸像，大卫是《圣经》中讲到的古犹太民族的领袖，他还是牧羊少年时就用手中的甩石机打倒了敌人的首领歌利亚；米开朗琪罗雕出的大卫像焕发着青春的活力，体现出佛罗伦萨人乐观、自信、勇敢、旷达的性格，因而大受欢迎；长老会议作出决定，将他雕的大卫像矗立到长老会议大厦前的西诺拉广场上，米开朗琪罗顿时成为佛罗伦萨艺术界一颗灿烂的新星，深受市民的青睐，一些年轻的姑娘，更对粗壮豪放的米开朗琪罗心存缤纷的幻想。

米开朗琪罗画出的《卡西诺之战》草图也公开展出了，画面上呈现的是一个战斗前的场面：军号响了，正在河中洗浴的佛罗伦萨勇士们急忙从河里跑上岸去，准备投入战斗，这个构思充分发挥出了他作为雕刻家的优势——他在画面上设计了许多个裸体的青年战士，他们健壮的躯体使人联想到大卫的雕塑。对于米开朗琪罗的草图，人们也展开了激烈的争论，有的说他画得壮美豪放，令人精神为之一爽；有的却说他只会自我重复，而且画面上并无敌我双方的交战场面，因而有离题之嫌。

当人们把列奥纳多和米开朗琪罗的两幅草图对比着讨论时，那争论就更激烈了，在小酒馆里，甚至时有争论双方不仅动口还动手的事情发生。

后来两位画家都进入长老会议大厦议事厅，各据一面墙壁开始正式作画，佛罗伦萨城里就更是沸沸扬扬了。这显然是一场大师摆擂的竞赛。人们在争论之余禁不住都说："究竟哪幅画好，到头来还得等他们画成彩色的再说！"

米开朗琪罗画得很快，实在他也不能不快，因为他使用的是老式的湿画法；而列奥纳多画得很慢，他仍然采用了在米兰画《最后的晚餐》那样的办法，用石灰胶着剂与鸡蛋黄配制颜料，然而这回所画的壁画比《最后的晚餐》要大许多，而墙壁的质地又与画《最后的晚餐》那堵墙壁很不相同，列奥纳多画得很不顺手，有时画成部分的颜料当天就往下流淌，使他非常烦恼。

《安加利之战》和《卡西诺之战》，究竟哪一幅更加精彩呢？直到1505年，这场擂台赛仍然没有个结果。

11. 礼让后进

"看，列奥纳多大师过来了，咱们不如请教他吧！"

几个正在讨论但丁伟大诗篇《神曲》的佛罗伦萨市民，朝列奥纳多迎了过去。列奥纳多刚从城外写生回来，很觉疲惫，但对围上前来的故乡人，只好强打精神微笑招呼。他深知佛罗伦萨市民酷爱在公共场所讨论一些高雅的话题，例如但丁和彼特拉克诗歌中的深奥含意，市里最新的建筑、雕塑以及绘画作品的优劣，等等。你说这是佛罗伦萨人文化素质高也罢，附庸风雅蔚成风气也罢，反正这类事常有。

那是一个秋日的下午，在圣·特里尼达教堂广场上。几个市民争着把他们讨论的问题告诉列奥纳多，原来他们对但丁《神曲·地狱篇》第一歌中所提到的"豹"、"狮"和"母狼"的象征意义，理解得各不相同，他们请列奥纳多说说他的见解。

列奥纳多正待说出自己的看法，忽然看见米开朗琪罗从那边走了过来，便对那几位市民说："瞧，米开朗琪罗·邦内罗提先生来了，我想关于这个问题，他更有资格来发表意见！"

那几个市民果然又迎向米开朗琪罗，同他交谈起来。

列奥纳多正待移步离去，米开朗琪罗突然拨开身前的两个市民，几步抢到列奥纳多面前，脸红脖子粗地冲他嚷了起来："芬奇先生！你凭什么讽刺我，说我更有资格发表意见？！"

列奥纳多没想到比他小23岁的米开朗琪罗会这样没有礼貌，他愣了一下，但很快镇定下来，于是他和颜悦色地对米开朗琪罗说："邦内罗提先生，我丝毫没有讽刺您的用意哩，您的十四行诗，不是流传得挺广吗？您不仅是雕刻家，您也是诗人嘛，诗人解诗，难道不是最有资格吗？"

米开朗琪罗听不得"资格"两个字，他想，我们画同样大小的壁画，为什么长老会议给你的报酬，比给我的多三倍以上，还不就是因为你比我大23岁，"资格"老吗？再说我天天到那长老会议大厦议事厅去赶工，你老先生呢？却三天打鱼，两天晒网，最近竟一连好几天不见你影儿了，你架子怎么那么大呢？他越想越有气，正当气头上，便发作起来，索性更大声地嚷嚷道："您这不是讽刺是什么？谁不知道您的观点，您认为雕刻和诗歌都不算最高级的艺术，唯有绘画才是艺术的巅峰——可是实对您说吧，只有低能的人，才满足于在平面上作画，而不能完成一件立体的雕塑！当然啦，您在米兰搞过一个弗兰西斯科的大雕像，可鼓捣了十来年，竟还没有用铜浇铸出来，只是个石膏胎子的模型——如今让法国大兵当靶子打着玩儿，听说已经像个大筛子了！哈哈，您当然不心疼啦，低级艺术品嘛！您的高级技艺全体现在您那些圣母像上了嘛！不过，我又实对您说，您那些个圣母像净画些个风景，山林啦，岩石呀，那算什么？只有画不好人物的画家，才会专门在那些个山呀树呀雾呀烟呀上头下工夫哩！……"

米开朗琪罗公然对列奥纳多放肆地讽刺、攻讦起来，这使列奥纳多和围观的市民都很震惊。圣·特里尼达教堂的巨大阴影，斜铺到广场上来，笼罩着列奥纳多、米开朗琪罗及那一群市民，气氛一时相当紧张。

列奥纳多和米开朗琪罗一直心存隔膜，这不仅因为他们二人年龄、教养、经历、气质相差甚远，也确实是因为他们的艺术观很不相同，列奥纳多对雕塑的贬抑，在留传至今的他的艺术笔记中有大量的证据，例如他说"绘画是一门科学，雕塑不是一门科学，是一项最机械的手艺"，并且他也确实把诗歌列在绘画之下，他的笔记中说："绘画为哑巴诗，诗为瞎子画……哪一种创伤更重？是瞎眼还是哑巴？"难怪米开朗琪罗听列奥纳多称自己为"雕刻家"和"诗人"，就觉得那是一种讽刺了，而米开朗琪罗听说的"只有画不好人物的画家才在风景上下工夫"、"只有低能的人才只满足于在平面上作画而不能完成一件立体的雕塑"一类的观点，虽是气头上嚷出来的，却也是他一贯深藏于心的看法。

围观的市民越来越多，许多人窃窃私语：瞧，这两位艺术家不仅在长老会议大厦议事厅里摆着擂台，今天又在这圣·特里尼达教堂前面叫上阵了！

一阵微风朝米开朗琪罗脸颊上拂来，他略微清醒了一些，望着面前鬓发斑白的长辈，他开始有点后悔；列奥纳多望着米开朗琪罗那张线条刚硬的面庞，尽管表情仍是剑拔弩张的，然而从那双浓眉下的大眼睛里，他捕捉到了一种难能可贵的憨直与激情，于是，列奥纳多格外谦和地对米开朗琪罗说："邦内罗提先生，真对不起，让您生这么大的气！我实实在在是无意的哩！您的《卡西诺之战》，画得非常精彩，作为一个画家，您的造诣也达到了相当高的程度，今后您在绘画方面发展，一定也相当辉煌；至于我那《安加利之战》，说实在的，颜料的问题总未妥善解决，所以暂时停顿下来了，不过我还正在积极试验新的配方……让我们都忠于自己的创作，都把它弄得完美无缺，为佛罗伦萨争光吧！"

由于列奥纳多的谦和礼让，两位艺术大师没有争吵起来，米开朗琪罗渐渐心平气和，同列奥纳多互行躬身礼后，各自离去。市民们望着他俩的背影，众说纷纭，不过大多数人都认为，他们各有各的道理，而无论列奥纳多的衣帽整洁和彬彬有礼，还是米开朗琪罗的须发蓬乱和桀骜不驯，都不失艺术家的天然风貌，他们对两个人的喜爱与推崇，经过这个场面后是都有加强。

后来列奥纳多的《安加利之战》和米开朗琪罗的《卡西诺之战》都没有画成。米开朗琪罗的完全失传，列奥纳多的则有他去世58年后才降生的尼德兰画家卢本斯的一个摹本，大概是根据列奥纳多生前的那幅草图的转摹本着色画成的，因此，如今我们已无从将《安加利之战》与《卡西诺之战》两画加以对比。

12. 蒙娜·丽莎

一乘轿子停在了列奥纳多宅第门口。那轿子不是中国古代的那种厢式封闭轿，它很像一把豪华的座椅；抬轿子的方式也不是像中国古代那样把轿杠放到肩膀上，而是轿夫下垂着手臂握紧轿杠朝前迈步。这显然是一乘豪富人家的轿子，因为连轿杠上都装饰着金线编织的流苏。从轿椅上下来了一位年轻的妇女，她是城里大呢绒皮货商乔贡达的妻子。

乔贡达已经是个满头白发满脸皱纹的老头，而乔贡达的这位妻子却像一朵鲜嫩的玫瑰，当时她刚刚24岁。据说她已是乔贡达的第三任夫人。有时他俩同坐在一辆豪华的马车上，不知底细的人望上去总以为是一对父女；有时他俩一同步行在广场上，又常被人当做一位贵妇人带着盛装的老仆。他们夫妻二人实在是很不般配。

乔贡达当时不仅腰缠万贯，还新当选为长老会议的议员，真是春风得意。但乔贡达夫人为他生下一个女儿，才四个月就夭折了，因此非常忧伤，成天愁眉不展。乔贡达为了给夫人消愁解闷，便想出一个主意——请佛罗伦萨城里最有名的画家画像。这不仅要付出很高的酬金，而且还得有足够的面子，才能使那些往往是狂傲或清高的画家揽下活计。乔贡达一心要请列奥纳多为妻子画像，这是难度最大的。因为列奥纳多不仅当时正承揽着长老会议订下的大型壁画《安加利之战》，而且佛罗伦萨城里很多人都知道，列奥纳多的脾性比一般名画家的狂傲或清高更难对付，那就是他那种追求完美的顽强劲儿，凡他认为不能充分满足他创造完美作品的题材，那是任凭你付多高的酬金，给多大的面子，他都会婉辞严拒的。的确如此。在从米兰

刘 心 武 文 存 16

返回佛罗伦萨的过程中，列奥纳多曾在曼多瓦停留，当地声势显赫的伊莎贝拉·德斯娣侯爵夫人对他盛情款待，并请他为自己画像，那侯爵夫人简直愿意送给列奥纳多一把纯金打铸的椅子，每天不知给他多少温言媚语、鲜花佳肴，但列奥纳多任凭她如何挽留，到头来还是没有给她画成一幅油画肖像，只留下一幅素描便离开了曼多瓦。

但乔贡达先生带着年轻的妻子头一回进入到列奥纳多宅第，面请列奥纳多为乔贡达夫人作画，列奥纳多竟很爽快地答应了下来。自那以后，每隔几天乔贡达夫人就独自坐着轿子来列奥纳多宅第，进入画室让列奥纳多画像。

乔贡达夫人头一回来到列奥纳多画室时，穿戴打扮得珠光宝气，列奥纳多不仅请她除下华丽的帽子和披肩，而且请她除下额上镶有蓝宝石的勒箍，还有脖颈上的珍珠项链、耳下的金耳饰、腕上的银丝玛瑙手镯和手上的三枚镶有钻石、珊瑚、碧玉的金戒指；乔贡达夫人一开头有点吃惊，因为那些金银珠宝首饰，都是丈夫不惜重金专为她画像新置备的，不仅价值连城，而且一律是最时髦的款式；然而当列奥纳多把她引到画室中的大镜子面前请她自视时，她的眼睛发亮了——她家也有大镜子，她以往总是穿戴好了再仔细地照镜，这次，却是卸下了全副华贵的装饰品，在名画家指点下来仔细地照镜。列奥纳多对她说："人应当坚信，最美的是人本身，而不是那些附加物。"她心中仿佛通过了一股电流，并且有一种卸下枷锁的解放感。

从此乔贡达夫人把到列奥纳多画室画像当成生活中至为宝贵的时刻，而列奥纳多每当为乔贡达夫人画像时，也总流露出全身心的愉悦。画像从素描阶段渐渐进入到油画阶段，又渐渐画成。但列奥纳多总不满意。为了把这幅画像画好，列奥纳多不惜花费了大量金钱，将画室作了彻底的改建。他请工人拆掉了画室和庭院之间的墙壁门窗，搭出了很长的一个凉棚，使庭院和画室连成了一片，庭院中一座古雅的喷泉进入了棚下，水声更加琤琮有味；从画室中可以一眼望到庭院中高低有致的绿色植物；画室中这里那里，摆放着造型拙朴的瓷瓶陶钵，里面总插满着大簇的百合、鸢尾、金盏草；他还设计了好几重可以随意闭合拉开的半透明帷幕，能够根据需要调整画室中的光线。列奥纳多为乔贡达夫人画像时，总觉得她不能超越忧戚与哀愁，他希望她能微笑，为达到这一目的，每当她来画室时，便安排雇来的马戏团小丑和乐师，为她当场表演滑稽节目，演奏轻快的乐曲。

有一天列奥纳多外出，塞瑞和师弟们打扫画室时，哥儿几个不禁讨论起来。一个师弟说："我看咱们师傅默默地爱着乔贡达夫人哩！如今师傅画《安加利之战》的时候越来越少，画这幅肖像的时候越来越多，改来改去，总好像不满意；可我觉得这幅画像已经画得非常好了啊！"另一个师弟就说："是呀！我无论走到画室哪个角落，只要望得见画上的乔贡达夫人，我就总觉得她在望着我，而且脸上那个表情啊……怎么说好呢？好像在笑，又好像很忧郁，甚至有点悲伤……画得这么活灵活现了，师傅怎么还要改动呢？"塞瑞便对他们说："就算师傅真是默默地爱着乔贡达夫人，那也绝不是一般男女间的情爱哩！我觉得，师傅寄托在这幅肖像画上的，甚至是一种对人类的爱。人可能不得不面对丑恶、经受厄运，人在命运面前常常因不能把握自己而无能为力，但人应当感受到自身的尊贵，进入到一种超越庸俗、丑恶、罪孽、厄运的境界，从而现出一个只有人类才能具有的微笑……师傅把其他部分都画妥了，然而师傅还没有画成这个微笑，所以师傅还要继续地画下去啊！"两个师弟听了都很感动，他们说："塞瑞哥，到底你跟了师傅这么多年，你跟师傅真是心灵相通了啊！"

那一天乔贡达夫人坐着轿子来到列奥纳多宅第，进入画室前，塞瑞的师弟就捧来一只大银盘，乔贡达夫人像往常一样，把帽子、披肩及额勒、项链、耳饰、手镯和戒指全数卸在了那银盘上，然后款步进入画室；列奥纳多迎上去，把她伸过来的手放到唇边行了一个吻手礼；然后，乔贡达夫人便走到每回所在的位置上——那里有一只比常规椅子略高而椅背略短的特制椅子，一只扶手并拐过来以便乔贡达夫人轻倚；乔贡达夫人半坐半倚地立定后，便把右手轻轻搭放到左手上，头微微偏向列奥纳多，并把一双眼睛微微地斜视过去。

那一天，画室中的喷泉潺潺有声，庭院中飘来月桂树和柠檬花的馨香，小丑和乐师倒都没有来，而是列奥纳多亲自抚着他那心爱的马头形小竖琴，悠悠地吟唱起来：

> 青春诚美好,
>
> 奈何似水流!
>
> 命运本无定,
>
> 及时解忧愁!

那基本上是他 21 岁时, 在当时佛罗伦萨最高行政首脑罗伦佐·美第奇宴请当时的米兰大公罗德维科·摩尔的场合中, 弹奏演唱过的歌曲, 不过他把最后一句"及时把福求"改为了"及时解忧愁"。

乔贡达夫人听着这演唱, 忽然现出一个以往从未有过的微笑, 列奥纳多心中"啊呀"一声, 连忙放下竖琴, 接过徒弟们递上的画笔和调色板, 把那个微笑表达在画面上。

那一天乔贡达夫人自己走过来看经过再一次修改的画像, 脸上泛出感动的红晕, 她轻声地问列奥纳多:"您今后怎样称呼这幅画呢?"

列奥纳多回答她:"蒙娜·丽莎!"

"丽莎"是乔贡达夫人的名字,"蒙娜"是对贵妇人的尊称。列奥纳多没有把这幅画叫做《乔贡达夫人像》, 显然是别有深意, 而乔贡达夫人对此, 也大有领悟。

《蒙娜·丽莎》这幅肖像画现存法国巴黎罗浮宫艺术博物馆, 它虽然只有 77 厘米长、88 厘米宽, 在罗浮宫中属于中小型的绘画作品, 但它却是罗浮宫最足以自豪的一幅藏品。我们可以在画上看到素手素面呈现着天然美姿的蒙娜·丽莎, 不仅她那双饱含着人性光辉的眼睛、那蕴藏着丰富而深奥意味的永恒微笑令观者心灵震撼, 画面上蒙娜·丽莎那只没有任何装饰品的右手, 充满了鲜活的生命力而又显得那么安详宁静, 被许多人誉为"人类第一手", 也让观者永远难忘。此外, 作为人物背景的山岩、湖水、路径、石桥, 充分体现出了佛罗伦萨所属的托斯堪尼地区那如烟如雾的润泽大气; 如果细细观赏, 你还能发现, 从画上蒙娜·丽莎的右肩望过去, 地平线在往下降, 蒙娜·丽莎仿佛向上升; 而从蒙娜·丽莎的左肩望过去, 地平线却在往上升, 蒙娜·丽莎又仿佛在向下飘, 但左右两边的景色却又浑然融为了一体。

《蒙娜·丽莎》不仅是列奥纳多所创作的最伟大的作品, 而且成为了意大利文艺复兴活动最突出的标志，如今世界上每一个有教养的人都一定会像知道万里长城一样地知道列奥纳多·达·芬奇和他的《蒙娜·丽莎》，并且《蒙娜·丽莎》大概是世界上被临摹、复制、印刷和介绍得最多的一幅图画，它已成为地球文明最重要的成果之一，一旦人类同外星文明真的沟通起来时，《蒙娜·丽莎》一定会列在首批推荐给外星人见识的艺术作品之中。

13. 银狮献花

并非节日，然而米兰城却装扮得节日般华丽。那是 1507 年，米兰自 1499 年洛德维科·摩尔大公被法国人打败以后，一直由法国国王路易十二派出的总督统治着。那一天路易十二将抵达米兰巡视，总督自然风风火火地张罗，想让路易十二一进米兰城就满眼鲜花彩带，满耳钟声乐音，并且，还将在豪华的总督府中举行盛大的晚会，让路易十二尽情享受独特的意大利佳肴与意想不到的娱乐节目。

路易十二神气活现地进入了米兰城。马队在前面开路。马上的卫士个个戴着插有羽毛的华丽帽子，身披绣有花纹的大披风，还穿着银丝编就的锁子甲，足蹬带银马刺的皮马靴，最前面两排武士还仰脖吹着长颈喇叭，其余的手握长矛斧钺。路易十二那金碧辉煌的马车路过时，总督安排的两行妙龄少女不断向马车抛撒玫瑰花瓣。路易十二从车窗望出去十分满意。总督因此也洋洋自得。

然而路易十二对晚会满意吗？总督知道路易十二在法国吃尽了山珍海味，玩尽了歌舞杂耍，因此要想使米兰的晚会令他开颜夸赞，实在是谈何容易。

那边路易十二的马队还在行进，这边总督的一位特使已经奔往列奥纳多·达·芬奇的住处。

列奥纳多在 1506 年已领着徒弟再次来到了米兰。列奥纳多早先在米兰就名声大噪，回到故乡佛罗伦萨后的艺术活动也蜚声全欧，所以法国国王路易十二就下令给米兰总督，让他无论如何要把列奥纳多再礼聘到米兰，以为法国统治下的米兰增光。米兰总督因此向佛罗伦萨长老会议首领皮埃罗·索德里尼提出要求，皮埃罗·索德里尼当然不愿意放走列奥纳多，他提出的理由也很充分，就是列奥纳多为长老会议议会大厦议事厅所画的壁画《安加利之战》尚未竣工；但米兰总督不吃皮埃罗·索德里尼那一套，坚持要佛罗伦萨把列奥纳多让给米兰，需知当年佛罗伦萨差点被法国军队占领，后来之所以能议和，条件之一就是佛罗伦萨必须不防碍法国的利益；皮埃罗·索德里尼怕坚留列奥纳多会惹出政治上的麻烦，又反过来劝列奥纳多无妨返回他的"第二故乡"米兰,那时列奥纳多对绘制《安加利之战》已无浓厚兴趣,《蒙娜·丽莎》已经画完，并且乔贡达夫人也已随经商的丈夫去往他乡，而列奥纳多对米兰也确有感情，毕竟他自 30 岁到 47 岁那段最年富力强的时期是在米兰度过的，所以，他便下决心告别了佛罗伦萨，再次到米兰定居。

且说米兰总督派去的那位特使气喘吁吁来到列奥纳多面前，双手握在胸前搓来搓去，传达总督的意思说："真怕今天晚上您献出的那个礼物打动不了路易十二陛下，希望您还是能先说个清楚，您准备的究竟是什么？一幅画，还是一座雕塑？难道还是自弹自唱的一首歌曲？"

原来总督早就让列奥纳多为欢迎国王陛下驾到准备一件能令国王陛下惊喜有加的礼物，列奥纳多答应了，但很多天来，总督只听说列奥纳多还在忙着搞他的那些个科学技术研究，什么大大增加纬线通过经线速度的纺织机啦，有锥形跳动舌门的新式阀门啦，体现出理想传动比的齿轮啦，等等，眼看国王陛下就要抵达米兰了，列奥纳多却还在出入各种作坊，几次派人去问他，他却说："请放心，没问题！"现在晚会在即，他究竟准备好了没有呢？所以再一次派特使去询问，没想到列奥纳多仍是淡淡地说："请放心，没问题！"

欢迎路易十二陛下的晚会开始了，室外燃放着簇簇艳丽的焰火，室内是一片鲜花灯烛、绮罗绸缎的海洋，渐近高潮时，总督宣布："现在由本城最荣耀的艺术大师列奥纳多·达·芬奇向国王陛下献礼！"人们纷纷转动脖颈，寻找着列奥纳多那健秀的身影和高雅的面容。然而他似乎不在场，人们不禁面面相觑，窃窃私议。忽然，厅门敞开，乐声响起，只见一只银色的狮子，雄赳赳地从外面走了进来，一步步直逼路易十二陛下的宝座之前，人们大惊失色，有的妇女把手帕使劲塞进嘴里，才避免了一声惊驾的尖叫，有的男士本能地向国王陛下宝座前移动，似乎准备一旦发生不测便舍身保驾；银色的雄狮走到离路易十二五步远的地方突然停了下来，并扬起前爪，抬起身子，在场好多人的心都快跳到嗓子眼儿了，那狮子却陡然裂开肚皮，从中弹出一大把鲜活滋润的白瓣金蕊百合花来——路易十二一下子快活地从宝座上跳了起来，拾起一束百合花，高高地举起扬了扬，又放到鼻下嗅个不止，大厅里这才一下子响起欢呼声、鼓掌声和赞叹声。原来，银色的狮子和百合花都是法国王室的象征，这个活动狮子和这一簇鲜活的百合花，确实是既富有刺激性又体现出对国王陛下尊崇的最佳礼物啊！

不消说，活动狮子以及狮子献花的把戏，都是列奥纳多设计并带领徒弟们和技工们制作安装的，那银色狮子是用金属板拼嵌联接而成的，里面装有特殊的机械传动装置，因而能演出这一系列的场面。

狮子献花的节目使路易十二龙心大悦，总督也觉脸上生光，因此列奥纳多深得米兰统治者宠爱，他们封他为宫廷技师，给予他巨额的酬金同时也给予他更多的活动自由，在以后的八年里，列奥纳多更加勤奋地从事他所喜爱的科学研究工作，他能比较不受干预地进行尸体解剖了；同时，列奥纳多对米兰的市政建筑有很大的贡献，如阿自达河的治水工程，列奥纳多就亲自参与了设计与施工，他对水流的研究，也相应深入了一步。

14. 罗马失意

佛罗伦萨的鲜花圣玛丽亚大教堂那华美的大圆顶，原是整个意大利乃至全欧洲最了不起的建筑奇迹，但是1506年起罗马教廷开始建造圣彼得大教堂，到1513年的时候，尽管还在搭着鹰架施工，尚未形成当代世人所看到的那种恢宏瑰丽的景观，但从规模上和气派上，已明显超出了佛罗伦萨的鲜花圣玛丽亚大教堂。

意大利文学艺术最活跃的中心已不再是佛罗伦萨和米兰，而移到了罗马，罗马教廷的大兴土木，以及梵蒂冈宫内外大量的壁画雕塑需求，都为建筑师、工程师和艺术家提供了更广阔的用武之地，因此，列奥纳多便决心离开米兰，带着塞瑞等几个徒弟到罗马去再试身手。

一到罗马城，列奥纳多就领着塞瑞等几个徒弟去参观西斯庭教堂的天顶画，那是米开朗琪罗用四年时间画成的；师徒们进去后仰头一看，都惊呆了！原来列奥纳多有点低估米开朗琪罗的绘画才能，他承认米开朗琪罗是个杰出的雕刻家，却没想到米开朗琪罗到罗马后竟画出了如此撼人心魄的巨作！那西斯庭教堂的天顶画，中间是"创世纪"的九个场面，四周拱柱间又画了基督祖先和其他有关的故事，以及十二位男女预言者。米开朗琪罗画这组天顶时，竟不要一个助手，坚持自己一个人躺在十八米高的天花板下的架子上，仰着头画；他这杰出的创作，真是太壮观、太富有力与美的韵味了！

在罗马的大街上，列奥纳多师徒遇上了米开朗琪罗，他当时才只 38 岁，然而竟已须发花白、满脸皱纹、步履蹒跚；塞瑞他们惊讶米开朗琪罗为何如此没有礼貌，列奥纳多师傅明明迎面向他躬身施礼，他却依然昂头蹩行，一派傲慢自得的神情。列奥纳多却谅解地对徒弟们说："他怕是确实没有看见我们。为了画那西斯庭教堂的天顶画，他天天仰着脖子，以至现在连脖颈都变形了，所以他眼睛总是往上翻看。艺术就是这样无情啊，你要想创造出美，就必须付出自己的青春、心血乃至身体和性命；然而艺术又是如此地多情，你看米开朗琪罗在那天顶画当中画出的《创世纪》，那是永远不朽的创作啊，艺术家将死去，艺术家的灵魂却借那样的创作而永驻宇宙间哩！"

话虽如此说，列奥纳多心里还是酸辛的，他想到自己已步入晚年，头年他对着镜子为自己画了一张素描，当年的红颜明眸何在？画上的满额的皱纹，满头满脸苍白的须发；当然他也画出了自己饱经世事沧桑的眼光和不向命运屈服的紧抿的嘴唇，但扪心自问，自己创作的绘画作品毕竟还是太少了，到底是后生可畏啊，看米开朗琪罗，光西斯庭教堂的天顶画，就构成了多么丰富的一座绘画博物馆！

当列奥纳多领着徒弟们去往梵蒂冈宫观看那里的大型壁画时，他的心绪就更难安宁。记得八年前的一天，在佛罗伦萨圣玛丽亚·微诺拉教堂广场上，一个腼腆的年轻人走到他面前施礼，怯怯地请求他说："教堂的执事说，那间陈列您《安加利之战草图》的厅堂要暂时关闭一周，可我正在临摹，实在舍不得中断，您能不能……"
列奥纳多见他一头光亮平直的金发，穿着素雅的黑天鹅绒短衫，双眼里闪着仿佛在
宣告自己无辜的直率目光，便会意地拍着他肩膀说："教堂是要整理那间厅堂里的祭
器；不要紧，你放心，我会向他们打招呼，让他们特许你进去继续临摹；年轻人，可
以告诉我您的姓名吗？"那年轻人便告诉他说："我叫拉斐尔·桑蒂。"

这位拉斐尔·桑蒂，现在已是罗马一颗最灿烂的艺术新星，连米开朗琪罗似乎也
不如他吃香，列奥纳多带着徒弟们去梵蒂冈宫看的大型壁画，便是拉斐尔的作品；拉
斐尔在那宫殿里一气画出了"教义争论"、"雅典学派"等十来幅人物众多、场面繁杂、
戏剧性强、装饰味浓的壁画，塞瑞一看便说："师傅啊，他从您那里取用了太多的东西，
我看他的独创性，实在比不上米开朗琪罗哩！"列奥纳多却捋着胡须说："要知道他
现的年龄比我少一半还不止，他的潜力，还大得很啊！"

在罗马的街道上，列奥纳多师徒也遇上了拉斐尔·桑蒂，拉斐尔主动迎上来，一
只腿后退，脱下华丽的帽子挥动了一个优美的弧线，行了7个大礼，并满脸微笑地
向列奥纳多致意："列奥纳多大师，欢迎您来罗马！"然而在他的礼貌里，也透露出
了自满与疏远，列奥纳多同他泛泛地交谈了几句，便分道扬镳，从此再无来往。

列奥纳多在罗马虽然得到了礼貌的接待，教廷却并不重视他的才能；他一天天看
清教廷的腐败，特别是当时教廷大肆发行所谓"赎罪券"，号称人们用金钱购买了他
们印行的"赎罪券"，便可以避免下地狱而保险能升天堂，这种敛财的方式未免太让
人恶心了，令列奥纳多不能容忍，于是，在1516年，列奥纳多便又离开了罗马。

15. 永恒微笑

1519年5月2日，法国中部罗瓦尔河畔，古色古香的安波瓦兹城堡，平时宁静
的气氛突然被打破，驻跸在那里的年轻国王弗朗索瓦一世，慌张地步出宫室，迈进
马车，朝城堡外的一座别墅驶去。

原来是有人来报告，从意大利请来的艺术大师列奥纳多·达·芬奇病情急速转危，
已进入弥留阶段。

列奥纳多是三年前应新继位的法国国王弗朗索瓦一世之召，来到安波瓦兹的。弗朗索瓦和前任国王路易十二一样，都是文学艺术的鉴赏家。当时法国经济上和政治上都走向强盛，从而也带动了科学技术、文学艺术的发展，欧洲的文化中心，渐渐从意大利北移。弗朗索瓦一世有心让意大利的文化精华更快地传入法兰西，所以在1516年特请当时滞留在罗马的列奥纳多赴法，并把他留在身边，大有尊为高级文化顾问之意。列奥纳多在罗马颇感失意，教廷不喜欢他对自然科学的钻研，他厌恶教廷发行"赎罪券"骗钱一类的虚伪行径，两不相得，也正想离去；列奥纳多也有过回故乡佛罗伦萨的念头，但那时佛罗伦萨政治形势复杂，美第奇家族已经复辟，对以往的政敌大肆实行报复，而当时罗马教皇列奥十世，便是美第奇家族的成员，所以回到佛罗伦萨同留在罗马一样，不可能顺心如意，而列奥纳多也预见到将来欧洲文化的中心将向法国北移，因此，他便应允了法王弗朗索瓦一世的召唤，去了法国安波瓦兹城。万没想到他67岁那年，便客死在了这个异乡。

弗朗索瓦一世进入到列奥纳多那所花木扶疏、屋宇典雅的别墅时，列奥纳多已经咽气。弗朗索瓦赶到列奥纳多灵前，眼里噙着泪水，向大师的遗体告别。

列奥纳多逝世后，根据他的遗嘱，他的书信、笔记和财物，都留给了跟随在他身边的一位年轻学徒法兰西斯科，那追随他多年的爱徒塞瑞，在他前往法国前同他分了手，返回了故乡米兰，因为塞瑞毕竟有自己的家庭，而且实在没有了再重新开辟一片新生活的勇气；列奥纳多的遗嘱上还有一条，就是把那幅他一直带在身边十几年的油画《蒙娜·丽莎》，赠送给弗朗索瓦一世。

弗朗索瓦一世曾在列奥纳多住处看见过《蒙娜·丽莎》，当时就惊叹那画上的女子比天仙另有一种说不出的风姿，禁不住追根究底地打听："世上真有这样美妙的女子吗？"列奥纳多便告诉他："当然。可惜我画成这画没多久，就传来消息，她病逝在异乡了。她丈夫以后也就再没来取这幅画。我并未先收过他的酬金，所以，倘若他真的来取，我也是不给他的了。"弗朗索瓦想买下《蒙娜·丽莎》，说无论列奥纳多要多少钱都可以，并且自己一开口就说可以先付出四万法郎，列奥纳多却摇头拒绝了，他说："只要我存活一天，这画便陪伴我一天；或者反过来说，我有一天的存活，便要陪伴一天这画。不过当我去世以后，我愿将这幅画赠给陛下，只是我恳盼陛下不要光是赞叹画上这妇人的天生丽质，而能参透她那微笑，获得灵魂上的启示！"

列奥纳多谢世后，弗朗索瓦一世将《蒙娜·丽莎》悬挂在宫室中，时常地观赏，他觉得画上那蒙娜·丽莎的微笑，果然十分迷人，然而又十分神秘，有时看上去似乎是在抒发着内心的欣悦，换个时候望过去却又那么样地凄迷；同一时候变换着角度看，感受也不相同，是在喟叹人生的酸甜苦辣，还是在对世道人心报之以仁慈的宽容？

后来，《蒙娜·丽莎》送进巴黎罗浮宫珍藏，千千万万的参观者络绎不绝地来到这幅画前驻足观望，究竟哪一位算是最准确地解开了蒙娜·丽莎那神秘微笑之谜呢？

恐怕这个谜还要被世世代代的观画者继续破译下去，但有一点是肯定的：列奥纳多·达·芬奇在这个永恒的微笑中获得了永生。

1991 年 1 月—9 月

喊 山

放学的队伍过了马路就解散了。

赵普、张艇和倪飞三个男生一路，背着双肩挎书包，往绿荫四合的小街走去。他们的家都在那个方向。

小街上有座医院。医院墙外，一直竖着一个告示牌。这天，牌子新漆过，那上面的告示特别扎眼："医院附近，请勿鸣笛喧哗。"

他们几乎天天路过那里，以往都没怎么注意过那告示牌。这天放学，煞白底子上鲜红的大字忽然主动蹦进了他们眼里。

倪飞尖鼻子一歪，说："什么呀，不就是个破医院吗？我爸开着凌志车，什么时候想鸣笛就鸣笛……"

耳廓圆圆的赵普说："乱鸣笛要罚款的！"

倪飞笑得虎牙闪闪发亮："罚就罚！那回爸爸开车带着我们去游乐园，人家说我爸停车的位置不对，我爸眼都没眨，掏出一张百元大票就递了过去……到头来我们就是没挪！……"

鼻翼边有颗黑痣的张艇斜了倪飞一眼："你爸有什么了不起？他打电话请我爸吃海鲜，还总说让我爸带上我们全家'一起光临'……回回被我爸……那个词儿是什么来着？上回语文小测验还考过的——"

"婉拒。"赵普提醒说。

"对了，婉拒。挽救的挽，拒绝的拒……"

"不是挽救的挽，是女字边一个宛……"

"就你知道！"张艇很不高兴。

"写错了要扣两分呢！"赵普说。

"就你，那么在乎一分两分的！我爸说了，我将来要是考重点校差了分，别说差个一分两分的，就是差得再多些，他去一赞助，我也就上成了！"倪飞得意地说。

"算了吧！"张艇指着倪飞鼻子说，"你得什么意！……你爸请我们全家吃海鲜，我们——又该用哪个词儿来着——嗨，想起来了！我们——赏光——过吗？……"

倪飞脸涨得通红，把头一甩："反正，我就敢在这儿喧哗！罚款就让他罚！还能罚穷了我爸！"说完，顿着脚，伸直脖子大声喊："发——财——呀——！黄金——万两——呀——！"

几个骑车路过的大人，很不满意地朝倪飞望去；可是，他们并没有下车，也就那么骑过去了。

倪飞喊完，只望着张艇，脑袋左右摇摆，眼睛里喷出挑战的强光："我就敢喊！你行么？"

张艇不服气，想了想说："那有什么？……管这事儿的王伯伯，他就跟我们一个楼住……大不了，我爸跟他一说……其实也不用我爸，我妈跟王阿姨一说，也就没事了……"

倪飞眼里还在喷挑战的强光："那你喊呀！你敢喊吗？"

张艇鼻翼边的黑痣跳了跳，仰起脖子，便大喊了一声："不——许——喧——哗——！"

这时墙里楼房中，似乎有人从高处窗户里朝外张望。

倪飞和张艇拔脚就跑。赵普愣了愣，也便跟着跑开了。

张艇先到家。那是个有传达室的大院子，里面是一排排外表不怎么起眼，可是里头每个单元面积都很大的，五层的楼房；楼房周围绿化得很好。

倪飞拐了两拐也到了家。他家是一个单独的小院，中式古典门楼，门楼旁有个很大的汽车库；院里却是一栋西洋式的小楼。

赵普的家相对要远些。那是一个杂居的院落。进了永远不关闭的陈旧大门，穿过别人家盖的小厨房，进入第二层院子，再穿过窄小的甬道，绕过一株上百年的大槐树，院落最深处，是他的家。赵普很爱自己的这个家。这个两间平房连带一个厨房的家虽然小小的，可是这些年来也不断地改进着，比如说自来水龙头接进了厨房，原来那台十四英寸的黑白电视请进了里屋，外屋添置了二十一英寸的彩色电视……

爸爸正在小厨房里准备晚饭。妈妈在班上还没回来。这种情形已经出现很久了。

"爸，我来剥蒜吧！"赵普放下书包，就要过去帮忙。

"不用。"爸爸告诉他，"你去里屋桌上看看吧。"

赵普马上跑进里屋。里屋书桌上搁着一本崭新的插图注释本《唐诗三百首》。马上翻看，高兴极了！一看书背后的定价，好贵！还没问，爸爸从厨房里告诉他："今天又找到个临时的活儿，挣了三十块呢！"又命令："念一首给我听！"

赵普傻呵呵地问："念哪首？"

爸爸笑了："哪首都好！你翻开是哪首就念哪首嘛！"

赵普一翻，呀，好长一首，顶头那句有个字就念不出来，吐下舌头，忙另翻一页，好了，念这首："独坐幽篁里，弹琴复长啸。深林人不知，明月来相照。"

爸爸在厨房里用鸡蛋和黄酱炸吃面拌的酱，他高兴地嚷："好美！好香！"也不知道是赞这诗还是赞那酱……

第二天放学时，班主任温老师———一位打扮很入时的青年女教师，点名让赵普、张艇和倪飞留下，到办公室去谈话。

三个人去了，并排站在温老师办公桌前。

温老师一脸严肃地问："昨天放学以后，你们路过医院外头的时候，是不是大声喧哗了？"

张艇马上回答说："我没有。"

倪飞望着窗外操场上，他爸爸赞助给学校的那高高的联合运动器械，几个同学正在爬绳和悬梯上锻炼……他脸上现出冷笑，心想，喧哗了又怎么着？

温老师轮流望着他们，叹口气说："大道理我也不用讲了……你们想想，倘若是你们的爸爸妈妈正在那里住院治疗,本来安安静静的,忽然,窗外一声大吼、怪叫——那不是影响治疗和休养吗?……"

张艇马上说:"我爸我妈不会住那个医院……"他爸他妈都是在特别的医院看病,就是他生了病,他爸他妈也不会让他到这个区级医院看病的。

倪飞也说:"我们家有自己的保健医生……"他们家的人就是要住院,也只住那所中日合资的高级医院,只是到目前为止,还没出现过那种必要。

赵普说:"不管我们在不在那儿住院,喧哗都是不对的……"

温老师盯住他问:"那么,你认错啦?"

赵普说:"我没喧哗。"

温老师问:"你们三个在一起的。你没喧哗,那么,他们俩谁喧哗啦?"

赵普不吱声。

温老师又轮流望着他们,说:"做了错事,只要勇于承认,改正就好……"

张艇马上说:"我没做错事。"

温老师便只轮流打量倪飞和赵普。

倪飞笑嘻嘻地说:"爱喊爱叫的同学很多,怎么见得就是我们呢?"

温老师便从抽屉里拿出一张照片来,对他们说:"人家拍下来啦!……正好有亲属来看望住院的病人,又正好在那病房里拍照,人家听见楼底下院墙外有人故意怪叫,就用望远镜头,给你们拍下来啦!唉,今天一大早这照片就送到校长办公桌上了……我真替你们难为情!"

温老师把那张彩色照片放在桌上,三个男生都低下头凑过去看。那照片上,张艇和倪飞都是正转身跑开的一瞬,只有赵普呆呆地站在那里,仰望着上方,嘴巴还有点微张。

温老师指指照片说:"铁证如山啊!"

张艇细细一看,放心了,吁出口气来说:"我说没我事儿嘛!"

倪飞摸了摸后脑勺:"唔,就算我也喊了吧!"

温老师却对倪飞说:"你也不必为赵普打掩护!"接着又讲了一番应注意社会公

德、有错误应勇于承认改正等道理。末了，她放走了张艇和倪飞，留下赵普一个人。

赵普非常委屈。他说："我真的没喊。"

温老师说："照片摆在这儿。你最明显……"

泪水涌到了赵普眼眶边。他拼命咬嘴唇，心里说无论如何不能让眼泪流到脸颊上。

温老师说："明天请你家长来学校一趟……"

赵普点点头。

温老师回想起，赵普妈妈来开过家长会，还发过言，应该是对孩子的成长很操心的，便说："请你妈妈明天来一趟吧。"

赵普说："她不能来。她不好请假。"

温老师觉得赵普平时没有这么倔，听了不太高兴，便说："难道你爸爸就好请假吗？"她猜，赵普大概是怕妈妈不怕爸爸，这种情况在她教的学生里屡见不鲜。

没想到赵普的回答令她意外："我妈没下岗。我爸下岗了。"

温老师望着赵普，心软了。她沉吟了一下，缓缓地说："其实，这也不算一件太大的事。好吧，就不劳累你的家长了。你自己认真写一份检查，明天——啊，明天星期六——下星期一交给我吧。"看赵普还在那里，狠咬着嘴唇不动弹，就又把桌上的照片往他跟前一推，说："这照片你拿去吧，也不必还给我了。把它当做一面镜子吧，经常看看，也好提醒自己不要再做有损公德的事！"

赵普趁温老师眼光移到那张照片上，飞快地用袖口抹了一下眼睛……

当晚，吃完炸酱面，赵普拿出那张照片，跟爸爸妈妈讲了事情的经过。

"真是铁证如山呢，"妈妈仔细地研究那张照片，说，"从这上头看，还真不好确定倪飞和张艇喧哗了没有……你可是分明张着嘴，仰着脖子，朝人家医院大楼里张望……"

"他们喊完就扭身跑了，我没马上离开……"

"那你在那儿干什么呢？"

"我……我心里想，多不好啊，那楼里的病人该多烦呀……就那么，不知不觉地，仰头朝那楼上窗户望了一下……谁知道，人家就给我照了个正脸儿……"

"可照片上你张着嘴……"

爸爸一旁插话了："仰头的时候，可不就容易张开点嘴巴么……不信，你看！"说着仰头给妈妈看。

妈妈看看爸爸，又看看赵普，扑哧笑了："你们俩呀，原来，我只当就耳朵长得一般滴溜溜圆……"

妈妈爸爸都相信赵普确实没在医院楼下喧哗。

"检查呢？"赵普问。

"哎呀，你没有犯过的错误，也不能乱检查呀……唔，我知道，你也不愿意检举他们……再说，他们死不承认，老师又不相信你……我们去帮你解释，老师又可能会觉得我们是袒护你……这可难办了！……"妈妈皱起了眉头。

赵普忽然心里委屈得不行，这回他让眼泪尽情地滴落到面颊上，可咬着嘴唇，不让喉咙里的声音冒出来。

"哎呀，这事就先搁着吧！什么事不能先搁下呀！……"爸爸拿起那本《唐诗三百首》，说，"先念首诗念首诗……看看，看看，我这一翻翻到了哪一首……吆，怎么，还是……弹琴复长啸……"

妈妈拍着赵普肩膀说："你委屈，你就大声地哭吧！"

爸爸摇头说："别，别……咱们邻居里，也有年老体弱怕惊扰的……"他望着翻出的诗句，忽然来了灵感，拍下耳朵说："生活里常有不痛快的事……没关系，咱们明天找个地方，尽兴尽意地……长啸一顿！对对对，就是去喊山！去到那不干扰别人的地方，喊山！……"

第二天一大早，他们果然坐长途汽车去了远郊，登上了一座不知名的山峰。那虽然不是人们认定的风景区，可是从植被丰茂的山上朝下一望，视野是那样地开阔，田野、村落、小河、池塘……在晴阳下是那么美丽动人、可亲可爱！

爸爸说："咱们喊吧！喊出自己的心愿！"说完，他就把双手拢在嘴唇边，当做扩音喇叭，然后，运足了气，雄赳赳地高声喊道："一切——都会——好——起来——！"

妈妈跟着也用那样的姿态，快活地朝着蓝天白云和锦绣大地高喊："我——爱——

你——们——！"喊完朝着爸爸和赵普大笑，笑完又喊："我——喜欢——圆圆的——大耳朵——！"

赵普只觉得有头小豹子，就要从胸膛里蹿出来……爸爸妈妈都笑眯眯地望着他，等着他喊出第一声来……他把双手拢到唇边，拼出全身力气，喊道："我——要——争——气——！"

"——争——气——！争——气——！争——气——！"

山谷中回响着赵普那清亮的童声。

1999 年国庆节前，写于绿叶居

善的教育

19 世纪末，意大利作家亚米契斯写过一本《爱的教育》，在全球影响非常之大，20 世纪初，我国就翻译出版了这部作品。

有人认为，西方基督教文化的核心，是爱；中国以及整个东亚的儒家文化的核心，则是善。其实，爱中应有善，善中必有爱，爱和善，是相通、相融的。

爱和善，是人与人相处时，最可宝贵的情愫。

我小时候，读《爱的教育》非常动心。那对我的心智发展，是一种启蒙。

现在我写成了《善的教育》，与亚米契斯遥相呼应。我希望现在的少年儿童，能够从小懂得爱和善，珍爱自己，更珍爱别人；予人以善，并从别人那里得到善报。

20 世纪 80 年代初，我曾在《儿童时代》杂志上连载了一部儿童小说《我是你的朋友》，日本很快出版了译本，并且印刷了 3 次。2005 年秋天，有上小学时读过这个作品的人士——现在已经是中年人了——写信给我，说我写的那些温馨的故事给他留下了很深的印象，他希望这个作品能够再版，并推荐给现在的孩子来看。《善的教育》写在《我是你的朋友》十多年后，但它们一脉相承，都努力地往孩子心中播种正直、真诚、善良与同情。现在，这两个作品放在一起再版，它们仿佛是两棵枝叶相握的树。

我期望这本书不仅对少年儿童有益，也能滋润在现实中陷于浮躁焦虑的成人的心灵。如果有家长和孩子，在灯下一起读这本书，并从中获得感动与憬悟，那我无比欣慰。

2006 年 2 月 12 日

门铃响，去开门，门外是王铜娃。

我跟铜娃出生在同一年同一月同一天同一所医院。他生下来的时候，有 3121 克重，哭声有如铜锣当当响，所以他爸他妈给他取名叫铜娃。我呢，生下来的时候，才 1406克，没他一半重，哭声跟蚊子似的，医生护士把我放到培养箱里，好几次差点儿不行了，一个多月以后，缓了过来，当护士长阿姨把我送到妈妈怀里，让她喂我奶时，我爸我妈激动极了，他们说医生护士创造了一个奇迹，给我取名叫曾奇，小名就叫奇奇。

十四年过去了。现在，倘若你在旁边，可以观察一番：你会发现，我和铜娃身量一般高，肩膀一边宽，发育得一点不比他逊色；只不过，他浓眉大眼，我的五官呢，也用个褒义词吧，叫做眉清目秀。

我们住同楼。在同一所中学上学。这是寒假第三天。

铜娃见了我就嚷："嘿！怎么还在屋里窝着？没往窗户外头看吗？下雪啦！快！咱们下楼打雪仗去！"

我说："急什么？雪花刚湿地皮，还没积成毯子呢！你进来，我让你先看样东西！"

铜娃进了屋，我把他引到我家的电脑前，他拿眼一晃，就羡慕地说："嗬，你都会用它作文啦？还会打印呀？"

我说："那有什么难的！咱们都会汉语拼音，用这里头的'智能 ABC 输入法'，你也马上就能写文章。"

铜娃叹口气说："我爸也说要置电脑，可他刚置下 VCD 机，还打算更新我家的冰箱和洗衣机，他说，等明年咱们正式开了电脑课，再买也不迟。"他显然不想听我安慰他的话，没等我开口，就用很内行的口气问我："你写的什么呀？小说还是散文？什么题材？"

我俩都参加了学校图书馆冯老师领导的课外文学小组。参加了几次小组活动，再谈到写文章，我们就不用语文课上的那些个概念了——什么记叙文呀、议论文呀、说明文呀，又是什么中心意思啦、段落大意啦……我们会煞有介事地谈论短篇小说的结构啦，小说里的悬念设置啦，以及究竟散文、随笔、杂文该怎么区分什么的。

我跟铜娃说："是写关于'办班'的事儿！"

"办班"，这是这些年里，人们都很熟悉的事儿。我们学校一放寒假，门口就贴出了好多"办班"的广告，那些"班"倒不一定是我们学校自己开办的，往往是外面的人，履行完了有关的手续，到我们学校来租用暂时空置的教室，针对社会上的需求，开办起种种训练班来；有的主要是冲着中小学生的，如钢琴班、电子琴班、小提琴班、国画班、素描班、书法班……有的则以吸引成年人为主，如电脑班、英语班、财会班、法律班、吉他班、篆刻班……铜娃的爸爸妈妈，跟我的爸爸妈妈一样，都是不怎么热衷这些个"班"，主张我们在寒暑假里，除了做好假期作业，就由着自己的爱好，该玩就玩，想做些什么就做些什么的，只要我们玩的、做的是健康的，他们就不干涉。

铜娃听说我写的是"办班"的事儿，有点吃惊。他问："你也想花钱上个什么'班'了吗？我可跟你说在头里，不管你那是个什么班，你可别拉我去陪绑！"

我就把我在电脑里写好，用喷墨打印机打印出来的文章，递给了他，并说："是用去年的口气写的。"

有没有"盈眶班"？

您没听真？再给您说一遍，我是问：有没有"盈眶班"？……就是眼睛里冒出水儿来，可以不往下掉，那个"盈眶"，对对对，"热泪盈眶"，就是那个"盈眶"，其实不热也行呀，能"盈眶"就成！

……怎么回事儿？……其实也没出什么事，就是，就是，最近，就说刚过完的春节吧，从初一到十五，跟家里的人一聚、一玩……嗨，别提了，说说笑笑，搓麻甩牌，吃吃喝喝，打打闹闹，我觉得我什么都不落后，可就是有一样，我一点儿都不成，就是不会"盈眶"！

……好比吧，我爷爷，他可是条硬汉子，您看他多大岁数了，三九寒天里还能到玉渊潭去冬泳，他要高兴起来，一笑，那能震得屋里的瓶子杯子全跟着响……可初二那天，姑父给了他一本什么《旧京大观》，就是厚厚的一大本照片儿，印的，我翻了两下就直骂姑父，里头连张带色儿的都没有，一点不喜兴，哪有过年送这个礼的！还猴老贵的！有那个钱，多买两瓶酒不更体面！……可爷爷大晚上灯下一篇篇那么翻看，看着看着，就"盈眶"了。虽说他戴着老花镜，让沙发边的落地灯一照，那眼里的水儿反着光，还是特明显，我过去拉他看电视，他最爱看相声嘛，那电视里的相声特别逗哏……他不理我倒也罢了，奶奶也嫌我多事，说是"让老爷子心里润润去"，润润去？润心？我不懂……

……我奶奶也一样，你说那电视里播点子什么农村失学儿童的事儿，那算什么正经节目呀，依我看，不过是动员大家伙儿掏钱，参加那个"希望工程"罢了。要说捐钱，爷爷奶奶他们早捐过了嘛，他们那点退休金，加起来还不够进一次马克西姆餐厅哩……可电视上无非是出现了几个脏脸冻手的农村娃娃，还有他们那光看得见土看不见多少砖的教室，还有中午他们就睡在那土坯桌上，等着下午再上课的镜头什么的，奶奶她就"盈眶"了。她就跟我爸我妈说："你们也每年出三百块钱，包下一个农村失学娃儿的学费……"荧屏上的那个农村小妞儿，直愣愣地瞪着镜头，我不过笑了几声，还没嚷出"傻帽儿"来，他们就都侧过脸，责备地望望我。您说这是咋回事？我又没反对他们捐钱！不就三百块吗？管一年？那回我在"麦当劳"搞生日"派对"，也还没把同学请全，一次就花了三百八，我在乎他们捐三百？……

我爸"盈眶"的时候不多，可他也会，去年他带我去了一次叫什么"黑土地"的饭馆，说是让我也尝尝他们当年在"兵团"吃的苦——其实那些个玉米糁粥呀、贴饼子呀、老咸菜呀，一点也不苦，比家里动不动就塞给我的方便面、火腿肠香多了！他平时总说"文革"怎么不好，把他们一代人给耽误了什么的，可是在那饭馆里一转悠，看见墙上挂的旧兮兮的"军挎包"、大草帽什么的，他就"盈眶"了，我跟他说话时，他装听不见……你说怪不怪？"盈眶"这毛病，爷爷奶奶总算传给了他，他却一点没传给我！

……当然，我现在模模糊糊认识到，"盈眶"不是毛病，就算毛病也是"好毛病"……那天我跟我妈去购物中心，出了地铁站，遇上一个残疾人，他下半身简直全没有了，用两手抓着两个木托子，移动他那身子，走过他身边，我还回头看，觉得挺逗的，就蹲下身子学了几步他那副鸭子摆尾样，好！我妈跟我急了，一路数落我，我也急了，我说："我犯哪条错误了？"咦，她最后不说话了，咬着嘴唇，居然"盈眶"，这算哪门子的事？

……后来，我们家，怎么说呢，等于是开了个家庭会议，他们说，我会笑，也会哭，包括大哭、泼哭、嚎哭……可我不会"盈眶"！我说我有时觉得委屈也会默默地流泪，或者小声地哭，那时眼眶子里的水儿也挺丰富的，可是他们说那都不是"盈眶的境界"，后来我就听见爷爷说："真该给他送到一个专门的'盈眶班'里去学学……"

……您说，真有开"盈眶班"的吗？得交多少学费？要是一二百就够，那不用他们再掏钱，我自个儿攒的没准儿就够……我该到哪儿报名去呢？

铜娃看完了，手里还捏着那文章，眼睛抬起来，望着墙上一幅山水画，只是出神。

我朝窗外望望，把文章从他手里抽出来，叠起放进上衣口袋，对他说："发什么愣啊！不是要打雪仗吗？瞧，人家都打上啦！"他这才回过神来，朝窗外望。我家住在八楼，居高临下，可以望见楼下的绿地已经铺上了雪毯，一些孩子已经在追跑着互扔雪球。

我俩下楼，参加到越来越激烈的雪仗中。雪花越来越密，地上的雪越来越厚，我们攒出的雪球也越来越大……

忽然，哐啷啷一声响，邻楼一层某家的窗玻璃被砸碎了。立刻传出来一位老大妈的抗议声。几个"围剿"我和铜娃的孩子一哄而散。我跟铜娃就跑去道歉。老大妈见我们能上门道歉，消了些气；听说她家有现成的玻璃，我跟铜娃便主动给她重新安装——铜娃回我们那栋楼取来了玻璃刀和油腻子，他家恰好有——老大妈转怒为喜，给我俩沏了热蜂蜜水，让我俩多多地喝。她说："这楼区，可比不了胡同里头；胡同里，两边大体上都是屋子的后墙，孩子们打雪仗，不怕砸着玻璃……唉，一眨眼，从胡同四合院里搬过来，都五年啦！"

从那老大妈家出来，铜娃说："也不知道住在胡同四合院里，是个什么滋味？"

铜娃出生后，一抱回家，住的就是居民楼；后来搬了两回家，也是从楼到楼。我跟着我爸我妈，也大体如此——开头是跟另一家人合住一个单元，后来搬到个独间的单元，现在是住着两室一厅的单元。可是，我却还知道住胡同四合院是个什么滋味。

回到我们那个楼门口，我问铜娃："嘿，忘了我那篇文章了吗？如果有'盈眶班'，你上不上？"

铜娃说："开哪门子玩笑！会真有那个'班'吗？在哪儿？"

我说："在一条胡同里的一个四合院里！我带你去，你去不去？"

铜娃瞪大眼睛，望着我。

我说："蒙你干什么！要不，一会儿，咱们就去！"

确实没蒙他。没多一会儿，我俩穿戴好，楼门口集合，出发了。铜娃还在他家冰箱上，用小熊造型的冰箱贴（背面是块吸铁石），压紧一张纸条，上面写好留言，好让他双职工的爸爸妈妈回到家，知道他的去向。

原来，我爷爷、奶奶，一直住在胡同四合院里，我常去，那篇关于"盈眶班"的文章，开头所写的，就是去年寒假期间，我住在爷爷奶奶家，所遇上的事儿；只是以往我没把铜娃带去过罢了。

到了爷爷奶奶他们那个四合院，一进门，嗬，院里的孩子们，还有几个大人，正在当院堆雪人啦。堆出了好大一个雪人。煤球做眼睛，胡萝卜当鼻子，头上还扣了个大草帽。只是还没嘴巴，显得很滑稽。院里的人，我全认识。比我小一岁的邢大雷，要拿个红辣椒给那雪人当嘴巴，怎么也安不稳，而且也不像；比我大一岁的洪蓓蓓，拿来她妈妈的口红，给雪人抹出了一对厚厚的红嘴唇，大家才拍着巴掌笑道："活啦！活啦！"……

爷爷奶奶住在北房里。安了土暖气，屋里温暖如春。爷爷奶奶最喜欢孩子，见我不仅带来了铜娃，又招来了邢大雷和洪蓓蓓，乐呵呵地拿出好多蜜橘，还有一大把香蕉，让我们吃。我们一边吃着，一边分两组下棋，我跟洪蓓蓓下跳棋，铜娃跟邢大雷下陆军棋，最后，我输了，铜娃赢了。下完棋，我们四个孩子，和我爷爷奶奶，围坐在沙发上说笑。我从衣兜里拿出了那篇文章，跟爷爷奶奶说："现在，是不是就宣布'盈眶班'开班呀？"爷爷奶奶早从电话里，听我念过这篇文章，铜娃刚看过不久，所以，我就把文章递给洪蓓蓓，她也很喜欢文学，还给《少年文艺》杂志投过稿，她很快读完了，又把文章递给了邢大雷，可是邢大雷读完了，很不理解，他问："这究竟是个什么中心意思呀？"我和铜娃、蓓蓓都笑了，奶奶便对大雷说："我们都在写文章呢，你听多了，那意思自然就跟花儿似的，在你心里结出大果子来。"说着，她去取出一篇写好的文章，戴妥老花眼镜，念了起来。

这时屋外雪越下越大，从玻璃窗望出去，鹅毛似的雪花就像一张白绒线织的大网在抖动。

奶奶的文章是这样的：

一根化掉的冰棍

这是个大热天里的故事。

那一天呀，真叫热。下午四点多钟了，太阳还像大火炉那么热。地上的树影儿，像墨泼的那么浓。

在一个胡同四合院里，西屋里住着一个刚上一年级的小姑娘，她一头短发黑油油的，一双眼睛亮晶晶的，一身淡蓝的连衣裙光闪闪的。她脖子上总挂着把门钥匙，这说明她的爸爸妈妈是双职工，每天下午四点多放了学，她总是自己开门进家，自己看会儿小人书，自己下挂面来吃……

这天下午放了学，小姑娘回到家里，放下书包，刚想再翻翻头天得到的《小朋友》，忽然想起来，北屋里的老奶奶，已经感冒整三天了。老奶奶的老伴出差了，儿子儿媳妇住在挺远的居民楼里，老奶奶为了不让他们担心，不影响他们上班，也没给他们打电话，自己去医院看了病，取了药，吃了药，在家里静养。小姑娘就想，应该去看望看望老奶奶，帮老奶奶做点什么事。

小姑娘到了老奶奶家。老奶奶病好多了，正坐在藤椅上养神呢。

小姑娘像朵花儿，老奶奶像株老树，花儿倚着老树，那情景真叫动人。

小姑娘问："老奶奶老奶奶，您要什么呢？我来帮您办。您想喝茶我给您沏，您想捶背我给您捶，您想听歌我给您唱，您要觉得太热我给您扇扇子！"

老奶奶抚抚小姑娘的黑发，摸摸小姑娘红喷喷的脸蛋，笑吟吟地说："这些我都不想。说实在的，也不知为啥，我想吃根冰棍。"

小姑娘一听跳起来，连说："老奶奶老奶奶，我去买我去买。"说完像只小蝴蝶，往门外飞。

老奶奶朝她招手："快回来！我给你钱！"

"不！"小姑娘头也不回，骄傲地说，"我有！"

是的，小姑娘一边蹦蹦跳跳地往院外跑，一边掏衣兜。她兜里有从妈妈给的零用钱里攒下来的三个钢镚儿，三个一样大，都是二分的。那时候，街上卖的冰棍品种远远没有现在这么丰富，用五分钱，可以买到一根最便宜的红果冰棍。

小姑娘出了院子，跑到胡同里，跑到大街上。大街人行道上的馒头柳，热得每片柳叶儿都像皱起的眉毛；马樱花可不怕热，簇簇马樱花都乍开丝绒般的花瓣，像一片片红云。小姑娘看不起馒头柳，小姑娘要学马樱花，她才不怕热呢，她要为老奶奶，买一根又凉又甜的红果冰棍儿。

本来，一出胡同口那儿，就有个卖冰棍的胖阿姨，可不知怎么搞的，这天她那会儿没在。也许是天气太热，她一整车冰棍都卖光，又取冰棍去了。

小姑娘决心往前走，总会遇上另一个卖冰棍的。走哇走哇，好，前面果然来了个推冰棍车的老爷爷，小姑娘高兴地跑过去，手里紧紧攥着那三个钢镚儿，大声地嚷："老爷爷，老爷爷，我要一根红果冰棍儿！"

咦，老爷爷干吗直摆手？"卖完了卖完了！"啊，这可怎么好？小姑娘可不愿意就这么回去见老奶奶，她足足朝前走了一里路，终于到了热闹的十字路口，在冷饮店那儿买到了一根五分钱的红果冰棍。小姑娘把售货员找回的一分钱，细心地放回到裙子兜里，这才举着冰棍，跳着踉跄连步，往回去的路上跑。

天气真热。冰棍出"汗"了。小姑娘犯了愁，可怎么办呢？她把冰棍捧在手里，小心翼翼地朝前走，谁知冰棍化得更快了，冰棍纸渐渐地变了形。

小姑娘急得要命。她额头上的刘海被汗粘住了，一粒汗从鬓角流到面颊，她也顾不上擦。

小姑娘想到，卖冰棍的阿姨们，总是用一条厚的白棉被，盖住一盒盒的冰棍。啊，有办法了。她腾出右手，从兜里掏出手绢，盖到左手的冰棍上。

可是，冰棍仍然在迅速地融化。发粘的冰棍水儿，从她手指缝，滴到了人行道的方块水泥上。于是，在小姑娘身后，便留下了一道由小湿点儿形成的、不够直的长线；长线的末端，不断被太阳的热力"舔去"，而长线本身，却不断地向前延伸……

老奶奶仍旧坐在藤椅上养神。忽然，她听见了呜呜的哭声，由远而近。门开了，小姑娘泪痕满面地走了进来，她的手里，捏着一根完全化掉了的冰棍，严格地说，那不是冰棍，只是一根湿漉漉的细竹棍儿。

老奶奶一把拉过小姑娘，用粗糙得像锉子的手背，擦去小姑娘脸上的泪珠儿，亲切地问她："你这是怎么啦？"

小姑娘的眼里，仍旧滚出大滴大滴晶莹的泪珠。她那长长的睫毛，完全被眼泪打湿了。她依偎在老奶奶怀里，哽咽地说："没能给您拿来……冰棍儿全化成水啦！……"

在那几分钟里，小姑娘觉得，这真是世界上最令人伤心的事。

老奶奶望着小姑娘，好一阵说不出话来。

老奶奶从小姑娘手里，取过了那一根湿漉漉的竹棍儿，像拿到了一件世界上最可宝贵的礼物。她爱抚地搂抱着小姑娘，缓缓地说："好孩子！你心上有个美丽的小芽儿，你一辈子别伤了它，要让它长成一棵高高的大树！"

奶奶念完了，我和铜娃、蓓蓓都在沉思，只有大雷，笑嘻嘻地望望蓓蓓，又望望奶奶，拍下巴掌说："嗨！我知道啦！那个老奶奶，她姓曾！那个小姑娘么，哈，远在天边，近在眼前！"爷爷望着蓓蓓说："那美丽的小芽儿，在她心上，至少是，已经长成小树了吧！"我们就都望着蓓蓓，蓓蓓脸红了，别过头去，望窗外，说："真的……要不是曾奶奶念这篇文章，我都不记得有这么回事了……"

外面雪停了，听见有人推着自行车进院来，以及见了大雪人的欢呼声，头批下班的职工回来了。铜娃说他该回去了，爷爷说："你跟奇奇都留下，我们四间屋呢，住得下。家里有电话吗？给你爸爸妈妈打个电话，告诉他们你住奇奇爷爷家了……"我当然巴不得，铜娃也很高兴。铜娃望望墙上的挂钟，说："刚六点。他们还没到家呢。我七点再打电话吧。反正我给他们留了条，他们知道我上哪儿了。"我问奶奶："那晚上吃什么呀？"奶奶说："还能把你们饿着？饺子！"我说："我和铜娃帮着包。"奶奶说："不用。早买好了速冻饺子，好几种馅呢。你们出去玩玩吧！一会儿你爸你妈也来，他们到了我就开煮，大家热热乎乎地围一桌吃，我跟你爷爷，怕要比平时多吃十来个呢！"大家都笑了。

我们几个孩子出了屋，天色已经很暗了，本想到胡同里打雪仗，可是天黑了，打起来不方便，再说下班的人过来过去，雪球砸到人家身上多不合适；可身上痒痒的，总想发散发散，玩什么呢？跑出院子，啊，一些大人正在铲雪清路呢，还犹豫什么呢，我们忙借到工具，参加进去，我跟铜娃一边铲还一边扯着嗓门唱了起来，真比卡拉OK还痛快！

回到爷爷奶奶家，才发现爸爸妈妈已经坐在那儿了。铜娃对我说："原来你们计划好的啊！"我说："是呀。只是原来的计划，是九点半，我跟爸爸妈妈一起回咱们楼。现在变啦！他们回去，我跟你留下。怎么，你不乐意啦？"他说："我干吗不乐意？你呀，早该带我来四合院住住啦！"

热热乎乎地吃完饺子，我催着铜娃给他爸爸妈妈打电话。他打完电话，告诉我说："住曾爷爷家，他们当然放心啦。可是，他们猜了半天，也闹不清我说的那个，'办一个盈眶班呢'，是个什么意思。爸爸以为是个什么电子游戏，妈妈以为是一种扑克牌的玩法，一个嘱咐我别玩疯了，一个嘱咐我别输不起耍脾气……"

大家暖暖和和地围坐在一起，看完《新闻联播》，爷爷就关上了电视；洪蓓蓓吃完饭，也来了；这时妈妈就拿出一篇她写好的文章来，念给大家听。她写的，是前些年到瑞典参加一个国际学术会议时，遇上的一件事。

分 享

要从斯德哥尔摩回北京了，我到 N 教授家话别，正交谈间，忽然他的女儿莲娜兴冲冲地跑进起居室，连帽子和大衣都没脱，唤了我一声，像宣布一件世界要闻般地对我说："我同学芬妮答应借给我麦考利的《独自在家》啦！明天上学带给我，您就能到我家来看啦！"

她那张红扑扑的脸，放着光，正对着我，双眼更迸射着难以形容的强波。我的心被重重地敲击了一下。

在斯德哥尔摩参加国际学术会议之余，我曾同 N 教授夫妇和小莲娜一起到市中心 NK 百货公司一侧的电影城去看电影，片前照例要播一些商品广告和新片预告，新片预告里，有《独自在家》的续集《纽约迷路记》的精彩镜头，那个身价百倍的美国童星麦考利，仅窥其几斑，便可知是匹迷人的小豹，我自然连说："好好好，妙妙妙，只可惜我连《独自在家》也没看过哩！"谁知这话便被小莲娜记住了，看完电影，一起在"必胜客"比萨饼店吃"至尊无上饼"时，她几次插进我与她父母的交谈，认真地说："《独自在家》太棒啦！您一人土定要看啊！"结果就出现了她跑到我面前宣布她已经借到录像带的一幕。

十四岁的莲娜，以一颗愿与我分享快乐的爱心，激动而满足地向我宣布了那一消息。她那面庞上的表情，那双眼中的闪光，任是怎样的文字，也难形容。一个生命，她诚挚地愿把一种自己得到过的快乐，无偿地提供给另一生命。我不知道自人类脱离野蛮状态后，这种情愫已存在了多久。反正，面对莲娜，我非常感动。

她父亲告诉她："可是，明天一早，文阿姨就要去机场，飞回北京了呀！"

"明天一早……就要飞走了？"莲娜脸上，先现出一个着实吃惊的表情，然后便立即化为了一种惆怅、痛切和焦虑。我只恨概念化的词语无法充分地传递出她那表情，特别是那双眼睛里流露出的，现在我不忍回想的光波——因为我不能看到《独自在家》的录像带，她那一颗小小的心，竟在经受痛苦的煎熬。

莲娜木然地在我们面前站立了几秒钟，突然转身走出了起居室。

N教授继续同我谈论一个学术上的问题。我的心却乱了。我有一种负债感，更痛苦的是我无法完债。

当晚，斯德哥尔摩大学的W教授要在他家为我举行一个告别"派对"，N教授夫妇和小莲娜也都应邀参加。W教授住在斯市远郊，一座森林边上。从市中心的车站算起，乘火车也得半个多小时。

忽然莲娜又跑进了起居室，帽子不知是脱了还是惶急中抖掉了，她脸上又放出了艳丽的光，自豪地对我们宣布："我有办法了！我刚才跟芬妮打电话了，我马上到她那儿取那盘带子，然后我拿到W伯伯家，我们在那儿看！"

跟在她身后进来的N太太不由得反对说："那怎么行？我们马上就该动身了！你哪儿有时间去芬妮家？"

莲娜顿着脚说："你们先去！我从芬妮家取了带子，自己去嘛！"

我抢上去阻拦："那不行！路那么远，天又黑，你又小，怎么能让人放心？"

但莲娜执意要实行那计划，N教授便略带责备地对她说："你都看过三遍了，还不够！"

莲娜立即解释说："谁说我还要看？我说好了去帮他们调马提尼酒的！我要文阿姨看嘛！"

我本想说："其实我看不看无所谓，再说那儿那么多朋友要交谈，我也看不了。更何况将来在北京也有可能看上……"但面对着莲娜脸上的和眼里的光，我却说不出口。

我已经非常快乐。在这个不断发生战乱、屠戮、争斗、排挤、攻讦的世界上，有一个十四岁的小女孩，她诚心诚意地要给予我她享受过的快乐，仅仅为此，我就应当坚信，不仅生活的实质，而且人性的本体，都是美好的。

不能不同意莲娜的神圣计划。再说即使不同意也阻拦不住她那神圣的

善 的 教 育

行为。我和 N 教授夫妇先行乘车前往 W 教授家了。在 W 教授家，我想 N 教授夫妇一定心神不定，我却很快忘却了莲娜和她去取的那盘录像带，因为包围着我的实在都是重要的人物和真切的友情，毕竟第二天一早就要远别了，他们和我都有许多话要说……

忽然门铃响，莲娜走了进来，她径直走到我身旁，用仿佛犯了罪的声调对我说："……芬妮的这盘录像带，只有开头一点儿是《独自在家》，后头都让她哥哥给录了杰克逊的歌了……"她朝我仰着小脸，双眼蓄满晶莹的泪光，没有卸掉手套的双手捧着一盘录像带，紧扣在胸前……

我不由分说，把莲娜紧紧拥入怀中。她哭出了声来。我的心在猛抖……

我不知道，今生今世，会不会再遇上莲娜这样一个纯洁的生命，只因为她享受过那一桩快乐，便千方百计地要我分享那快乐……世界很小，人生很短，但那单纯而赤诚的心意，却宽广而悠长。

妈妈念完了她那篇文章，我和铜娃不由得对望了一下。我们早就看过《独自在家》和《纽约迷路记》的录像带，说实在的，那并不怎么合我们的口味；当然啦，妈妈在瑞典遇上的那个莲娜，她那想跟人分享快乐的好心眼儿，确实值得表扬……不过，妈妈写的这篇文章，有些个措辞，似乎深奥了一点……我跟铜娃对完眼，又都不约而同地，朝洪蓓蓓望去，只见她偏过头去，朝着窗外，眼睛里，闪着些个水光，咦，她怎么这么快就学会"盈眶"了？难道她早就有这个水平了吗？

我们正议论着莲娜的故事，邢大雷和他妈妈敲门来了。邢阿姨手里拿着毛线活，笑嘻嘻地问开门迎上去的妈妈："嗬，你们这儿好热闹呀！是看什么 VCD 盘吗？"又说："大雷他爸，又跟李叔他们'小来来'呢，不到十点，怕是收不了摊……""小来来"就是搓麻将牌，十来块的小输赢，解解闷儿。我和爸爸忙给他们搬来软椅，大家挤拢一处坐着。邢阿姨一边说笑一边麻利地织着毛线衣，妈妈对她说："现在毛线衣到处有得卖，有的商场大减价，质量又好，花色也多，你干吗非自己织啊？"邢阿姨笑着说："小雷他爸说，搓麻将，俩胳臂就跟游泳似的，只当是锻炼身体；我这织毛衣,其实也是做手指体操的意思,哈哈,谁等着我织得了去穿它啊!……
刚才跟小雷坐一块儿看电视,嗨,现在遥控器一点,三十几个台呢,过去哪儿有
这么丰富的文娱生活!……可也怪,不知怎么的,今晚上硬是挑不出个中意的节目
来!……所以,就跟小雷到你们这儿串门来了!"又问:"咦,你们电视机也没打开,
不是看 VCD 盘呀?玩什么呢?一个个这么开心!"我们就跟她说,在"办班"呢,
念文章呢,其实,也就是轮流讲故事给大家伙听呢……邢阿姨也没太明白,但感觉
到爷爷奶奶家很温暖,很喜兴,就高兴地边织毛衣边说:"好好好,该谁啦?快讲个
故事,我跟小雷也听听!"妈妈就对爸爸说:"该你啦!"

爸爸摸摸后脑勺说:"哎呀,我写的,跟你那个,题材重复啦,也是看电影的事
儿啊……"

邢阿姨说:"我跟小雷刚来,听什么都是新鲜的……"又问:"看的什么电影?"

爸爸说:"早场电影。"

邢阿姨说:"那好那好!想当年,咱们刚上中学的时候,那时候谁家有电视机?
可不都指望着进电影院看电影!那时候,星期天,电影院总有早场电影,学生场,
一毛五分钱就能看上个新片子!……现在呢,有了电视,还有录像带,VCD什么的,
难得进回电影院啦!听说也还有早场电影,可就连大雷、奇奇……你们,不也很少
去看吗?……"大雷截断他妈妈话茬说:"妈,您让曾伯伯讲他那早场电影的故事吧!"

爸爸清了清嗓子,就念起了他的那个故事。

早场电影

我上初一时,每逢星期天,学校总组织大家看早场电影,新片要交一
毛五分钱,复映片只需交一毛。我是每回必看的。看完电影,第二天中午
在教室吃带去的盒饭时,我还特别爱复述电影里的故事,如果看的是打仗
的片子,则会边讲边用手比成机关枪,一阵抖动,嘴里嗒嗒嗒发出密集的"枪
声",有时还会模仿片子里坏蛋中弹歪倒的神情……可是大多数同学也都看
过那电影,对我的复述模仿不以为然,只有大牛一边啃着带来的窝头,一

边瞪圆眼睛，听得津津有味，我也就更多地讲给他听，表演给他看。

我比同班大多数同学小两岁，大牛比同班大多数同学大两岁，所以他跟我站到一块，实在不像是同班同学。我这人发育上滞后，上初中时还是小头小脑的，用四川话说是还没有"长登"，大牛却已是人高马大，同学们有时叫他"牛大块"，我刚从四川到北京时不懂"大块"是什么意思，后来才明白是形容人胸肌发达，大牛的块头似乎并不是体育锻炼铸就的，他家境贫窘，每到寒暑假，他都到建筑工地上当小工，挣来的钱，用来交学杂费和买课本、文具，有同学星期天看见过，他拉着一个自制的小轱辘车，到城根去捡别人丢弃的白菜帮子，弄回家煮菜下饭，星期天的早场电影，他自然从来不看，他既没看，爱听我讲，我也乐得给他细细道来，这样，我们俩的关系，也便密切起来。

我在家里，跟妈妈说起学校里的事，有时便会提及大牛，讥笑他居然连早场电影也看不起，还给家里捡白菜帮吃，妈妈起初只是正告我：不能讥笑家境比自己贫困的同学！后来有一回，我自己的课本弄丢了，把大牛的课本借回家来用，被妈妈看见，她吃了一惊，因为大牛为珍惜那得来不易的课本，用捡来的硬纸壳，将那课本精心地改制为了精装，翻开里面，绝无乱涂乱画的痕迹，妈妈便对我说，应当向大牛这种精神学习！并说我和大牛在一起，她是放心的。

一次班上文娱委员又收敛早场电影费，我竟破例没交，被大牛发现，放学后他便问我为什么这回不看，我向他坦白：我把向妈妈要来的电影票钱，用去吃了一碗炒肝。那家卖炒肝的小铺子刚在我们学校胡同外开张，我实在经不住那香味的诱惑。我妈妈是最恨我花钱乱吃零食的，所以，我不能跟她说实话，当然更不能再问她要买电影票的钱。大牛听了，闷闷不乐。

可是临到星期六放学时，大牛告诉我，他这回要看早场电影，并且还给我也买了一张票。这可把我高兴坏了！我们俩约好，星期天一早，我去他家找他，再一起去电影院看电影。大牛家在我家与电影院之间，而且从我家到他家那段路相对还要长些，总得走个二十多分钟。星期天一大早，我匆匆出了家门，刚拐出胡同，忽见蒙蒙的冬雾里，凸现出大牛的身影，原来他迎我来了！我俩高兴地会合，有说有笑地踏着人行道上的残雪，朝电影院而去。一路上车少人稀，到了电影院，人家还没开大门呢……

那天看完早场电影，我还想约大牛去什刹海的冰上跑跑，可是他不能去，他这才告诉我，买电影票的三毛钱，他是预支的，他马上得去城根的一处工地铲沙子，人家答应他，干足六个小时，算三毛钱的工钱。

这事过去有三十多年了。后来，"文革"造成了动乱，学校停课，再后来，我们都上山下乡，我去了东北生产建设兵团，大牛去了他老家河北农村插队。再后来，赶上了改革、开放，我从兵团回到北京，考上了大学；我去大牛家找他，他家早搬走了，院里邻居们也说不清到哪儿去了；我一直打听着大牛的消息，竟总是不得要领，有个模模糊糊的传闻，说是大牛在农村，入赘到个寡妇家里，就扎根那儿，在那儿务农了。我们竟从此失去了联系。前天我路过那座原来常去看早场电影的建筑，它现在已经变成了一个名字古怪的家具城，忽然一阵甜蜜和惆怅的情绪交融在我的心臆。在岁月嬗递中我失去了什么？积淀下了什么？……难忘的早场电影呦！

爸爸念完了，大家一时都没吱声。大雷忽然问道："什么叫惆怅啊？"他妈妈晃晃头发说："哎，曾大哥曾大哥，我可真是，好久好久，没这么……惆怅过了！你呀你呀，你这么一念，我心里头，比看了那电视连续剧，还多滋多味的！上小学，上初中，那些个时候的，一些个似乎不起眼，可又不该忘的人和事，都让你给勾出来了！……哎哎哎，敢情惆怅惆怅，也是一种享受呢！"大雷听完，用更高的声量问："那，究竟什么叫惆怅啊？"大家都笑了。蓓蓓说："这些文章，咱们应该打印出来，给一些像'惆怅'这样的词语，加上注音解释，编成一本杂志，好留着细细地读，慢慢地领会……"我说："对对对，我们学校有文学小组，起码我们小组成员就都会是这杂志的热心读者！也不光是当读者，相信还都会踊跃投稿呢！"铜娃说："可以寒假出一期，暑假出两期……还可以画上插图……封面嘛，也要搞得又大方，又有味道！"
大家七嘴八舌议论了一阵，大雷也不纠缠"什么叫惆怅"了——他等着看有注解的
杂志呢……后来爸爸提高声量说："该老爷子啦！"

大家就都安静了下来。只见爷爷戴好老花镜，凑拢沙发旁的落地灯，拿着他写
的文章，念了起来。

温哥华

这里说的不是加拿大国的那个名城，是一个人。

谁？

就是离咱们家不远的大街上，卖西瓜的一位汉子。他长得黑不溜秋的，
天热的时候，光着大膀子，露着胸毛，手里再操着把切西瓜的尖刀，你想
想那是个什么形象！原来我买西瓜，总是宁愿再多走几步，到那面善的、
妇女掌秤的摊上去买，对他，是连摊带瓜都绕着走；但我买回的瓜，能得家
人好评的，不多，要么还生，要么过熟；老伴买回的瓜，却成功率颇高，有
一天她买的瓜，正好几个朋友来分享，色艳瓤沙汁浓味甜，大家轰然赞妙；
我就顺口问她：哪个摊上买的？她笑说："鲁智深那个摊上买的！"我就知
道是那汉子的摊儿，不禁对她说："你真有胆儿！敢到他那儿买！"老伴笑了：
"人不可貌相！你猜怎么着？请他给挑，他挑得还真仔细，不熟还真不给约，
谁知道他秤准不准呢，反正他挑的这瓜，挺不错是吧？"

那以后，有一天我回家挺晚，下了公共汽车，走了没几步，便是他那
瓜摊；没人买他的瓜，他躺在折叠床上，就着拉过来的无罩电灯，翘着二郎
腿，看一本什么书；我忽然觉得应该买他一个瓜，就过去招呼他，他翻身起
来，扔了那本皱皱巴巴的书，抓起瓜刀，瞪眼望着我，我心里有点怵，嘴
里少不得请他挑瓜，他把刀放在案子上，给我挑起瓜来，他一挑瓜，那形
象确实就顺眼多了，他似乎也并非为顾客着想，从旁看去，他挑瓜是出于
一种习惯，甚至于是出于一种爱好……我心里松快多了，便跟他聊了几句，

问他看的什么书，他说："嗨，瞎看呗！"可是我已经看出来，那扔在折叠床上的是一本金庸的武侠小说，于是说："嗬！雄心大志！今儿个瓜摊小贩，明儿个除暴安良！"他一边给我称瓜，一边气昂昂地说："那怎么着！你以为我一辈子窝在这瓜堆里么！"我说："你别给我往多约啊！"他把眼一瞪，爽性不约了，说："你信不过，咱也不约了！论个儿卖吧！你还买不买？"他如此有趣，我也就跟他说笑来；这一晚，我们就算认识了。

后来我买瓜不仅专买他的瓜，而且只要没事，他又没大生意，我就跟他聊一会儿。

他那瓜摊左右，还有个体书摊、烟摊，以及卖煎饼、卖冰棍的小贩，我发现那些摊主小贩都管他叫"温哥儿"，原来他姓温；他对这"温哥儿"的叫法不大满意，有一回他就对我说："多难听，跟得了瘟病似的！"我就建议："干脆，叫温哥华吧！听着再不会想到瘟病，而且，温哥华是加拿大的名城，听着也亮堂！"我本来是开玩笑，没想到旁边卖烟的小伙子立马就这么叫上了他；几天以后，这叫法就普及开了，他也认头。

卖西瓜比卖别的辛苦多了，因为晚上得彻夜守摊；不过，看样子温哥华一夏的收入，比周围的摊主小贩都高很多，我自然从不跟温哥华谈及各自的收入，我们总是天南地北地扯些别的；从闲聊里我知道他去过不少地方，自己也种过瓜，看见他穿过一条军绿裤，我就问他是不是参过军，他说参过，可是脾气太大，升不了官，复员回了大兴县，又一直不得烟抽，混到现在，也就是靠瓜赚俩钱花……

盛夏里有一天，我的一本书，由南方一家出版社出版了，那边出版社代我缴了个人所得税后，给我汇来了将近两万多块钱的版税，我从东华门的银行取出这笔钱以后，兴致勃勃地到附近的天伦王朝饭店去吃了顿自助餐，因为在街上时浑身燥热，所以在饭店里我选了一个冷气最冲的位置；没想到乐极生悲，等我回来时，在公共汽车上便开始肚子疼，下车以后，里急到难以忍耐的地步，根本不可能坚持回到家里的卫生间解决问题；我捂着

善 的 教 育

肚子，满额是汗，好在很快到了温哥华的瓜摊，我急中生智，便把手提包交给他，对他说："温哥华，我得赶紧去厕所，你给我看着点儿——里头可全是金银财宝！"也不等他眨完眼，我就赶紧往公共厕所里跑，那公共厕所倒不远，就在三十米开外的胡同口里，我跑进去的情况，不堪形容，不过我把提包交给温哥华，实在是太明智了，因为那里面绝无挂提包的钩子……

从厕所出来，天已黑净，街对面小饭馆的瀑布灯，光灿灿地一直从门面挂到行道树上，温哥华的瓜摊，也亮着他那个大灯泡；我走拢瓜摊，忽然发现温哥华黑着一张脸，手里握着瓜刀，两眼恶狠狠地迎着我，让我大吃一惊；我还没开口，他瓮声瓮气地质问我说："想干什么，你？！"

我很不理解，就开始耐心跟他解释……

温哥华没听完，就咬牙切齿地说："你这糟老头子！你耍我呢！"

我更不理解了。

温哥华把刀在案子上使劲一顿，瞪圆双眼，吼了起来："别以为我是好惹的！"

有几个人围了过来，我莫名其妙，不由得有点害怕。

"给！"温哥华把我的手提包扔到我怀里，继续大吼，"你点点数！少了没有！"

摆烟摊的小伙子就上去劝他。

我万没想到事情会变成这样。我错在哪儿了呢？

……好在最后终于把一个大误会消除掉了，不，也不是什么误会，最根本的是，我此前还根本不了解温哥华，归根到底，是我那天那样做太孟浪了。

温哥华没参过军，温哥华犯过错误，他曾因浑水摸鱼提走别人的手提包，被拘留过；后来他决心改过自新，在农村种瓜，他跟西瓜混得越来越熟，到后来，挑瓜已成为他的一种习惯乃至本能，而且几乎百挑百佳……那天我那样做，对他刺激实在太大了——因为我撂下了那样一句话，转身就跑，所以他在一种复杂的心情中，也就打开我那手提包检查了一下，看到里面有那么多的钱，他一时竟感到我是恶作剧，故意要羞辱他……

那以后，我跟温哥华，成了朋友。冬天，我们一起冬泳，他总觉得我年岁大了，怕我有个闪失，游的时候，总在我左右护卫着。

爷爷念到这里，停下了。我以为没完，问："下头呢？"爷爷却已经取下了老花眼镜。邢阿姨笑着说："啊呀！您写的他呀！我也常买他的瓜，确实都不错！头年秋天，在街头帮着抓歹徒，还受了伤，事迹上过晚报呢……不过，也真没想到，他原来，是个失足青年啊！"爸爸说："前头咱们写的，莲娜呀，大牛呀，都是些纯洁无疵的，天使般的人物……老爷子倒真是别开生面，写了这么个……怎么说呢？……"蓓蓓说："我理解。只要一个人愿意善良，他就能够洗掉心灵上的污垢，变得美好！"妈妈说："爸爸这篇很好。有深度。它让我们懂得，信任，是善良的催化剂……"大雷问："什么是催化剂呀？"大家都笑。铜娃对大雷解释说："就好比春风吹过来，迎春花就开似的……曾爷爷完全信任温哥华，温哥华一时反而受刺激，接受不了，可是到头来，曾爷爷的信任，还有更多人信任，让他更有信心，去做一个善良的好人！"大雷点头。

奶奶给大家分发橘子，说："不早啦，吃完橘子，该休息啦。"大家剥橘子吃。邢阿姨说："什么时候还办这个'班'？我也写一篇参加！让大雷他爸也来！总那么搓麻，究竟没多大的意思！"她边说边拿起橘子要剥，一看，不对，橘子掉她肚子上，她把毛线团当成橘子了！她仰脖大笑，大家也都笑得前仰后合……

第二天一早，爷爷带着铜娃和我细看四合院。我虽然很熟悉爷爷他们这个院子了，但也还是头回听爷爷细说端详。爷爷他们的四合院，虽然里头盖出了一些从原有住房延伸出来的小房子，又拆掉了一些原有的建筑，但大体上还保持着北京老四合院的格局。在前院和后院之间，跟大门错开的位置上，是一座垂花门，它的特点是门楼上倒垂着一个木质门罩，门罩前方，两根往下垂着的木柱顶端，被精心雕刻成了西番莲模样；虽然年久失修，但那残存的彩绘装饰依然能让我们想象出当年的鲜碧华丽……爷爷说，北京胡同四合院是中国传统文化的宝贵遗产，应该选择其中仍保持着当年风貌的一些区域，加以保护、修葺，而我们所置身的这个四合院，就是一个特别典型的例子……

爷爷还在滔滔不绝地教我们懂得欣赏四合院，奶奶招呼我们吃早点了。吃早点的时候，我才看见沙发前的茶几上放着好多张烫金的请柬，问奶奶："怎么昨天没看见呀？"奶奶说："嗨，一早你们还没起床呢，那张伯伯就让他那司机顺路给送来了。都是地坛公园庙会的请柬，据说是给贵宾的，'一柬通'，开幕式拿它可以坐前排，还发泥塑礼品什么的……而且整个庙会期间都可以用，还可以免费去那什么台湾式茶寮，喝那好几十块钱一盏的冻顶茶……"

没想到爷爷忽然生了气，把筷子往饭桌上重重地一放，用批评的语气对奶奶说："你宣扬这些个干什么？"又严肃地对我们说："你们要去地坛庙会玩，自己买那四块钱一张票的入场券，不要拿这个什么'一柬通'！"

铜娃一定很纳闷。一直都很慈祥的爷爷，怎么会声色俱厉起来？我心里倒还悟出了七八分。奶奶提到的那个张伯伯，原来一直管爷爷叫老师，为了当上个什么局级干部，没少往爷爷这里跑，求爷爷给他写推荐材料，爷爷虽然始终没给他写那个材料，可对他，原来还是觉得有些个能力的；没想到那张伯伯升到那个位置以后，暴露出好些个严重的缺点，爷爷对他很不满意；这都是我从爸爸和妈妈谈话里，听出来的；我听爸爸说，那张伯伯特别喜欢跟原来认识的人，炫耀他坐的奥迪车如何漂亮，又如何能享受到种种一般老百姓享受不到的待遇……这不马上就到春节了吗，他让司机在接他的路上，顺便给爷爷送来这些个烫金的请柬，恐怕主要还不是为了爷爷奶奶逛庙会方便，而是为了显示他如今混得有多么滋润……

不过吃完早点以后，爷爷恢复了良好的心情，他把铜娃和我带到院门外，要给我们指点、讲解大门两边的石雕鼓形门墩，还有南房山墙上残留的拴马环……

我们刚到了门外，就看见一个外衣上套着个橘黄色帆布背心的伯伯，迎着爷爷打招呼。我和铜娃当然都知道，那橘黄色背心，是打扫街道的清洁工人的标志。爷爷一看见那伯伯，就亲热地说："老罗，你恰好打扫到我们门口咓！"那罗伯伯显然是外地来的民工，我更听出来，他是四川来的；几句话过后，爷爷跟他就爽性用四川话交谈起来了。我回想起来，爸爸妈妈曾谈论过，爷爷跟一位四川来的民工，交上了朋友，常把他请到家里，喝着热茶"摆龙门阵"——就是山南海北地神聊；还常送衣服给那位民工；现在这位身上套着橘黄色背心的罗伯伯，显然就是那来自我们故乡的民工了。

只听罗伯伯说："你总算出来啰！我等你好久！"

爷爷很惊讶，责备他说："你怎么不进去啊？"

罗伯伯拍拍身上的橘黄色背心，解释说："在岗上嘛！"

爷爷忙问他："是不是有什么急事，要我帮忙？"

罗伯伯两眼笑成两弯新月，说："哪儿有总让你帮忙的道理！这回，是我要给你一样东西哩！"说着，便把手伸进贴身衣兜，曲曲折折掏出一张纸片，递给了爷爷。爷爷没戴老花镜，看不真，交给我，我认出来，那是一张窄长的门票，再细看，是地坛公园春节庙会的普通入场券，只是背面有个"赠券"的印章……我告诉了爷爷，爷爷拿回那张门票，问罗伯伯："一定是你们清洁队发的吧？你在寒风里头等我出院门，为的就是要把这张赠券送给我啊？你留着自己去逛逛嘛！你们每人发一张……"爷爷还没说完，罗伯伯叫起来："每人一张？你想得好安逸！我们八个人才五张，抓阄儿，我这手好香啊，一抓就抓着了！一张四块钱哩！……我可是巴巴地给你送来……"

当时，一瞬间里，我差点犯了天大的错误——我没等爷爷答言，就想抢着说："罗伯伯，我爷爷家，有好些张烫金的请柬，凭那'一柬通'，连好几十块钱一盏的台湾名茶，都能白喝哩！……"多亏铜娃及时地在一旁暗暗地拉我衣袖，我的蠢话才没脱口而出；我先望望铜娃，发现他的目光全盯在爷爷脸上，便也朝爷爷脸上细看，只见爷爷实实在在地"盈眶"了……爷爷把那张入场券珍重地放到了羽绒服里面的胸兜里，拉过罗伯伯那双粗糙的大手，紧紧地握着，说："谢谢你，老罗！我一定去……一定去……"

……后来，我和铜娃去打保龄球。去保龄球馆的路上，不由得议论起罗伯伯送票的事情来。我问铜娃："如果把那些'一柬通'，都送给老罗，请他和他们清洁队的民工，开幕式上都去主席台，坐成一大排……你觉得，那是个好主意吗？"铜娃不屑于回答我的问题，只是大步往前走，仿佛自言自语地说："我觉得，你爷爷把罗伯伯那张票塞进胸兜里的时候，闪出了一道金光……"

打保龄球时，我和铜娃暂时忘却了别的，玩得很快活。我们实行 AA 制，就是两个人分摊费用，谁也不请谁。这样，两个人都更加自在。出了保龄球馆，迎面扑来寒风，满街在化雪，我俩紧紧围巾，踩着湿漉漉的路面，往前走。爷爷奶奶还要留铜娃住一晚，可是，走过我爷爷奶奶他们住的那条胡同时，我俩却并没有拐进去；原来，我们已经跟冯老师打过电话，要到他家里去拜访。

冯老师也住在一条胡同里，不过，他家住的，已经不是古老的四合院，而是新盖的，六层高的居民楼了。

冯老师满头白发，他过了暑假，就要退休了。不过他跟我们说过，退休以后，我们的课外文学小组，他还是要管几年的。

冯老师见了我们，高兴极了。冯师母也满头白发，不过，他们俩人脸上的皱纹都不多，脸色都红扑扑的。冯老师给我们喝热腾腾的姜糖水；冯师母端出盘刚煮好的甜玉米；我们喝着、吃着，围坐一起，说说笑笑，心情大畅。

我和铜娃，你一言，我一语，汇报了"盈眶班"的事；我又把带去的几篇文章递给冯老师，请他过目；铜娃更说起编杂志的事，又提到洪蓓蓓，问能不能让她，一个外校的学生，也参与我们文学小组的活动？

冯老师很快读完了我带去的文章，又递给冯师母看。他兴奋地搓着手说："文学，本来就不应该是小圈子里的事儿。以我们的小组为核心，吸收组员们的家长、邻居，有老有少，体现出丰富的社会性，先集中创作些这样的文章，汇编起来，很有意义，也很具情趣啊！"又说："'盈眶班'，这个概念很新颖，很有内涵！只是，恐怕不知底里的人刚看到时，会感到迷惑不解……我倒是觉得，我们的杂志，不如就叫《善的教育》。你们都读过意大利亚米契斯的那本《爱的教育》，喜欢吧？爱与善，是相属连、相渗透的，但毕竟也还各有其内涵。现在的一些儿童、少年读物，有的，我很不以为然，有的竟至于表现暴力，乃至色情，成人读物里这类东西就更多！我以为，还是应该写善，起码有一种文学，是要很认真地，也很优美地，去表现善的……"

冯师母读完了我带去的几篇文章，说："甚得我心！你们编《善的教育》，我也投稿！而且，恰可好，我手头就有篇现成的，已经润色好几遍啦！"说着，就去拿来了她写好的那篇文章。

冯师母头几年就退休了。她写的，是关于她和外孙女的故事。

大猩猩

街角新开了个精品店。敞开的门里面花花绿绿，银光闪闪。风吹过，挂在沿街柜台上的风铃发出阵阵叮咚的响声。

其实那店里卖的东西也并非都那么精。比如就有一只比五岁的儿童还大的玩具大猩猩，被当做商店的招幌，天天挂在外面。那大猩猩用褐色的粗呢料缝制而成，眼睛鼻子嘴巴脚爪镶着些黑色的人造革，造型略有夸张而颇滑稽。

姥姥总带着妮妮路过那个精品店，妮妮眼珠子总往店里头转，姥姥却总没带她进那店里去过。

妮妮四岁多了。妮妮懂事。妮妮知道自己为什么进不成幼儿园而只好到姥姥这儿来跟姥姥过。妮妮的爸爸妈妈都是普通的办事员，他们办的事却又跟普通人的生活无关，所以爸爸妈妈工资少而那种叫做"外快"的东西又飞不来。爸爸妈妈没法子赞助那个幼儿园一匹摇马，所以爸爸妈妈到头来只能把她送到姥姥这儿来。姥姥其实比幼儿园的阿姨还会讲故事，还能教妮妮用碎布头纸盒子塑料瓶自己制作好多好多的玩具。妮妮相信姥姥的话，那家精品店不是小孩和老太太去买东西的地方。可路过那家精品店时妮妮总望着那个大猩猩。回到家她就要姥姥给她讲大猩猩的故事。姥姥就编了好多故事讲给她听，跟她一起包饺子的时候就讲大猩猩贪吃肚子疼结果生病住到月亮医院的故事，哄她睡觉的时候就讲大猩猩贪玩不睡觉结果掉进井里让青蛙欺负的故事……末了妮妮总问："大猩猩疼不疼呢？"姥姥就总说大猩猩不贪吃不贪玩很乖怎么还会疼呢？可妮妮的表情总不大容易松弛开来。姥姥也没在意。

有一天姥姥突然宣布："妮妮，姥姥发了点财，姥姥能给你买玩具了，你想买个什么呢？"原来姥姥的退休金根据一个什么文件的精神每月增加了五块钱，而且补发了半年的，所以那个月一下子多出了三十五块来，姥姥愿意把那钱都用来给妮妮买玩具。

本来说是到百货公司去买，可路过那个街角时，妮妮像粘在了那儿，

善 的 教 育

拎扯不动了。姥姥想了想，也就带她去那店里了。

店里有个描眉的小姐，正用美丽的包装纸给一位先生包装一样小摆设，她见姥姥牵着妮妮进来了，忙满脸堆笑地招呼："买点好玩的吗？我们这儿有好多的玩偶哩！有刚进的蓝精灵，也有一点儿没坏，只是因为搁得久了一点，削价一半的椰菜娃娃……"

姥姥就问妮妮："你喜欢哪一样呢？"

妮妮望望蓝精灵，望望椰菜娃娃，望望沙皮狗和绿鳄鱼，望望这个望望那个，最后却不再在店里张望，而是跑到店门外，望着那个大猩猩。

描眉的小姐送走了那位先生，笑吟吟地跟着妮妮和姥姥，对姥姥说："原来小妹妹喜欢这个大猩猩，这大猩猩反正也挂旧了，我就贱卖了吧——原价二百，我一百二就卖，一百二，等于白送啊……买吗？买，我就把它放下来……"

妮妮不等姥姥表态便跳着脚拍着手嚷："放下来放下来！快点放下来！"

姥姥慌了，忍不住拍了妮妮一下："别呀别呀……"姥姥兜里一共只有四十块钱，只打算花三十五块买玩具，一百二！姥姥想也不敢想。这孩子也太贪心了！

……姥姥牵着妮妮，硬把她往回家的路上拉。妮妮不甘心，还拼命扭回头去望那大猩猩。描眉小姐站在大猩猩身旁撇嘴。

妮妮大哭。姥姥急了。姥姥绷着脸问："你怎么了？你变得不是妮妮了。我不认得你了！"

妮妮抽抽噎噎。

姥姥问："那大猩猩有什么好？那么贵！你干吗非要那大猩猩？"

妮妮抽抽噎噎地说。说得好认真。说得好吃力。

姥姥忽然听明白了。

妮妮是说，那大猩猩的那两只胳臂，总那么给捆起来，吊着，大猩猩一定很疼很疼，大猩猩哪天才能不吊着，给放下来呢？咱们买下他，让他跟咱们回家吧！

姥姥听明白了以后，就蹲下来，一把搂住了妮妮，搂得紧紧的。

姥姥用自己的脸，紧贴着妮妮湿漉漉的小脸蛋。

姥姥就在心里责备自己，怎么见天走过来走过去的，也总是看见那大猩猩，就没心疼过他呢？就因为那是个假的吗？

……姥姥带妮妮回到家，用大钥匙打开柜子，用小钥匙打开柜里的抽屉，用双手取出个旧的皮包，打开它，从里头取出个手绢包，打开手绢包，从里面数出了好多张钞票……然后，姥姥又带着妮妮到了那街角的精品店，用一百二十块钱，买下了那个大猩猩；妮妮简直抱不住他，说实在的，姥姥抱着也感到吃力。

姥姥对收了钱还在吃惊的描眉小姐说："以后，任凭什么玩偶，只要是模仿生命的，你就别再把他们捆着吊着，别让他们痛苦！"

描眉小姐开始有点莫名其妙。心想我要不捆着吊着那大猩猩你还舍不得买它哩！可当那一老一小互相帮助着抱走大猩猩以后，她一边抠着指甲上的蔻丹，一边也浮出个淡淡的念头：是呀，捆着吊着，究竟不好看啊，怎么以前就没感觉出来呢？

头并头地看完了冯师母的文章，我和铜娃坐回原来的姿势以后，不禁互相对望了一眼；我们虽然都还没盈眶，可是，各自的眼波，都明白无误地显示出，我们心里都荡漾着感动的涟漪。

铜娃说："冯师母这篇《大猩猩》，越往深里想，越有味道。"

我问："妮妮她那么小，怎么就会有那样一种善的情怀呢？"

冯老师说："我想，一是人的天性里，也许就有那善的种子；另外，恐怕也是家庭熏陶的结果。在这件具体的事情里，妮妮哭着要大猩猩，姥姥没弄明白时，还说不认得她了——从文章的写法来说，是设置了一个悬念：这平时很懂事的孩子，一下子怎么变样了啊？——但事情闹明白以后，文章里虽然没写——也不用画蛇添足地写出来——读者也能意会到，那妮妮的姥姥，还有别的长辈，平时对她的心灵，一定是有潜移默化的影响……"

冯师母笑着说："这里头可没写明，妮妮除了姥姥，还有哪位长辈；难道添上个姥爷爷，就不画蛇添足了么？"

冯老师说："妮妮姥爷爷究竟怎么样，倒可以暂时置之不论。可是我还留着妮妮她妈妈上大学时，在他们学校'春之声'文学社的刊物上发表的一篇短文，那倒能说明一些个问题。"说着，他就去找来了那本油印的刊物。

我和铜娃又头并头地读妮妮妈妈当年写的那篇文章。

为他人默默许愿

小时候，邻居潘姥姥的嘴很瘪，妈妈让我把刚刚蒸好的蜂糕送去给她吃，她高兴得不得了，可是吃那糕以前，她把糕上的红枣都抠了下来，让我很吃惊。后来听妈妈说，如果潘姥姥有钱安上假牙，她就可以像我一样享受红枣的美味了。那时我就默默许愿：等我长大挣钱，一定给潘姥姥安上假牙。但是不久我们就搬走了，几年以后传来潘姥姥去世的消息，妈妈叹息时，我在一旁呆想：她怎么也不等等我，就死了呢？

上小学的时候，教唱歌的老师是个很爱笑的少女，她的笑声像鸟叫一样，我一听她笑就想到翠绿的竹林；可是有一天她来上课时完全没有笑容，眼睛泪汪汪的，后来她好久没来上课，换了一个很厉害的男老师；偶然里听说，她是因为失恋，自杀未遂，不再当老师了，我心里非常难过，便默默许愿：等我哥哥长大，一定让哥哥爱她娶她，当我的嫂嫂。可是我还没有上完小学，有一天就在大街上看见她，挽着一个很强壮的男子，满脸放光，还发出我熟悉的小鸟般的笑声……

中学毕业时，联欢会上，有人建议每人说说自己的职业理想，有一个同学说他要当舞蹈家，立即引出哄堂大笑，他也笑，确实很好笑，因为他是个罗圈腿；但是我知道他心里真有那个想法，便在心里为他默默许愿：将来他就能当个舞蹈家！很久以后，在一场精彩的舞蹈晚会结束时，我到后台去看他,我告诉他当年曾默默为他许愿,他双手合十,感动地对我说:"怪不得我终于和舞蹈结下了不解之缘!你的祝愿,也是冥冥中托举我向上的力量之一!"他现在是一位著名的舞蹈服装设计师。

少女时代,我常常为他人默默许愿;现在进入了成年期,我也还没丢失这颗童心。我很少得以还愿,而且我许的愿,未必是他人所渴求的,有时甚至还可能与他人内心所思相左,但我珍惜自己的这一份心意。在为他人默默许愿的一瞬间,我的心灵必是美好的、纯洁的、向上的,至少在那一瞬间,无愧在世为人,并相信我置身其中的人类,因有这种最原始、最朦胧、最浅显的情愫,才得以绵延至今。

我不知除慈爱的父母以外,可曾有他人为我默默地许过愿。我在生活中,是否已经过多地揣想他人对我的恶意,而渐渐失却了对这世界存在良善的想象力?也许,他人曾有过对我的默愿,大大超过了我所默愿的次数和力度?……不管怎么样,我只有珍惜自己那一份尚未泯灭的为他人默默许愿的情愫,才能使自己的生命更有意义。

唯愿自己始终能自然而然地,在一个瞬间,为他人默默许愿……

我和铜娃看完那篇印在纸张已经发脆的学生刊物上的文章,又交换了一回眼神;除了感动,也都为文章的短小精悍而赞叹。

冯老师说:"这是比较典型的散文。你们拿来的,还有刚才以妮妮小时候经历为素材所写的《大猩猩》,从体裁上说,都是小说的写法,可以算是一些根据个人亲身经历,写出来的几篇小小说吧!"

正说着,一只黑白花的长毛波斯猫跳到了冯老师腿上,仿佛它也想参加谈话。冯老师便爱抚地给它捋顺毛。忽然又有猫叫,我们扭头一看,在里屋门口,还蹲着一只黄白花的紧毛大猫,它似乎在观察我和铜娃,琢磨我们是不是对它友善。

冯师母便对冯老师说:"你不是刚在晚报副刊上,发了篇跟这两只猫有关的小小说吗?何不拿给奇奇他们看看?"

冯老师说:"只是,从立意上,那恐怕归纳不到《善的教育》上吧?我写的,嘿嘿,是人性那恶的一面啊!"

我和铜娃就都说:"快拿来,我们想看!"

冯师母就去拿来两张前些天的晚报,递给我们一人一张。只见冯老师写的是:

鳝鱼李

我家养了两只猫,原来,喂它们鸡肝和小鱼,它们总是吃得很香,后来,有一回老伴的猫友告诉她,应该喂些鳝鱼骨头给它们吃,具体作法是:用带血丝的新鲜鳝鱼骨煮汤,煮得酽酽的,使鳝鱼骨变酥,然后拌一点米饭。据说吃了鳝鱼骨,猫的毛色将更鲜美,而且四肢有力,嬉戏起来更妩媚。老伴对猫向来是恪守"鞠躬尽瘁、死而后已"的八字方针,闻讯自然立即付诸执行。

离我们家三站路,才有大型的农贸市场,那里的水产棚里,有一位个体户专卖鳝鱼,他的几只大木盆里,总养着许多不断蠕动的粗细不一的黄鳝,有的似乎眼看就要蹿出木盆,但不管他多忙,他总是在关键的一刹,用手把那非分的鳝鱼轰回木盆;他代客宰杀鳝鱼,动作十分麻利,把鳝鱼头往案板的钉子上一挂,捋直那蛇一样的身子,用手那么一拉,偶尔也用一把尖刀辅助,很快便将血淋淋的鳝肉抓进薄薄的塑料袋里,交给顾客,那剔出的鳝鱼骨,他随手扔进脚下一个铝盆里。

据老伴的猫友说,他那喂猫的鳝鱼骨,是向他家附近农贸市场的卖鳝鱼者讨来的,因为那骨头留着无用,有人讨去,还省得他收摊时端到垃圾站去倒掉。

那天我老伴去到农贸市场讨鳝鱼骨,却遭到了拒绝。

卖鳝鱼的老板说:"你买我的鳝鱼,我给你宰了,剔出骨头来,自然都给你!"

这本来也没什么,可老伴偏先买了一条大鲤鱼——我们平时都不吃鳝鱼,因为我们都怕蛇,而鳝鱼的形态实在太像蛇了。

老伴正犹豫中,旁边就有一位跟那老板熟识的顾客发话了:"我说鳝鱼李，你这就怪了——我可知道，你为了省事儿，每天让那'轴儿'来给你打扫现场，包括给你倒那一大盆的鳝鱼骨头，你不是每月，为这个还给他三块钱吗？……"

老伴就说："是呀，既然这样，你白给我一点，怎么就不行呢？"

那鳝鱼李下巴一扬："你要它，干什么呀？你大鲤鱼都买得起，还要用它煮汤喝吗？"

旁边的顾客就说："怕是治病吧？"

老伴却老老实实地说："我是想拿去喂猫，听说猫吃了有好处……"

那鳝鱼李眼珠一转，说："行呀，你给两毛钱，我给你抓一把！"

老伴便欲掏零钱，旁边越聚越多的人当中就有人说："别给他！要不，您等一会儿把钱给'轴儿'吧，让'轴儿'给您装一口袋！"

鳝鱼李却说："别想，打今儿个起，我还不让'轴儿'端盆儿了哩！"

周围便响起一片议论声、讥笑声、起哄声，老伴欲抽身走掉，但爱猫之心，又让她犹豫起来，给那鳝鱼李两毛钱算了！

这时有人高声叫："轴儿！"

于是老伴就看见走来一个瘦弱的残疾人，因为一条腿萎缩，走起路来身子打偏摇晃，确实令人不禁有"轴儿"的联想。

没等"轴儿"走拢，鳝鱼李就对他吆喝道："'轴儿'！今儿个不要你倒盆了，你去吧！"

那"轴儿"莫名其妙，张开嘴巴合不拢……

老伴回到家来还在生气，她说现在怎么有这号商人！一点人性也没有！又说我们的猫其实何必吃那鳝鱼！又后悔自己多事——要没她去讨鳝鱼骨这么一出戏，也就没"轴儿"的悲剧发生呀！

后来，有一天我和老伴去那农贸市场采购，我说偏要去看看那鳝鱼李的嘴脸，老伴说你要去你去，我是再不愿看见他——老伴就在水产棚外等我，我进去很快就看到了鳝鱼李，据实说他长得挺气派的，对买他鳝鱼的顾客，脸也笑得挺圆；忽然我看见他那案子上立的纸牌所标的价码，最后一行赫然是："猫食鳝骨——0.3元一斤。"……

出来我把所见报告给老伴，老伴撇嘴说："我就不信他能发大财！"

可是鳝鱼李偏发了不小的财——最近，我们住的那条街上，出现了一家粤菜馆，门面不算大，装潢却相当豪华，那菜馆的名字，不叫别的，就叫"鳝鱼李粤菜馆"。有一天傍晚，我们还看见一个残疾人从那菜馆侧门提着垃圾桶出来，老伴忧伤地告诉我，那便是"轴儿"。

看完了，铜娃先议论说："真不错。短短的篇幅里，就写出了三个人物。那个'轴儿'，着墨不多，给人留下的印象，倒挺深的。"

我说："鳝鱼李这个人物，见钱开眼，缺乏善心，作者鞭挞他，可以说是暴露人性恶吧；可是，作者本身的叙述语调里，还是在扬善……我特别欣赏那最后一句，又特别是'忧伤地'这个状语，如果去掉，味道就出不来了……"

冯师母笑着对冯老师说："你可算是遇上知音了！"

冯老师一边抚爱着大猫，一边乐呵呵地说："毕竟我们文学小组没有白活动啊！青出于蓝而胜于蓝么……"

我便说："这篇《鳝鱼李》，咱们的《善的教育》杂志完全可以转载！这也是一种角度嘛！"

铜娃说："应该尽快把咱们的这些想法，在返校日的文学小组活动前，就通知小组的所有成员……"

冯老师说："好好好！我这儿有通讯录，差不多家家都有电话，你们就在我这儿，把电话都打了吧……"

我们没在冯老师家打电话；冯老师和冯师母热情地留我们吃午饭，我们也谢辞了。给文学小组的成员普遍地打一通电话，会大大增加冯老师家的电话费用，那不合适，不如在爷爷家完成这桩任务；到冯老师家以前，我就和铜娃商量好了，中午去吃兰州拉面。

从冯老师家告辞出来，我们一路议论着，走过了"麦当劳"和"肯德基"快餐店，拐了两次弯，来到了一家兰州拉面馆。自从上了中学，我们对"麦当劳"的汉堡包和"肯德基"的炸鸡块的兴趣，都大大地减退。

大碗的兰州拉面，热乎乎的，散发着一种最质朴的香气。我和铜娃吃得津津有味。那是一家只有六张桌子的小面馆。小面馆里，质量不高的音响设备，放送着一首老掉牙的，台湾"小虎队"唱的歌。"小虎队"的歌风靡大陆，是我们刚上小学时候的事；记得大概是上三年级的时候，春节晚会上，赵丽蓉奶奶还学着"小虎队"的模样，唱了那首要配合唱词不断打哑语的《爱》；后来在学校的联欢会上，我和铜娃，还有马遥遥，一起正儿八经地"粉墨登场"，当众又蹦又跳地表演了那首《爱》……"小虎队"的三位歌手，后来出了他们最后一个专辑《再见》，便各奔东西了；现在流行着另外的歌手另外的一些新歌。这本来是桩无所谓的事，对不对？这家面馆，一定只因为舍不得置备新的录音带，又不想冷场，所以因陋就简，随手拿这样一盘录音带来播放。这似乎就更是一桩无所谓的事了。但不知怎么搞的，当音响里传出了小学时代所熟悉的那首《放心去飞》的歌声：

终于还是走到了这一天，
要奔向各自的世界；
没人能取代记忆中的你，
和那段青春岁月。

一路我们曾携手并肩，
用汗和泪写下永远；
拿欢笑荣耀换一句誓言：
夜夜在梦里相约……
放心去飞，勇敢地去追，
追一切我们未完成的梦；

　　放心去飞，勇敢地去追，

　　说好了，这一次不掉眼泪……

　　我的心，仿佛被一根手指，不轻不重地，挠拨了一下，竟浮想联翩起来……分手，记忆，梦里相约，去飞，去追……我倏地理解了，为什么姑父送给爷爷的那本《旧京大观》，会令他热泪盈眶……而"说好了，这一次不掉眼泪"这句歌词，以前听在耳里很是麻木，甚至还觉得有些滑稽——哪儿来的那么多"自来水儿"——此刻，却似乎是噙了个金橘在嘴里，滋味越来越浓酽……我停住筷子，凝神听完那首歌，不禁问铜娃："嘿，你有马遥遥的消息吗？"

　　铜娃也在那里凝神，被我一唤，才回过神来，他反问我："谁？谁的消息？"

　　我大声说："马遥遥！怎么，你忘啦？"

　　他这才回应我说："啊，马遥遥……你怎么忽然想起了他来？……自从他爸他妈离了婚，两不管，不是就让他姑奶奶接到丰台去了吗？"

　　我忽然觉得马遥遥很不幸，这是我原来从未出现过的念头。是的，这个世界上，有些人比我不幸……即使我帮不上他们什么忙，仅仅是知道这一点，是不是也很重要呢？……

　　铜娃吃完了他的面，问我："你在胡思乱想些什么？"

　　我反问他："你在胡思乱想些什么呢？"

　　他说："从昨天开始，听过、看过……有几篇？……八篇文章了吧……确实，思的想的，多起来了！……我刚才主要是在琢磨，我该为咱们的《善的教育》，写些什么……"原来，他竟没怎么去听那"小虎队"的歌；我们俩这样对话时，那音响也暂停了，我便也不再提起那首《放心去飞》，只是多少有点惆怅、有点忧伤地默想：终于会有那一天吗？我和铜娃，也还是要各奔东西？……

　　回到爷爷他们院里时，已经是下午了。我和铜娃轮流打电话，基本上把我们文学小组的成员都找到了，在电话里沟通得相当充分，他们都答应在春节前的返校日，小组活动时，至少带上一篇切合《善的教育》的文章去；并且都表示一定要在春节后，开学前，就大家动手，将整本杂志"合龙"，让它一开学，就出现在阅览室的展示架上，供全校师生们自由翻阅。

后来，有客人来拜访爷爷，为了不干扰他们交谈，我们就去了洪蓓蓓家。洪蓓蓓一个人在家，她听说我们文学小组欢迎她这个"外来人"介入，很高兴。铜娃一进她家，就发现她家的钢琴上方，挂着一张明星照片；那显然不是从画报上裁下来的，不是"追星族"的行为；从跟那照片并列的几幅照片里的人物，不难猜出，那眼下正当红的明星，是蓓蓓家的近亲——我想起来，曾听妈妈提起过，那是蓓蓓的小姨。

铜娃凑拢细看照片，判断出来，那确实是最近天天在电视黄金时段里播出的连续剧里露面的红星，不由得"嗬"了一声，但"嗬"完也没问什么。蓓蓓就主动对我们说："我小姨，其实她五年前，不是我夸张——差点儿灰飞烟灭了！"铜娃这才问："为什么？"我也好奇："能跟我们说说吗？"

蓓蓓就转身去拿来了两张纸，递给我们说："你们自己看吧。这是小姨自己，根据她的真实经历写的。"

我们轮流看。原来，用的是书信体。

玫瑰为你开

来信

真不好意思。别见怪。因为咱们这两座楼是按同一图纸盖的，所以我觉得我算出的单元和门号准没错儿。不知您的姓名，就冒昧地用了"月季花主"的称呼。您要生气了，就撕了别往下看吧。据说咱们这号楼俗称"西班牙式三爪楼"，咱们都住在十八层，我住的这个"爪儿"恰好对着您住的"爪儿"，从我卧室的这个窗户，望出去恰好是您的阳台。我天天不知往您阳台上望多少遍。您别犯疑，我没歹心，我下身高位瘫痪一年了，我的床铺靠窗户支着，每天早上家里人上班之前，把我扶到被子垛上倚着，我的乐趣，就是往窗户外头望。您家阳台上的四盆月季，上个月开得有多艳啊！一盆浅红的，一盆雪白的，都还平常，那一盆淡紫的，朵儿那么大，开足了活像要从枝子上飞出去，微风一过颤颤巍巍的，我觉得她有话要跟我说呢！

还有那盆艳红的，那红色儿我简直形容不来，说是像红缎子剪出来扎出来的吧，可缎子哪儿来的那股水灵气儿呢？真格的，您别乐，我爱上您阳台上的四盆月季了！……

读到这里，我很不得要领。蓓蓓的小姨高位截瘫过？那怎么可能……现在她在银幕荧屏上可是活蹦乱跳啊！……接着往下读：

……可这两天我失魂落魄的，因为不知道为什么，您阳台上的四盆月季全都消失了，光剩下光秃秃的阳台栏板。是月季病了吗？还是您都搬进去了？瞧，昨儿个为这事一夜没睡好，所以胆大妄为地写了这封信，让家里人到您楼下搁进您的信箱里，也不指望得着回信。据说我们这号病人的脾气都有点怪。您就只当是遇上了个怪人吧。

这封"来信"，真是个闷葫芦。这就是"差一点灰飞烟灭"的情景么？
接着，读那封"回信"：

回信

您得着这信以前，已经瞅见了吧，我家阳台上又摆上了花。那不是月季，是玫瑰哩！淡紫的这一盆，品种最名贵，我给她取了个雅名儿："霓裳仙子"；另外几盆也都有名儿，不过，您还是自己给她们取您可心的名儿吧，因为您对她们的爱心，大大地超过了我呢！

前几天怎么阳台上空了呢？不瞒您说，我遇上了糟心的事儿！

您可能见过我，平时到阳台上给这几盆花儿浇水、上肥、剪枝、喷药，都是我啊；有时候我一边干活还一边哼歌儿，您也该朦朦胧胧听见过？我可没见过您，因为我没朝您那窗户里望过，再说因为外明内暗，就是望也望不清的；但我想象中您该是一位慈祥的长辈，我这么个年纪会遇上哪门子糟心事，凭您的经验您是不难揣算的。……

读到这儿，恍然大悟——这个写回信的，才该是蓓蓓的小姨啊！但究竟是怎么一回事呢？把它读完：

> ……说真的。前些天我灰心透了，一气之下，我打算把这几盆花掐了拔了扔了，因为留下她们只会唤起我痛苦的联想！只是因为她们开得正圆，临到下手时我心软了，就把她们扔到楼道垃圾倾倒口边上。偏巧这时候收到了您的信，谢谢您啊！您的信照亮了我的生活，起码是在眼下。现在四盆玫瑰正在阳台上为您开放，而您给予我的无形的鲜花，也正开放在我的心中。先写这么多，也不打算就此去拜访您——因为日子还长着哩，您说是吗？

读完，我在心里琢磨，究竟蓓蓓的小姨遇上了什么糟心事呢？那四盆美丽的玫瑰怎么就会唤起她痛苦的联想呢？那会是些什么样的联想呢？……

铜娃读完，似乎没有我那么多的困惑，他赞赏地说："真好！事情其实很简单，可是用这样的手法来表现，巧妙，新颖。也许，生活中本来就真有这么两封信？"

蓓蓓说："生活里的真实情况好像是，来信是有的，那位身残心不残的伯伯，以他那热爱生活的顽强精神，打动了小姨；后来小姨恢复了阳台上的玫瑰，去拜访了那位伯伯……后来他们就一直保持着联系……但是，用一封回信来体现她心中的感悟，确实像铜娃说的，比较含蓄，也比较……怎么说呢？更有文学味儿吧！"

我点头说："对。这其实也是写善：用自己生命的火光，去照亮别人差点暗淡下去的生命之光……"铜娃接过去说："最后互相照亮……这玫瑰不仅为他们而开，也为每一个读这文章的人开放……这要也能收入到咱们的杂志里，就好了！"

蓓蓓笑说："那可得征得她同意，有个著作权问题呢！我可以问问她，她会答应的！不过，起码两个月之内，咱们可找不到她——为拍一部新戏，她去云贵高原那边了！"

我就故意说："哎呀，咱们的杂志，原来还指望着有她的文章在里头，能起个明星效应呢！"

蓓蓓就说："嗨，明星是怎么明亮起来，升到空中成为一颗星的？还不是因为有许多普普通通的人，用双手托举了他们！我今天上午倒用小姨的经历写了一篇，不知道能不能收进杂志里，产生出一些个效应？"

我和铜娃就都拍掌笑道："就等着你这位文学新星升空啦！"

蓓蓓写的是：

姑娘，这儿坐坐

那一天真糟糕透顶。她是根据摄制组寄发的通知，去试镜头的。通知上注明，请自带一件符合那脚色职业教养、性格气质及应试的那场戏情境的上衣，以便试镜头时穿用。为准备这件上衣她费尽了心机和气力。然而竟有这样的事发生——都走到摄影棚边上了，肯定是神使鬼差，她扯开提包的拉链，提包里显现出的不是她那千辛万苦准备好的那件上衣，而是大姐的外套！

走廊里的暖气顿时显得奇热，摄影棚的两扇大门被两个面孔潮红的姑娘撞开，伴随着一阵不知是愧悔还是欢呼的喧哗，气浪和声浪一并朝她扑来；一些"圈内人"或从她身后绕向前去，或朝她走来并灵敏地从她身后绕过，她竟不识趣地只是竖在走廊中发呆，全身毛孔似乎都钻出了尖刺般的汗来。

在大姐家中，大姐一再地为她"助威"。大姐当年也曾做过银灿灿的演员梦，但后来却成为了一名教画法几何的副教授。大姐知道她那天必吃不下鸡鸭鱼肉，但却万万不可少却热量，所以特地为她准备了一个以巧克力为主原料的"拿破仑蛋糕"。兴奋中她为大姐表演了导演指定的那段戏，表演完了脱下自备的戏装，挂到了衣架上——没想到临出发前又来了几个中学时的同学，她们可真是消息灵通，有的搂着她脖子跳脚，有的用拳头砸她的脊背，仿佛她已经上定了银幕，弄得她飘飘然、昏昏然，要不是大姐提高嗓门提醒她已到预定的出发时间，她非"误场"不可——但慌乱中她竟取错了衣衫，因为二者的颜色完全相同！

……她以"视死如归"的气概推开了摄影棚的门。没有人迎上来招呼她或斥责她。她觉得摄影棚里完全没有秩序。光区里有些人在试镜头，满腮胡子的导演在嚷着什么，而光区外有人站着有人坐着有人走动，地上是些长蛇般的电缆线……她紧紧地攥着装错衣衫的提包，冷静地意识到，机会之门又一次对她訇然闭拢。

忽然有一个亲切的声音："姑娘，这儿坐坐……"她一偏头，是个穿着一身蓝布工作服的大嫂，两眼正同情然而也饱含鼓励地望着她；她随大嫂所指坐到了一件显然是暂时不用的道具木桶上，坐定后她又同大嫂的目光对接了一次，她感到大嫂在说："这没什么，我见多了，你放心去试好了……"

她竟被录用。穿着大姐的那件外套，她击败了十三个对手。影片放映后她一炮打红。时下，她已是导演们盯着、评论家们捧着、出现在公众场合必被包围的明星之一。她永远感念那位大嫂——道具组的临时工。影片未开拍大嫂就不见了，据说是家里有了病人，辞掉工作回家去了。

前两天她去出版社交书稿，这本《我的帆》是出版社追着她约写的。她在前厅绕过了一位站在那里发呆挡路的姑娘。当编辑送她出来时，她看见一位清洁工大嫂正把那搂着一摞书稿的姑娘引到墙边的长椅上，仿佛正在亲切地说："姑娘，这儿坐坐……"

正是那位大嫂！她忽然觉得她的书稿应当取回修改，她的"头一回成功"真没什么好"挖掘"的，而可敬的大嫂对"头一回"者自然而朴素的慰助，才是真正值得"挖掘"的"深沉"！

我和铜娃正要议论蓓蓓的文章，忽然听见院里传来邢阿姨开心大笑的声音，不由得和蓓蓓一起出门去看。只见院里昨天堆出的雪人，已经大大地减肥，周围化出了一汪水。前院黎伯伯的双胞胎孙子对对和双双——两个四岁的男孩，站在那雪人旁边，好像在拌嘴；邢阿姨呢，则对着院里走动着的人们大声地说："哈哈哈……对对双双好有趣！……这天气，一会儿西北风推磨似的，一会儿又露出太阳，所以啦，对对就说，这雪人在院子里头，一定冻得慌，他说，要把雪人请到他爷爷屋里，暖

善 的 教 育

和暖和；双双不同意，双双说，雪人是觉得热呢，他说，要把雪人请到他爷爷的大冰箱里，到了那儿雪人就不会流水儿啦……哈哈哈，你们说，对对双双哪个的主意对啊？……"院里听见这话的大人，就都停下脚步，朝对对双双那儿注目，眼里露出欣赏的笑意……我和铜娃、蓓蓓，听了这话，看到对对双双天真而真挚的表情，不禁互相交换眼色；善意是无处不在的啊！……

晚上爷爷奶奶提起这件事，奶奶说："难得的是，现在的孩子们生活得这么好，心里还存着一份对不幸的人的同情心……自古以来，拿诗歌来说，好多都是咏叹苦命人的不幸，唤起人们的善良之心的……"说着，她就想起了两千年前汉朝的那首乐府诗《孤儿行》：

孤儿行，孤儿遇生，命独当苦。

父母在时，乘坚车，驾驷马。

父母已去，兄嫂令我行贾。

南到九江，东到齐与鲁。

腊月来归，不敢自言苦。

头多虮虱，面目多尘。

大兄言办饭，大嫂言视马……

我刚赞叹："奶奶，您记性真好！……"奶奶忽然摸着鬓角，自责地说："你看，一打岔，就接不下去了……"爷爷说："底下，是说那孤儿被狠心的兄嫂驱使，到很远的地方去打水，被蒺藜刺破了小腿肚子……"奶奶就说："你记得，你接着往下背。"爷爷说："我只记得，那孤儿说：不如早去，下从地下黄泉……"奶奶拍下脑门说："想起底下的了……"她接着背出：

春气动，草萌芽，三月蚕桑，六月收瓜。

将是瓜车，来到还家。

瓜车反覆，助我者少，啖瓜者多。

愿还我蒂，兄与嫂严，独且急归，当兴校计。

……愿寄尺书，将与地下父母，兄嫂难与久居！

爷爷说："现在奇奇他们往下的孩子，几乎都是独生子女，'兄嫂难与久居'这类的痛苦，以后怕不会再有了。"

铜娃说："可是我们有的同学，父母离婚了，又都不管他，也跟孤儿差不多……恐怕也挺痛苦的啊。"

我立刻又想起了马遥遥。他那丰台的姑奶奶，对他好不好呢？……

铜娃又说："诗里孤儿的那装瓜的车翻了，帮助他的人少，抢瓜去吃的反而很多……弄得他向周围的人苦苦哀求，请他们吃了瓜以后，把瓜蒂还给他，好拿去给他兄嫂看，当个证明……这情节很生动，听了挺揪心的……奇怪，这诗，怎么着也有两千年了吧，除了个别的词儿，都一听就能懂呢！……"

奶奶说："是老百姓的诗么。几千年来，同情不幸的人，形成了个传统么；善良，本是代代相传的呀！"

爷爷说："善的传统，中外都源远流长啊！不过，善的内涵是很丰富的，也不仅是同情心、帮助人什么的……我倒也想到了一首诗，不过不是中国诗，是一个美国诗人，19世纪的，叫朗费罗，他有首《乡下铁匠》，非常好！……"说着，他去书房里找出了一本《朗费罗诗选》，戴上老花镜，翻到那一首，缓缓地踱来踱去，朗诵起来：

一棵栗树枝叶伸张，

乡下铁匠铺靠在树旁；

铁匠是个有力气的汉子，

一双手又大又粗壮；

他那胳臂上的青筋，

结实得像铁链一样。

他鬈曲的头发又黑又长，
脸色像树皮一样焦黄；
额上淌着老实人的汗水，
他取得能够得到的报偿，
他敢睁大眼睛来看全世界，
因为他不欠任何人的账。

一个星期又一星期，从早上到晚上，
你听见他那轰鸣的风箱；
你听见他抡起笨重的铁锤，
有节奏地、慢慢地敲响，
像守钟人敲动乡村的晚钟，
当夕阳渐渐沉向西方。

……

劳苦，——快乐，——悲伤，
他行进在人生的路上；
每个早晨看见他开始干活，
每个黄昏看见他收场；
有些工作起了个头，有些干完了，
挣来一夜的酣畅。

谢谢你，我可敬的朋友，
谢谢你的教益和榜样！
在人生的熊熊炉火里，

> 我们的命运也要经过锤炼；
>
> 在那轰鸣的大铁砧上，铸成了
>
> 火花四射的事业和思想。

爷爷朗诵完了，我和铜娃不由得鼓起掌来。

爷爷放下诗集，坐下，呷了一口奶奶递过去的茶，对我们说："诚实劳动，过朴素的生活，这也是善良，而且，可能是最值得称道的一种善良！"

……就这样，在胡同四合院里，我和铜娃度过了两个难忘的夜晚。

第二天我们回到了二环路外，我们所居住的那栋高楼，回到了各自的家中。

春节越来越近了。节日的气氛越来越浓。

返校日到了。我们文学小组，欢聚在学校图书馆的书库里。我们四周都是装得满满的书架，身边氤氲着书香。大家坐着折叠椅，拥簇着蔼然可亲的冯老师。

大家先七嘴八舌地报告着自己这些天来看见、听见的新鲜事，后来冯老师让我和铜娃讲了编一期《善的教育》的缘起和倡议，他又作了补充和总结；接着我又把已经征集来的文章的打印稿分发给大家传看；传看中时时有人笑，有人发出感叹，有人沉思，有的三三两两展开着讨论……

传看完了，冯老师说："好，该'八仙过海'啦！"

文学小组的成员，都带来了自己给《善的教育》的文章。于是真的"八仙过海，各显其能"了。

薛小明首先朗读了他的那篇：

透明的小螃蟹

小明得意极了，他正靠在鼎鼎大名的杜叔叔身边，让爸爸拍照。从海滨回到北京以后，他得把这张照片拿到学校去，让班上的同学们都看看！

杜叔叔相貌多英俊！身板多魁梧！这还都在其次，杜叔叔是重量级摔跤比赛的金牌得主！尤其是班上的男生，谁不知道杜叔叔！杜叔叔最近一次国际比赛中，掼倒外国选手的电视实况转播，小明在家里给录了下来，班上喜欢练摔跤的一伙男生，聚在他家看了好几遍，个个都说："要真能认识他，跟他学上几招，那就狂了！"

小明现在有多狂！爸爸带他来这海滨避暑，竟恰好跟杜叔叔住一个招待所里！在海边金黄的沙滩上，小明问杜叔叔："您的秘诀是什么？"杜叔叔就让他摸自己的耳朵，他伸手摸摸这边，摸摸那边，不免惊呼："呀！都变成石头耳朵啦！"杜叔叔笑了："这就是秘诀：苦练！"杜叔叔还带着他往蔚蓝的海水深处畅游，对后边多少有些个担心的小明爸爸笑着喊话："别怕！有我！"

那些天里，小明一有机会就去接近杜叔叔；可有时候找不到杜叔叔；有时候杜叔叔身边有好些个不认识的人，特别是有年轻的阿姨，小明就不好意思再粘过去了。不过小明知足，光已经接触过的那些情景，也既够自己以后回味，也够跟班上的"哥儿们"显摆的啦！

那是快离别海滨，要转回北京的头一天傍晚，小明从招待所附近布满礁石的海滨往回走，手里提着个罐头玻璃瓶，迎面遇上了杜叔叔，他高兴极了，忙举起玻璃瓶给杜叔叔看："我逮的小螃蟹！瞧，透明的，跟玻璃做的一样，多好看啊！"

杜叔叔接过玻璃瓶，看了看，却皱起眉头说："它还这么小，还是透明的，你干吗逮它呢？"

这倒让小明吃了一惊。他忍不住说："杜叔叔，您不也喜欢吃海螃蟹吗？反正它长大了，也是让咱们吃呗，早点逮晚点逮，有啥区别呢？"

杜叔叔摇摇头，双手叉在腰上，望着远处飘在海平线上头的彩云，想了想，这才扭过头来，对发愣的小明说："有的道理，我讲不圆，可心里透亮。螃蟹这么小，就不忙逮它。没长大的孩子，别让他服兵役；如果使用童工，那就更不允许了！对不对？……瞧，我说到哪儿去了！也许不该这么表达……不过，也许，你能懂我心里那个意思！"

小明心里，头一回出现了一种莫可描述的领悟。他蓦地为自己以往这一类的行为而羞愧：他曾在小湖边，猛地伸过脚去踩小青蛙，没踩着便骂，踩成一摊肉饼便快活地大笑；又曾和同院的几个孩子，给一只不知哪儿跑来的花猫后腿上拴一只空易拉罐，猫儿惊惶地逃跑时易拉罐发出一阵脆响，他们便拍手欢跳……

　　小明把那只透明的小螃蟹倒回了大海里。他甚至不想在回北京后跟同学们吹嘘与杜叔叔的邂逅了，他觉得不必要，也转述不来杜叔叔就一只透明的小螃蟹跟他讲的那些话。但他将一辈子感念这位雄武的杜叔叔！

冯老师问："怎么样？"

大家都赞好。苗莉莉说："其实，这里头还蕴涵着一个热爱大自然和保护环境生态的大主题。"薛小明说："我写的时候，倒还没想得那么多。我只是觉得，雄武的杜叔叔，会心疼一只比指甲盖大不多少的、脆弱的小螃蟹，实在出人意料。这也是善吧！"我说："课堂上写作文，用惯了第一人称，总是'我'呀'我'的，小明这篇打破了'我'的口气，用第三人称来写，有点小说的味道了。"陈雅枫说："我觉得他并没把第三人称叙述手法的好处体现出来。用第三人称，就应该把那杜叔叔的心理活动，也写出来。"铜娃便激她："那你能不能给我们一个示范呢？"陈雅枫甩甩她的两个抓鬏，大大方方地说："好，你们听听，我这样处理的效果，究竟好不好——素材是从我舅舅那儿来的，他是外地的一个邮递员。"大家于是洗耳恭听：

望眼

　　曹立新骑着邮政绿车子进入了那个新居民区。这两天高考放榜。像北京等地，规矩是由中学统一接收，考生一律到学校看榜。他们这个城市却没这么个统一的规矩，所以他深知车前那大绿兜子里的录取通知信，把分散各楼的收信人的心，牵得有多紧。

　　居民区的幢幢新楼面貌相仿。有的楼还没住满。有的楼设有传达室，里头住的多半是同一个单位的住户，把邮件一总交给传达室就行了。但许多楼大概住的是各不相干的散户，没人一总负责收转，你就得面对楼门里蜂巢般的联体信箱，耐心地把信件按房号一一塞进相应的信箱里去。那信箱口实在秀气，有时候邮件过大，塞不进去，他便只好交给电梯里的值班员代转，有的值班员挺热情，有的冷淡而畏难，也有个别的干脆拒绝："这可不行，万一人家说没接到该有的东西，赖我弄丢了，了得？"那也是。所以局里投递组没人愿意揽这新区的活儿。曹立新是老投递了，派上了他，没拒绝。核桃得用硬牙咬，他眼看奔五十的人了，无论嘴里的牙还是心里的牙，都没那么股子狠劲了，咬起这新区投递的"核桃"来，还真费劲。往这儿寄的汇款单、挂号件，逐日增加；开头，他不殚烦，凡没传达室收转的，一律送上门，没电梯的楼，五六层的住户他先扯开嗓子嚷，没人应，便爬上去，可有时你气喘吁吁地叫门，久久不开，可见里头没人，便只好下回再说；更堵心的是，里头从"猫眼"研究你半天，终于把门打开了一条缝，那最初的眼神就仿佛你是个打劫的贼……后来他实在伺候不起，不便递交的汇款单和挂号信及厚重邮件，就一律填通知单，请受件户拿证件到邮局去认领；这又引出某些受件户的投诉，一封寄往市局转到他们局的投诉信上头，用了"好逸恶劳"这个词儿，让他心头好多天堵满了酸涩的委屈。

但是曹立新还是日复一日地蹬车到这新居民区送信。这两天他是颇受欢迎的人。有的考生，包括家长，伫立楼门遥望，一见他的身影，便迎上来，满脸期待或焦急……当他把大学录取通知书递到他们手中时，有的一瞥封皮上的校名，便高兴得蹦起来；有的拆开后却似乎不大乐意，他懂，那是因为录取学校或专业非最盼望者，这时他便在心里说：知足吧！还有人落榜呢……

有个头天没得着通知书的姑娘，迎他迎到了楼外的绿地边上，一张脸涨成了西红柿，他马上刹车，取出外地一所大学寄来的通知书，递给她，笑说："昨天我怎么说的？该是你的，早晚到你手上！"那姑娘只顾用颤抖的手拆封，都忘了跟他道声谢……

来到七号楼。这楼最难办。既无传达室，也无电梯。一楼的住户绝不

揽别人的事。楼里还住着个著名的作家，他单独有个特制的大邮箱，箱口
开在上方，很长，也相当宽，为的是可以把大开本的杂志顺利地塞进去。
他在楼门外支住车，一抬头，那作家正往外走，一身名牌休闲服，他便马
上把一大摞邮件递上，笑说："都是您的！"作家随口道谢，接过草草检阅
一通，说："我有个活动，马上得走……麻烦你给我塞进邮箱……"但又检
出一张领取邮包的通知单，皱皱眉说："怎么又让去局里领？来回总得一小
时，我一小时能写一千字了！以后这种情况你就都给我送来！……"曹立
新没出声，心说以后我也还得给您放待领通知单，因为，您忘啦？前两个
月我带来一包寄给您的书，您家的门敲不开，邻居不愿转，我只好给您搁
信箱上头放着，后来您收是收着了，可给局里打了"抗议"电话……

　　作家去参加他那意义非凡的活动了。曹立新望望他的背影。其实，那作
家当年跟他一个兵团，常见面，而且，当时作家也叫立新，是许多改掉原来
名字发誓"破旧立新"的一代人中的一员……对方当然不会记得他，他其实
也早把这个立新忘了，只是后来从报刊上看到照片与简介，到这幢楼这个门
送信后当面心中暗暗对号，这才"啊呀"恍悟，果然是他！现在作家不仅有
了一个极雅极响的笔名，也拥有了他不能去与之比较的种种……他从未想过
跟作家套个近乎："当年咱们兵团……"

　　曹立新先把作家的邮件遵嘱塞妥，然后便往联体信箱中给一些住户塞
信，有的住户的信箱用锁锁定，有的却并不加锁。602室有封信，是大学寄
来的，薄薄的，九成是录取通知书……可是，602室没人在楼门等信，信箱
也没加锁，这……他略一犹豫，就还是把那信搁进了里头。

　　曹立新下班回了家。妻子和女儿还都没回家。他家住在小巷杂院里。
他钻进极狭窄的小厨房煮饭。饭煮好了，女儿先回来了。女儿还跟往日一
样。可他却总怕跟女儿目光相对。他偏过头摆放折叠桌。他十七岁去兵团，
二十八岁才回城，三十岁才娶媳妇。他1978年也参加过停顿十年才"恢复"
的高考，他落榜了。记得语文试卷上有道题，让解释"望眼欲穿"，明明是

对大学望眼欲穿的他，那时竟答不出来！当售货员的妻子和他后来便把"大学梦"寄托到女儿身上，然而，头年女儿中考没能考上正规高中，上了服务学校，他望眼……别朝大学望啦！他现在只是把一封又一封的录取通知书，送到别人手中。不过，让别人的"望眼"变成"笑眼"或喜极而泣的"泪眼"，确实也让他心头，有种清溪幽幽淌过的感觉……

他和女儿先吃。漫不经心地说些普普通通的话。忽然刮起了风，还挟着些稀疏而肥大的雨点。窗扇咣当响。他忽然想到了那封信，那封给602室的信，说不定那家的姑娘还是小子望眼欲穿地盼着那封信，可是那封信让他给搁在没加锁的信箱里了，风说不定会吹开那信箱的小门，有的贼风会拐弯儿，有股子掏摸劲儿……那，人家的望眼，不就会真的望穿了么？那楼里不仅住着作家，也会住着些最一般的人，最一般的人往往会遭受最一般的损失，因为一般来说没人给他们提供最一般以外的服务……

他心里仿佛爬着越来越多而且越来越大的蚂蚁。终于，他跟女儿说，他要出去一趟。他推着自行车出院门时，正碰上妻子回家。她问："你这是哪儿去？"他说："我马上回来。"他骑上车猛蹬，听见妻子在身后喊："你疯啦？就要下大雨了，你怎么不套个雨披？"

雨点砸在他头上。他心里只有一个执拗的念头，到那七号楼去，到那个门里看602室的信箱，如果信还在，他便取出，登楼送到那家；如果信没了，他也要上楼问个究竟……

陈雅枫念完了，赵恒问他："你写的那个作家是谁呀？"苗莉莉责备赵恒："人家写的是小说，你干吗总惦着对号入座哩！我想，那是为了凸出主题，虚构出来的，对不对？"说完望着陈雅枫，陈雅枫只是微笑，既不点头也不摇头；我就说："关键是写出了曹立新的美好心灵。到底初三的水平，就是比我们高！心理描写很细腻！"
冯老师问："该谁啦？"
一时都沉默。

　　冯老师笑了:"又不是搞比赛! 我是最反对搞文学比赛的! 大家不要有谁比谁写得好的心理,只要是真实的,向善的,从心里流出来的文字,就是拙一点,也没关系……"

　　铜娃就打破沉默,挺直腰板说:"我的,文笔肯定比前面的都拙,可这确实是用心写的——倒也是第三人称,主人公是我大表哥。"他就念关于他大表哥的故事:

别人的姑妈

　　"张世兴! 有人找!"

　　张世兴从宿舍里出来,筒子楼楼道里黑糊糊的,看不清对面来的人的脸庞。

　　"哈! '铁杵子'! 连我都认不出来啦! 不欢迎呀!"

　　"啊! 金国栋呀! 哪阵风把你给吹到这儿来了?"

　　张世兴和金国栋是高中时候的同学。高中毕业后他们再没见过面。现在张世兴已经从工业大学毕业,分配到这个工厂当技术员,住在单身宿舍楼里。

　　正好同宿舍的另两位技术员不在,张世兴和金国栋坐在一起敞开了聊。说起"铁杵子"这个外号,大学里和工厂里的同伴们都是不知道的,那是高中时英语老师一句话引起来的——不知怎么的张世兴的英语口语就是不行,说起来总带有老家辽宁的口音,英语老师有一回忍不住说他:"张世兴呀张世兴,你这铁杵我怎么也磨不成绣花针——赶明儿你跟外国人对话,你就说你那是'辽宁英语'吧!"引得同学们一阵哄堂大笑,并落下了"铁杵子"的外号。但张世兴考大学时趋利避弊——他报考工科,英语只靠笔答,分数不低,考取了第一志愿;他在大学时也没有加入"托福派"(准备靠"托福"出国留学),毕业后分配到这家工厂他挺心满意足。金国栋高中时英语是最棒的,考大学时直奔对外经贸大学,没想到名落孙山。但金国栋告诉"铁杵子"他现在混得蛮不错,在一家外贸公司公关部做事,经常出入大部门、大饭店。听说"铁杵子"连卡拉 OK 歌厅都没进过,他便保证下回来约"铁杵子"去城里最豪华的卡拉 OK 歌厅,并请他吃最高档的"水果山德"。

张世兴用罐装啤酒招待着金国栋,金国栋聊着聊着忽然面有忧戚之色,唉声叹气起来。张世兴便问:"怎么啦?你有什么糟心事?"金国栋说:"是为我姑妈的事。你大概不知道,我是她打小带大的……可她是个家庭妇女,看病得自费……最近她胆囊炎越来越厉害,有时疼得满床打滚!医生让赶紧动手术,可算了一下,起码得两千块钱才对付得过去……唉,都怪我前一段大手大脚,现在手头竟没有钱了……倒有两个定期存折,要半年后才到期……不是我狠心啊,如今只好让姑妈先用药压一压再说……"

"那怎么成呢?……""铁杆子"心中生出无限的同情。

金国栋脸上现出害臊的神色,呷了一大口啤酒,抹抹嘴说:"我来你这儿,说实在不过是撞撞大运,这年头,谁顾谁呢?我知道你现在挣的不多……唉,我不会再胡花乱用啦,半年后,我一准还你!"

张世兴便毫不犹豫地蹲下身,从自己床铺底下,拖出了自己唯一的箱子,打开锁,取出攒下的两千块钱,递到金国栋手中。

他们亲亲热热地分了手。一个月过去,两个月过去,半年过去,九个月过去……张世兴偶尔会想起这件事,他祈祝金国栋的姑妈手术成功,不再痛苦;每逢在报纸上看到跟胆囊炎沾边的文章,甚至于广告,他都不由得要多瞟几眼……一年过去,金国栋却再无踪影和音讯;张世兴按金国栋留下的名片上的号码拨过去电话,一个录音的声音平静地宣布:"对不起,没有这个电话号码。"又按名片上的地址写了信,过些时候原信退回,贴在信封上的签条上写着"查无此人"。"铁杆子"张世兴这才意识到,自己在人生途程中,头一回遭了骗!

但是,直到现在,深夜扪心,张世兴并不怎么懊悔。丢钱固然痛心,但他没有丢失自己对别人的姑妈(无论真假)那一片率真的同情……

铜娃刚落音,赵恒就嚷了起来:"张世兴应该去报案啊!怎么能饶了那个骗子金国栋呢?"

周曙霞说:"这篇文章的主题不是抓骗子,是肯定一个人心中朴素的善意……"

赵恒说:"骗子专骗善人! 可不能善良到这个地步! "

薛小明问铜娃:"你大表哥后来报案了吗? "

铜娃说:"好像没有。他没提起过。他说起这件事,真的不懊悔。他说,吃一堑,长一智,以后要提防骗子,可是,在生活当中,你往往不可能对求援者的情况,进行周密的调查,所以,在自己能力所及的条件下,即使再遇上'别人的姑妈'需要帮助这样的事,也还是要首先要保持一种同情的本能……"

赵恒态度激烈起来:"那不成了滥好人了吗? 咱们都学过的……那《农夫和蛇》的寓言,还有《东郭先生》……你不报案,那金国栋逍遥法外,他就会继续去骗别的人,那,你岂不是起了个包庇的作用! "

铜娃受不了这样尖锐的挑剔,生起气来,满脸溅朱地说:"你不要污蔑我大表哥! "

大家就有的劝,有的参与争论,一时沸沸扬扬,好不热闹。

我就提高嗓门说:"咱们听听冯老师的意见吧! "

大家安静下来。冯老师说:"一篇文章,能引出争论,这非常好。从文章本身来说,它的任务,已经完成,读者、听众,都会对骗子产生痛恨——因为他竟利用别人心中最美好的情愫,来骗取钱财,这太可恶了! 也都会对张世兴那颗善良的心,理解,并赞赏。你们现在争论的,是文章以外的问题。赵恒能提出这个问题,很好。文学有时候,很单纯;而生活,是复杂的,有个词——诡谲莫测——你们可以查查字典,琢磨一下它那丰富的含义;在生活中做一个既善良,而又不被恶人施害的好人,确实不是一件简单、容易的事。赵恒希望好人能挺身而出,制伏恶人,这是对的。但具体问题,要具体分析。金国栋骗张世兴的时候,旁边没有另外可以作证的人,而且也没有留下借条,所以若去报案,缺乏真凭实据,我想这也许是铜娃大表哥,没有那样处理这件事的具体原因。赵恒不该抬杠,硬说受骗者是包庇骗子的人! "

一番话说得大家心服口服。赵恒爽快地给铜娃道歉:"我不对,你别生气! "铜娃笑了:"我态度也不好! 咱们该争论还是要争论……"我接过去说:"只是都要心平气和，别脸红脖子粗的……"大家都友善地笑了起来。

苗莉莉在大家的笑声中说："我来念一篇。巧了，也是个大表哥。不过，我这篇，是我大表哥自己写的，写他对我大姑妈的感情。他这篇文章在晚报上发表过，我建议咱们转载，问过他，他也同意——只是不知道符不符合咱们刊物的宗旨？"大家便说："你只管念，听听总是好的！"她就念道：

金顶针

我确实是头一回买金戒指。您问我什么心情？那您先猜……

您全猜错了。我认为没有单纯的"头一回"，就像那边摆着的镂雕象牙球一样，里头有好几个层次。十年前，那时候我上初二，放学以后跟几个"哥儿们"在农贸市场边上抽烟，不巧让班主任老师看见了，他不仅当场批评了我们一顿，还让我们回去告诉家长，请家长第二天下班以后到他办公室一趟，当时在场的同学有的满不在乎，有的表情沮丧，我呢，我是强作镇静。

回到家里以后我心里很不好受。我是头一回抽烟。平时我在班主任老师眼里该是个比较老实的学生，可那天我头一回在他心里丢了份儿。我面临着班主任老师头一回因为我犯错误而约请我妈去学校的局面。最要命的是我面临着一个痛苦的抉择：或者"贪污"下班主任老师的约请，不告诉我妈，这等于头一回跟我妈撒谎；或者硬着头皮把这祸事告诉我妈，让我妈伤心。那一年我才15岁，人生就在一个傍晚压给我那么多个"头一回"！

那时我爸爸患癌症去世三年。我妈是单位的出纳，她每天至少过手几万元的现钞，有时甚至有上百万的钞票会在很短的时间里从她手指间流过，可她领回家的钱仅够维持我们娘儿俩过一种不愁温饱的素淡生活。那天我回家很久以后我妈才下班回来。我埋头做功课。我妈照例先过来问我在学校里怎么样，我像往常那样回答她"留的作业又特多！"她照例系上围裙去弄我俩的晚饭……

那晚开饭时我惊讶地发现有一盘鱼香肉丝——那是往常有客人来的时

候才会出现的菜。那晚的紫菜汤也特别可口。妈妈随口问些学校里的事，我告诉她歌咏比赛我们班得了年级第二名，下周的运动会我报名跳高。我当然不想把那桩糟心事告诉给她。

我洗完碗筷后发现妈妈正往一个玻璃罐里放虾酥糖——自从我上中学以后那个罐子就总空着。她对我说："你上学的时候揣上两三块。上学下学的路上，你可以吃点零食。"我更不想向她宣布那可恶的约请了。

直到我要上床的时候，我才从我妈的眼睛里感觉到了一种与往日不同的目光，她问我："你就睡了吗？"我含混地点点头，钻进了被窝。结果我头一回失眠。我闭着眼，可我听到我妈的声息，那不像是在准备上床睡觉。我心里像有小虫子在咬。终于我睁开眼望过去，我望见我妈的一双手，在缓慢地用针线给我钉衣裳上掉落的纽扣，她手指上的铜顶针，在电灯下闪着光；我把目光向上移动，结果同我妈的目光对接，我感到有一个闪电发生……

我坐起来，跟我妈说了。我妈过来，搂过我的头，我这才知道，班主任老师已经往单位给我妈打过电话。

我现在已经大学毕业，并且已经在一家中外合资企业工作了两年。我买这个戒指既不是给自己也不是给女朋友，而是给我妈。我永远记得那晚她手上的顶针。可惜没有金顶针卖，我只好买这个形状的——您说错了，这不是报答，对母亲的这种抚育是无从报答的，这只是一个纪念——那一晚我头一回使她非常伤心而又非常宽慰，她头一回使我愧疚难眠而又痛下决心……

苗莉莉念完，一时竟鸦雀无声。苗莉莉怯生生地问："是不是……他写的只是爱，母爱和爱母……不符合咱们写善的要求了呢？"

周曙霞用手绢揩揩眼角说："哎，干吗钻牛角尖？……我心里好感动……"

我说："有个词儿，叫'胶柱鼓瑟'——这么好的文章，为什么在切不切题的问题上绞死理儿呢？咱们可不能犯那个胶柱鼓瑟的毛病……"

冯老师说："其实，爱心和善心，密不可分，善由爱而来，善又能增爱……中国有这样的古话：老吾老以及人之老，幼吾幼以及人之幼；所谓尊老爱幼，怜贫助弱，路遇不平，见义勇为，是最本原的善。我们现在已经有了十多篇文章，仿佛打开了一把折扇，从各种角度诠释着善，相当地丰富多彩了，但像这样从最本原的角度写善的文章，应该是折扇的轴⋯⋯"

铜娃便问赵恒："你的呢？你有没有扇轴上的大作？"

赵恒便拿出一篇文章来，说："这篇，算我跟我爸，合作的吧⋯⋯写的是几年前的事；原来是用我的第一人称的口气写的，写好给周曙霞看过⋯⋯"

周曙霞说："我可以说是这篇文章的催化剂呢——那天他跑到我家来，说是要看中央电视台体育频道的'足球之夜'，我觉得挺奇怪的，现在哪家还是只有一台电视机啊，像我们家，每间屋都放着一台，那真是咱们国家电视机生产史的活资料，也是这些年来普通老百姓生活水平大提高的活证明：从我刚出生时候的那台黑白的九英寸——它居然还能使用——到我上小学时候的十四英寸黑白电视，到再后来的十四英寸卧式按键开关的彩电，到所谓的'二十一遥'——就是二十一英寸的平面直角遥控式彩电，以及最近刚迎进起居室的超大屏幕'家庭影院'，哪个都可以打开敞开了看个够！我们家的人从不会因为选择频道的问题冲突起来——没想到赵恒他们家，虽然现在也有两台彩电，但是，一家三口，那天他爸爸要看个什么外国电影，他妈妈要看综艺节目，他就没辙了，只好硬着头皮来敲楼下我家的门⋯⋯哈！就这么着，我问出来，敢情他们家已经两次，把还能用的旧电视机，给了别家了⋯⋯我就跟他建议，把那头一回送人电视机的情况，写下来；他很快就写出了一稿，可是，拿来征求我的意见，我一读，就说这样不行，因为那时候你还小，不大可能有那样明晰的心理活动⋯⋯后来他就跟他爸爸商量，他爸爸写了一稿，他加工润色了一番，现在，大家听听吧，我觉得挺不错的！"

赵恒说："这里也有周曙霞的功劳，算我们三个人合作的吧！"于是他清了清嗓子，念了起来：

雪歌

雪是精灵，会唱歌。听那歌不靠耳而靠心。七年前我才懂得如何听雪歌。

七年前腊月二十七，我家迎进了 20 英寸的大彩电，儿子、妻子和我的欣喜难以形容。妻子踩着缝纫机踏板，为彩电宝宝缝制外罩，在蜂群闹花丛般的均匀声响中，我和儿子率先讨论着原有的 14 英寸黑白电视机的前途。第一方案自然是放到小单元的另一间中，以备发生"频道争夺战"时能和平相处；第二方案是抱到信托商店……争论正烈，妻子忽然停住缝纫机，双眼闪闪地说："不如送给王姨他们老两口……"

妻子嫁给我以前，杂院里曾有一户邻居，是无依无靠的一对老人，老头早从自来水公司退休，脖颈是歪的，据说小时候就落下了那残疾；老太太倒细眉长目，虽老而仍有几分秀气；因为老太太常同我后来的岳母一起领一些勾织沙发靠垫的零活儿，聚在一起边聊边干，所以妻子打小就叫她王姨，她的老伴便唤成王大爷。妻子嫁给我以后，岳母也搬了家，但妻子仍同王姨保持着联系，逢年过节提些东西去探看。儿子长大了，也渐渐熟悉了王姨。后来我们就全家去给老两口拜过几回年。老两口屋里的东西全都旧得触目惊心，但是旧而不破，屋子总拾掇得清清爽爽。我和儿子印象最深的，就是冬天他们火炉上的烟囱，因为锈蚀的空洞太多，他们就向邻居要来旧挂历，剪成纸条，一圈一圈地贴上去，说是除了做饭时，火总封着，所以绝对不会引起烟囱自燃。我们带去的猪肉、点心、水果他们总是要竭力推让，而对我们的告别他们毫不掩饰其恋恋不舍，王姨就总能引出一段"老话"，吸引已经站起来告别的我们，诱我们再坐下同他们说笑一阵。"对呀！给王姥姥他们送去！"儿子鼓起掌来。

腊月二十九，本来我们全家要一起去给王姨、王大爷送电视机，不巧家里来了我的中学老同学，我就劝妻子留下来一起招待，过了年三十再给他们送去，可妻子和儿子都说："得让他们看上春节大联欢的节目呀！"傍晚娘儿俩就乘公共汽车去了。

那晚飘起了雪花。客人走了以后，一个人独对鲜艳十三彩的荧屏，心里总在牵挂。随着时间推移，我渐渐不安起来。十点半，十一点……怎么还不回来？我忍不住了，穿上羽绒服，下楼去迎。楼区幢幢高楼扇扇楼窗灯火灿然，然而街上阒无人迹。末班车已过！我仰望着飞旋而下的雪花，忽然压下了心中的担忧和焦虑——他们是怀着美好的心情去做一件美好的事，在这美好的雪夜是不该也不会遭逢不美的人和事的！心中这么一想，忽然我觉得飞舞的雪花在吟唱着一种神秘、幽深、甜美、玄妙的旋律，啊，你这沁入我心脾的雪歌！我自信地朝前方迎去，走出一站多路……果然！两个身影，那么亲切，那么芳馨，是我亲爱的妻儿！因为喜出望外，王姨、王大爷把他们挽留过久，他们错过了末班车，便踏雪步行十站而回！

我们在一盏路灯底下会合。他们脸庞上是异样的红光，四目像最亮的星星，我挽住一个牵住一个，对他们说："听呀，听呀，雪在唱歌！"竟不用多加解释，他们和我完全默契。

那个雪夜里，我头一回铭心刻骨地意识到，给予是比获得更高级的快乐！

听完，大家不由得鼓起掌来。

当大家正要讨论时，正对窗户坐着的薛小明忽然喊道："雪歌！又有了雪歌！……"大家顺他所指望去，才发现窗外果然早已雪花飘泻。冯老师说："休息一下，听听雪歌吧！"我们便分别拥簇到图书馆的三扇窗户前，只见楼外的雪花中，远远近近、大大小小的红灯笼，活像艳美的花朵，开放在我们置身其中的生活里……

读到这儿，你会问：后来怎么样？你们的刊物，出到第几期了？你除了那引出这些个事态的那篇《有没有"盈眶班"？》，又写了些什么？能不能借你们的《善的教育》杂志看看？……

其实，《善的教育》第一期，你等于已经看全了，而且，我们热切地期盼着你的参与，你会同我们共鸣的，对吗？

熄　灭

1

下课铃响得太刺耳。楼道里太乱。同学们的谈笑声太嘈杂。街上行人太多。街角那个卖冰棍的老太婆太丑。楼门口停放的自行车太不整齐。楼梯太陡(dǒu)。我家那个单元的门漆得太绿。满单元的中药味太难闻。我那小床上铺的床单花样太俗。仰面躺下后所看见的天花板又太白。

总之，那天中午我心里头太不痛快。

妈妈匆匆地从厨房走过来问我："你怎么了？不舒服吗？"

"没有没有没有！"我翻身抱住枕头，把脸使劲埋进枕头里，免得自己真的哭出声来。

"怎么，没有考好吗？"

我没有回答她。我觉得心里火烧火燎的。我都仿佛看得见心上的火舌头，那颜色不是红的而是蓝的，就像有时候做化学实验时，酒精灯上的那种火焰。

厨房煤气灶上的药罐子扑出药汤来了，发出一阵哧哧的声响。妈妈赶紧走过去看火。我趁机坐起来，掏出手绢揉了揉眼睛。

"你不及格？"

妈妈处理完了药罐，又走过来招呼我。从她的表情上看，她根本就没有这种担心。

"得了个98分。"

妈妈听了，松了一口气，劝慰我说："哪能回回得一百呢？你能始终保持90分以上的水平，明年考重点高中，那就十拿九稳了。"

我心里头的蓝火苗儿还在一个劲往上蹿，我皱皱鼻子说："什么药，恶心劲的！"

妈妈抱歉地说："大夫说这药得空腹吃，所以我先煎出来给你姥姥凉着。我这就热饭去。98就98吧，你别怄气了。"

偏偏这时候隔壁屋的姥姥听出是我回来了，她扬声问："春杏回来了？是又考了第一吗？"

妈妈也大声回答她说："是呀，又考了第一，98分！"

妈妈这话像尖刺般扎得我心窝疼。我跺跺脚说："不是第一，不是不是不是！"

妈妈的一对眉毛跳了跳。她确实有点吃惊。自从我上初中以来，班上考数学我总是第一名，即使有几个同学也和我一样得了100分，但他们的卷面总没有我的整洁。考数学的章老师最了解我，我的卷子上是一点涂改的地方都没有的，倘若错了一点，我总是拿小剪子剪个片儿，改好了再细心地用糨糊粘上去。

"你没考第一？谁比你考得还好哇？"

我不愿意对妈妈说出那个名字，不愿意不愿意不愿意！

妈妈有点手足无措了。我学习上的拔尖状态，是她和爸爸的骄傲，他们的乐趣之一，就是当着来做客的亲友、同事们教训我不要"翘尾巴"；一旦我的尾巴不是翘着而是耷拉下来，她就像考作文的时候遇上了一个万没想到的题目，连造句都有点困难了："没考第一，也不要……不要灰心嘛。你可以……可以研究研究，看人家这回是怎么……怎么考成第一的嘛……"

研究研究？我还真研究不透！

2

那回考第一的是叶莲。

说实话，以往我真没把叶莲当回事儿。

叶莲上的小学比我次，基础比我差。初一的时候，叶莲的成绩也就是个中上等。初二的时候，叶莲的成绩得排到五名以后。没想到一上这初三，叶莲的数学成绩尤其突飞猛进，跟我一块得过三次 100 分，两次 99 分。更没想到，没有多久，她竟越过我去得了 100 分，我倒反而比她少了两分！

那天下午放学以后，我到教研室找章老师去了。

章老师好像一点也没有看出我的心情，一见我去了，他便主动乐呵呵地说："佟春杏，别生自己的气了。这样的小疏忽，就是数学家也难免偶尔有一回的。"

可是我却单刀直入地提出来："我要看看叶莲的卷子。"

章老师微微有点吃惊。他犹豫了一下，就翻出叶莲的卷子来，在我面前铺开，一边让我看，一边说："她现在和你一样，不光基础知识扎实，而且解题的路数很活，卷面也整齐干净。她原来比你毛糙，现在可比你还细心，所以……"

我心上的蓝火苗"蓬"的一下又蹿起老高。我仔细地一道一道检查叶莲的试卷，哼，她倒真会偷人家的高招，不光学着像我那样粘改写错的地方，还学着男生许恒之那样用红蓝两色铅笔画几何图形，把规定线和辅助线区分开来……

"你看叶莲的进步大不大？"章老师问我。

"真大！"

我嘴里这么说，尽可能保持着轻松的神态，可心里头却被蓝火苗儿烧得发紧发痛。

从教研组回到教室，值日的同学们已经打扫完教室，只有几个同学在做功课。

迈进教室，我一眼看见了叶莲。叶莲个子比我高，所以她的座位在我后头。我原来没注意到她的座位上有什么变化，这次特别留心地一看，才发现她的塑料磁铁文具盒旁边，确实搁着一个小药瓶改成的糨糊瓶。恰好夕阳照进教室，那小糨糊瓶闪着反光，烫着我的眼睛。我歪歪嘴角，哼了一声，不拿正眼看她，便走到自己的座位那儿去收拾书包。

谁知叶莲却主动来到我身边，用一种大惊小怪和恳求的声调说："哎呀，你这本习题集可太好啦！是打哪儿抄来的呀？这么有意思的三角函数题我还是头一回见着呢！借我回家抄一晚上，好吗？"

我一抬眼，这才发现她双手正捧着我最珍贵的硬黑封皮的手抄习题集，那是考上科技大学的小表哥送给我的，里头工工整整地抄录着书店里卖的习题集里都没有的活题，每题还附有不止一种的解法。我的解题能力，有多一半是受这本习题集启发锻炼出来的呢。

"咦，我的习题集怎么在你的手里？你干吗偷偷翻我的书包？"

我一把抢过她手中的习题集来，心上的蓝火苗儿一个劲地抖动，瞪着她，越嚷声音越凶狠："有你这样儿的吗？趁我不在，偷偷翻我的书包！你还想翻什么东西？你翻吧！翻吧！"

说着我就赌气地把书包从课桌里揪出来，摔到桌上，哗啦啦，一些没搁进书包里的书本掉到了地上。

叶莲吓得倒退了一步。她睁圆了眼睛，满脸通红，解释说："我没翻你书包啊。是刚才扫地，搬桌子的时候，从你桌子里掉出来的，我捡起来一看，才知道是习题集……"

"捡起人家的本儿，你凭什么随便就翻？老师说过，偷看人家的日记是不道德的行为！……"

"你这并不是日记啊！"

"要是呢？你先翻了，看了，这才知道是不是嘛！偷看人家的本儿，哼，偷……"

叶莲突然迈前一步，摇摇小辫儿，一点也不示弱地说："你用不着生这么大的气。我翻了你的本，不对，向你道歉。可你也该想想，你这是什么态度！"说完，转身就走，我只觉得她两根又粗又黑的长辫儿，在我眼前划出了两条平行弧线，仿佛在嘲笑我心上的蓝火苗儿。

我忍不住欠身对着她的背影嚷："我什么态度！反正我没偷看别人的秘密！"

教室里的几个同学见我俩一吵，都过来大声劝架。我谁也不理，把自己的东西全塞到书包里，背上就回家了。

3

我们的班主任有点官僚主义，同学们向她反映了我跟叶莲吵架的事，她第二天就找我去谈了话，中心是教育我"不要看不起人"。她说："你那习题集，想必全是难题。听说有的题目，光具备初中的数学知识是解不了的。你的数学已经自学到高中课程了，所以你就滋生出了一种看不起别人的思想苗头……"她以为我不借给叶莲习题集，是觉得叶莲看不懂，小看了她。我一声不吭，低着头听她讲道理。末了她还以为我接受了她的帮助呢，其实出了教研组我就想："真倒霉，浪费了我这么多时间，少做多少道题！"

这以后，我和叶莲处处互相躲闪着，可我俩在各门功课尤其是数学，暗暗地进行着竞赛。又有过两次单元测验，我俩都是一百分，所以也还难断高低。

眼看着期中考试快到了。

在这节骨眼上，偏偏姥姥病重了，住进了医院。在期中考试的前三天，医院通知，重病人需要由家属陪住。为了让我集中精力考出好成绩，妈妈爸爸加上我舅舅，他们仨包下了这个任务，我只偶尔抽空去医院看看姥姥。

临到期中考试的前一天，我正在家趴在桌子上解一道美国中学课本里的难题，妈妈突然匆匆忙忙地回到家里，焦急地对我说："这可怎么好，你爸出差，你舅舅今晚上要翻译出一份材料来；我有点感冒，护士长不让我再在那儿陪住，怕你姥姥感染……春杏呀，你就去医院陪住一宿吧。"

我一听脑袋就大了，摇晃着身子说："什么呀什么呀，人家明天还考不考试呀！"

妈妈似乎从来没像那回那样求过我："你就去一下吧，可以把这题带到医院去做嘛！"

我烦躁地说："到了医院还能做题？一会儿接尿，一会儿喂水，一会儿得给她吸氧气，还得帮着护士看点滴……"

妈妈说："你先去着。我这就找你表姐，求她帮个忙。"

我焦急地说："表姐要不能去怎么办？我明天怎么去考试？"

妈妈说："可姥姥的生命总比你的一次考试要紧啊。姥姥毕竟是你的姥姥呀！"

妈妈平时总是顺着我，所以我忍受不了妈妈这种带怨怒味道的语气。我强词夺理地说："护士长怕您感染姥姥，可我也跟您接触过，我去了不也得感染上姥姥吗？"

妈妈生气了，她头一回对我生那么大的气，绷着脸，硬声硬调地说："怪我自己没教育好女儿，光知道要分数，不懂得要亲人！"

我觉得妈妈不该把我看得那么坏，心里一委屈，鼻子就酸了，忍不住哭了起来，赌气地把桌上的本子一推，发誓说："好，我坏！我打今天起再也不要分数了，爱得多少得多少，得零蛋就得零蛋！……"

妈妈也是头一回没有怜恤我，她望了我一眼，转身就走。我听见门"砰"的一声响。

4

妈妈回来的时候，我趴在桌上睡着了。妈妈摇醒了我。她见我这么拼死拼活地钻研各种难题，心里怎能一点也不感动？加上她找妥了我堂姐去照顾姥姥，松了口气，便也不再责备我，催着我上床睡觉。我临钻被窝以前，搂着妈妈脖子说："明天我准考一百！考完我就请假去医院，接替堂姐。"

第二天我提前半小时到了学校。因为早上跑了步，所以精神格外抖擞。我注意到，叶莲直到打预备铃才进教室。她眼圈好黑，坐到位子上以后，急急忙忙松开辫子重编，瞧那副狼狈相！她昨晚准是熬了个通宵，哪找来那么多练习题？难道她也得着了一本美国中学的习题集？

发卷子了，这回是全区统考，嗬，题目还真不容易！当然它是难不住我的，我可知道这些题目在什么地方埋伏着陷阱，比如说，第二题应该有四个解，而一般人总以为求出两个解便算完事……

当你对每一道题目都充满信心的时候，参加考试就变成了一种快活的游戏，而充溢在心里的优胜感，就像一朵被春风吹开了的花儿。

教室里静悄悄，一只马蜂在不住地撞击窗玻璃，那嗡嗡嘤嘤的声音更衬托出了室内的寂静。忽然，"咣啷"一声响，吓了大伙一跳。我也不由得朝发出响声的地方望去，啊，原来是叶莲的小糨糊瓶掉到地上了。哈，她慌张了！一瞥之中，我只见她咬住下唇，额头上现出几道细细的皱纹……

考完试，我赶到医院去看姥姥。我急急忙忙走进病房。堂姐见我来了，站起来向我笑了笑。我掀开姥姥的被子看看，褥子是干的，便盆也安放得很妥帖。看看点滴，走得也正常。

堂姐小声告诉我："夜里，姥姥折腾得挺厉害，我一个人忙不过来，多亏有个跟你差不多大的姑娘，人家本来是瞧走廊那头快出院的舅舅，看我忙不过来，便主动地留在这儿，帮了一夜的忙，天亮才走……"

我正要打听那好心的姑娘是谁，忽然，床头柜上一个蔚蓝色的硬皮本儿，闯入了我的眼帘。我知道那样的硬皮本儿一般人是没有的，在我们班上，只有叶莲有。

她一共有五本呢，那是她爸爸到罗马尼亚访问时，带给她的……难道，昨晚上帮助堂姐照顾姥姥，使姥姥脱离危险的，竟会是叶莲？

我几步迈到床头柜前，拿起那个本儿。掀开硬挺的封面，只见扉页上写着："解几何题的加辅助线技巧。"……啊，这正是小表哥曾经对我讲过，而又一直没能给我找来的一份资料！准是叶莲昨晚带在身边准备参考，因为临时在这里照顾我姥姥，离开时遗落的。我多么想立即掀开看上哪怕三两例啊，可是，那回叶莲拾到了的习题集，我如何抢白她的场面又闪现出来。既然不许别人偷看我的本子，我也得管住自己，不再往下翻看！

堂姐回家休息去了，我独自一人坐在姥姥的病床边，尽量管住自己不去看那床头柜上的蓝皮本，可我心里却又总浮着一片蔚蓝色……

5

第二天一到学校，几个同学就抢着告诉我："哎呀，佟春杏，你最后一道题让章老师给扣了一分！""这回得第一的是叶莲，硬碰硬的一百分！"我一听，心里蓝火苗就又"蓬"地燃了起来。我赶紧跑到教研室去找章老师。章老师不在，可待发的考卷摆在他的桌上，头一张就是我的。一看，我就后悔得恨不能打自己几下——我在答最后一道题时，出现了一个笔误！

我也不知道自己是怎么回到教室的，只觉得仿佛大伙儿都在议论我。正当我打算坐到位子上冷静一下时，叶莲忽然出现在我的眼前，她的眼里满蓄着真诚与善意，那眼光好像一条溪水，浇在了我心中的火苗上。我想起了前天晚上她照顾我姥姥的情景，打算说句道谢的话，却又说不出来。我立刻弯腰从书包里掏出了她那个蓝皮本，送给她说："你的。我没有翻看……"

叶莲没有接她的本子，只是问："你姥姥怎么样？没有反复吗？"

我这才说出道谢的话来："多亏你帮忙，我妈妈跟我都谢谢你……姥姥已经度过危险期了……"说完这些话，我就又把那蓝皮本往她手里塞，可让她给推回来了。

"我这是专门为你抄的呀。早想给你，可老怕你不理我……前天我本来不知道那是你姥姥，后来知道了，我才特意留在那儿的……"叶莲惊异地望着我，问，"难道你没看见这里头夹着的纸条？"

我这才翻开本儿，立刻就找到了，只见纸条上写着：

春杏同学：

　　我们把两个人的资料合起来利用，不是都可以变得更聪明些吗？我觉得，生活中有比分数更重要的东西，你说呢？真希望你收下这个本子。

盼望成为你朋友的叶莲

看完纸条，我愣住了。我不知道自己该怎么办。或者说我的心告诉了我应该怎么办，可我那傲气惯了的嘴一时却不愿意张开。

幸好这时上课铃响了，叶莲冲我点点头，回到了她的座位。同学们也都各就各位，我也本能地坐下了，手里还紧紧地握着那个蓝皮本。那本里夹着的纸条化为了一道更欢快更清凉的小溪，熄灭着我心头的那些蓝色的、灼伤着别人也灼伤着我自己的火苗儿。

是的，生活中不光有比分数更重要的东西，还有比得第一名、比考进好学校更重要的东西。我们的心上会燃起各种各样的火苗，有的，应当让它熊熊燃烧；有的，却应当让它尽早熄灭！

放学了，我头一个冲出教室。我暂时还不能对叶莲讲点什么。我要赶快回到家里，把我珍藏的习题集也抄录一份，等我明天把那本子送给她时，我也会在里面夹上一张纸条。我该在那纸条上写点什么呢？……

放学的铃响得很悦耳。楼道里充满欢笑。同学们看上去都那么可亲可爱。街上的行人都很有礼貌。街角那个卖冰棍的老太婆真有趣。楼门口停放的新自行车真漂亮。楼梯真干净。我家那个单元的门漆得像一架美丽的绿色屏风。满单元的烤馒头味真好闻。我那小床上铺的床单花纹真美。仰面躺下后所看见的天花板被阳光照得真叫明亮。

妈妈匆匆地从厨房走过来问我："你又怎么了？不舒服吗？"

我大声地回答她说："我心里头特舒服，真的，妈妈！"

小猴吃瓜果

小猴跑到西瓜地里，他头一次见识西瓜，感到很有趣，摘下一个西瓜就要吃。

旁边一头小牛见他把滚圆的西瓜往嘴边送，就对他说："你大概不会吃西瓜吧？我来教你——"

小猴很不耐烦地截断小牛的话说："不用你教！不用你教！"说着他一口咬下一大块西瓜皮，嚼嚼吃掉了，生气地把咬破的西瓜往地上一扔，撇着嘴说："不好吃！不好吃！"

小牛告诉他："谁让你吃皮呢？吃西瓜，应该吃里头的瓤啊！"

小猴一蹦一蹦地跑掉了，边跑边说："吃瓜要吃瓤，这谁不知道？"

小猴跑到了香瓜棚里，伸手摘下一个香瓜，一拳把香瓜砸成两半，掏出里头的瓜瓤就往嘴里塞，旁边的小驴告诉他："吃香瓜，应该吃皮肉，瓜瓤里尽是滑溜溜的籽，不好吃！"

小猴几口把滑溜溜的香瓜籽吐出来，生气地把香瓜肉扔掉，一蹦一蹦地跑了，边跑边嘟囔："这回我记住啦，应该吃皮肉！应该吃皮肉！"

小猴蹦到了一棵核桃树旁，树上正结着绿油油的核桃果，他蹦到树上，伸手就摘果子，一只喜鹊飞来告诉他："这核桃可不能乱吃啊——"小猴马上自以为是地说："不用你多嘴啦！我知道，得吃皮肉！"说着"吭哧"就咬了一口核桃果的绿皮，这回，小猴嘴里又麻又涩，难过得他一筋斗翻下了树来，赶忙跑到小河边嗽口。小喜鹊飞过去告诉他："吃核桃，应当吃里面的核儿！"

小猴嗽完口，又一蹦一蹦地跑了。这回他跑到一棵梨树边，蹦到梨树上，摘下一个大鸭梨，在树干上七磕八碰，把果肉全部碰烂碰掉，碰得只剩一个梨核儿，这才放到嘴里吃。哎呀！他不由得又把嚼烂的渣子吐了，酸得直噈牙。喜鹊飞来问他："这回好吃了吧？"他气得摘下一个鸭梨朝喜鹊扔去，翻身下树，一蹦一蹦地朝远处跑去，边跑边嘟囔："西瓜没味儿，香瓜净是籽儿，核桃麻嘴儿，鸭梨酸牙儿……我从今再不吃这些瓜果儿！"

你说小猴错在哪儿呢？

刘心武文学活动大事记

1942 年

6 月 4 日生于四川省成都市育婴堂街。

后在重庆度过童年。

父母兄姊均热爱文学艺术，深受家庭熏陶。

1950 年

随父母迁居北京，从此定居北京。

在隆福寺小学上小学，在北京 21 中上初中。

1958 年

在北京 65 中上高中。

给若干报刊投稿，屡被退稿。

8 月，在《读书》杂志发表《谈〈第四十一〉》一文，是投稿第一次成功。

1959 年

在《北京晚报》"五色土"副刊陆续发表一些儿童诗、小小说。

为中央人民广播电台少儿部《小喇叭》（对学龄前儿童广播）编写若干节目；其中快板剧《咕咚》经编辑加工、录制后大受欢迎；"文革"中录音带被销毁；1991 年重新录制播出。

1961 年

毕业于北京师范专科学校,分配到北京 13 中任教。

至"文革"前,在《北京晚报》《中国青年报》《人民日报》《光明日报》《大公报》《北京日报》《体育报》《儿童时代》《大众电影》等报刊上发表了约 70 篇小小说、散文、杂文、评论等文章。

1966—1976 年

"文革"中,因 1964 年曾发表过一篇关于京剧的文章,以"反江青"罪名被冲击。

1974 年后再试写作,曾写一关于"教育革命"的长篇小说,由出版社联系获准脱产修改,但终未达到当时出版要求。

1976 年

写出一个大院里孩子们同坏蛋斗争的中篇小说《睁大你的眼睛》并得以出版(北京人民出版社)。

又按照当时政治要求写出一些短篇小说、散文,有的到次年才收入多人合集中出版。

调到北京人民出版社(后恢复"文革"前社名:北京出版社)文艺编辑室当编辑。

1977 年

11 月,在《人民文学》杂志发表短篇小说《班主任》,产生重大影响——被认为是"伤痕文学"的开山作,也是"新时期文学"的发端;从此成名。

从《班主任》后,写作冲破懵懂,沿着认定的方向跋涉,穿越风云,锲而不舍。

1978 年

参加《十月》杂志(开始以丛书名义出版)创刊工作,在创刊号上发表短篇小说《爱情的位置》,经转载和广播,影响巨大。

在《中国青年》杂志上发表短篇小说《醒来吧,弟弟》,反应亦极强烈。

《班主任》《爱情的位置》《醒来吧,弟弟》均被改编为广播剧,由中央人民广播电台多次广播,《醒来吧,弟弟》被搬上话剧舞台;此年发表的短篇小说《穿米黄色大衣的青年》亦由电台播出。

1979 年

在首届全国优秀短篇小说评奖中《班主任》获第一名。颁奖会上，从茅盾先生手中接过奖状。

参加中国作家协会第三次全国代表大会，被选为中国作家协会理事。

成为中华全国青年联合会常务委员，至 1993 年卸任。

9 月，参加中国作家代表团访问罗马尼亚，此系"文革"后第一个作家出访团。

在《人民文学》杂志发表短篇小说《我爱每一片绿叶》，写作技巧有长足进步。

1980 年

调至北京市文联当专业作家。

《我爱每一片绿叶》获 1979 年全国优秀短篇小说奖。

《看不见的朋友》获 1954—1979 年第二届全国少年儿童文学创作奖。

在《十月》杂志发表中篇小说《如意》，其弘扬人道主义的追求引起争议。

出版《刘心武短篇小说选》(北京出版社)。

1981 年

在《十月》杂志发表中篇小说《立体交叉桥》，引出更大争议，一些评论家认为"调子低沉"是步入了写作上的歧途，另有评论家则认为此作标志着刘心武的小说创作在反映现实、探索人性及艺术工力上均达到了新的水平。

5 月，应日本文艺春秋社邀请访问日本。

1982 年

应导演黄健中之请，改编《如意》；北京电影制片厂拍成彩色艺术片《如意》。

1983 年

11 月，参加中国电影代表团赴法国，在南特"三大洲电影节"上，《如意》在开幕式上放映，获好评；后陆续在法国、西德电视台播出。

1984 年

冬，应邀访问西德，参加"中德大学生会见活动"，并在波恩大学、波鸿大学与威尔兹堡大学介绍中国当代文学。

年底，参加中国作家协会第四次全国代表大会，再次当选为理事。

在《当代》文学双月刊第5、6期连载长篇小说《钟鼓楼》。

1985 年

出版长篇小说《钟鼓楼》(人民文学出版社)，并获第二届茅盾文学奖。

因《钟鼓楼》获北京市政府嘉奖。

7月，在《人民文学》杂志发表纪实小说《5·19长镜头》，反响强烈。

11月，又在《人民文学》杂志发表纪实小说《公共汽车咏叹调》，引起轰动。

1986 年

年初，应当代文艺出版社邀请访问香港。

6月，调中国作家协会人民文学杂志社，任常务副主编。

在《收获》杂志设《私人照相簿》专栏，进行图文交融的文本尝试。

散文集《垂柳集》出版，冰心为之作序。

1987 年

1月，被任命为《人民文学》杂志主编。

2月，《人民文学》杂志1、2期合刊发表马建写的小说《亮出你的舌苔或空空荡荡》违反民族政策，承担责任，停职检查。

9月，复职。

冬，应邀赴美国访问。参观美洲华侨日报；在哥伦比亚大学、三一学院、哈佛大学、麻省理工学院、康奈尔大学、芝加哥大学、旧金山大学、斯坦福大学、伯克利加州大学、洛杉矶加州大学、圣迭戈加州大学等处演讲，介绍中国当代文学，并参观耶鲁大学；参加爱荷华大学"作家写作中心"的纪念活动；游览华盛顿等地。

1988 年

3月，应香港《大公报》邀请，赴香港参加五十周年报庆活动；在《大公报》安排的大型报告会上作关于改革开放与文学创作的报告。

5月，应法国文化部邀请，参加中国作家代表团访问法国，除在巴黎活动外，还访问了西部港口城市圣·拉扎尔。

《私人照相簿》在香港出版（南粤出版社）。

《我可不怕十三岁》获 1980—1985 年全国优秀儿童文学奖。

以上数年中，若干小说、散文还分别获得过《当代》《十月》《小说月报》《小说选刊》《中篇小说选刊》《儿童文学》《北方文学》等杂志，《人民日报》《文汇报》等报纸刊刊的奖；拍成电视剧播出的有《没工夫叹息》《熄灭》（电视剧名《火苗》）《今夏流行明黄色》《到远处去发信》《非重点》《公共汽车咏叹调》和八集连续剧《钟鼓楼》；若干作品被英国、美国、西德、苏联、日本、瑞士、瑞典、法国、意大利等国翻译为英、德、俄、日、法、意、瑞典等文字出版；自 1987 年起被世界上有威望的英国欧罗巴出版社《世界名人录》收入词条。

1989 年

春，应香港中文大学翻译中心邀请，与妻子吕晓歌赴香港访问。

1990 年

3月，以任届期满，免去《人民文学》杂志主编职务。

香港中文大学翻译中心编译的英文小说集《黑墙与其他故事》出版。

秋，以"鱼山"笔名在《钟山》杂志发表中篇小说《曹叔》。

1991 年

出版小说集《一窗灯火》。

除小说外，开始发表大量散文、随笔。

1992 年

长篇小说《风过耳》在内地（中国青年出版社）、香港（勤＋缘出版社）分别出版，反响颇为强烈。

长篇小说《四牌楼》完稿，交上海文艺出版社出版。

《献给命运的紫罗兰——刘心武谈生存智慧》由上海人民出版社出版，受到读者欢迎。

在《收获》杂志发表中篇小说《小墩子》，后由中国电视剧制作中心改编拍摄为电视连续剧。

至该年，在海内外出版的个人专著按不同版本计已达43种。

在《红楼梦学刊》1992年第二辑上发表论文《秦可卿出身未必寒微》，在"红学"界和读者中均引起注意；另有若干《红楼梦》人物论和《红楼边角》专栏文章发表。

冬，应瑞典学院邀请（斯堪的纳维亚航空公司赞助）赴北欧访问；在挪威奥斯陆大学、瑞典斯德哥尔摩大学和隆德大学、丹麦哥本哈根大学和奥胡斯大学的东亚系汉学专业以《九十年代初的中国小说》为题作学术报告；12月7日，参加诺贝尔文学奖有关活动，听1992年得主德里克·沃尔科特发表受奖演说。

1993 年

华艺出版社出版《刘心武文集》(1—8卷)。

出版长篇小说《四牌楼》。

1994 年

1月，应台湾《中国时报》邀请赴台参加"两岸三地文学研讨会"。

《四牌楼》获上海优秀长篇小说大奖，到沪领奖。

1995 年

出版随笔集《人生非梦总难醒》(上海人民出版社)。

出版小说集《仙人承露盘》(华艺出版社)。

1996 年

出版长篇小说《栖凤楼》(人民文学出版社)。至此，由《钟鼓楼》《四牌楼》《栖凤楼》构成的"三楼"长篇小说系列竣工。

应《南洋商报》邀请赴马来西亚访问并顺访新加坡。

1997 年

应日本文化交流基金会邀请，与妻子吕晓歌访问日本。其长篇小说《钟鼓楼》、儿童文学作品《我是你的朋友》、短篇小说《王府井万花筒》等此前已相继译为日文在日本出版。

1998 年

建筑评论集《我眼中的建筑与环境》由中国建筑工业出版社出版，在建筑界产生影响。

应美国科罗拉多大学邀请，赴美参加金庸作品国际研讨会，在会上提交关于《鹿鼎记》的论文《失父：一种生存困境》。

1999 年

出版纪实性长篇小说《树与林同在》（山东画报出版社）。

出版《红楼三钗之谜》（华艺出版社）。

赴新加坡出席国际环境文学研讨会。

2000 年

应邀访问法国，并应英中协会和伦敦大学邀请，从巴黎赴伦敦讲《红楼梦》。

至此年底在海内外出版的个人专著（不含文集）按不同版本计达 101 种。

2001 年

出版包含建筑评论的随笔集《在忧郁中升华》（文汇出版社）。

在北京电视台录制播出《刘心武谈建筑》系列节目。

2002 年

出版小说集《京漂女》（中国文联出版社），自绘插图。

应澳大利亚雪梨华文写作协会邀请赴澳大利亚访问。

2003 年

以马来西亚《星洲日报》世界华人文学"花踪奖"评委身份赴吉隆坡参加相关活动。

台湾联经出版社出版小说集《人面鱼》。此前台湾已出版过刘心武多种作品，如皇冠出版社出版了《钟鼓楼》,幼狮文化事业公司出版了《四牌楼》《为他人默默许愿》（散文集）。

2004 年

赴法参加巴黎书展活动。书展上展出了译为法文的著作有小说《树与林同在》《护城河边的灰姑娘》《尘与汗》《人面鱼》《如意》与歌剧剧本《老舍之死》。

建筑评论集《材质之美》由中国建材工业出版社出版。

小说集《站冰》出版（人民文学出版社），自绘封面插图。

2005 年

出版集历年研红成果的《红楼望月》（书海出版社）。

应 CCTV-10（中央电视台科学教育频道）《百家讲坛》邀请，录制播出《刘心武揭秘〈红楼梦〉》系列节目 23 集，反响强烈，引出争议。

《刘心武揭秘〈红楼梦〉》第一、二部相继出版（东方出版社），畅销。

2006 年

应美国华美协会邀请，赴纽约在哥伦比亚大学讲《红楼梦》。

应邀参加香港书展。

出版《刘心武揭秘古本〈红楼梦〉》（人民出版社）。

2007 年

继续应邀到 CCTV-10《百家讲坛》录制节目，并出版《刘心武揭秘〈红楼梦〉》第三部、第四部（东方出版社）。

访问俄罗斯。

2008 年

出版随笔集《健康携梦人》（中国海关出版社）。

自1986年出版《垂柳集》，至此所出版的散文随笔集已逾30种。

2009 年

在《上海文学》杂志开《十二幅画》专栏，每期发表一篇写人物命运的大散文，并配发自己的画作。

4月，妻子吕晓歌病逝，著长文《那边多美呀！》悼念。

2010 年

再应CCTV-10《百家讲坛》邀请，录制播出《〈红楼梦〉的真故事》系列节目。至此在《百家讲坛》录制播出关于《红楼梦》的个人系列讲座累计达61集。

出版《〈红楼梦〉的真故事》（凤凰联动·江苏人民出版社），在争议声中畅销。

4月，应台湾新地文学社邀请赴台参加"21世纪世界华文文学高峰会议"。

出版《命中相遇——刘心武话里有画》（上海文艺出版社）。

加快《刘心武续〈红楼梦〉》的写作，次年完成推出。

至本年底，在海内外出版的个人专著，文集不算在内，重印亦不算，按不同版本计达182种（按不同书名计则为141种）。

年底，筹备编辑《刘心武文存》。

附录二 刘心武著作书目

只包括在中国大陆、台湾、香港和海外出版的书（同一著作每种版本单列）；不包括散发于报刊尚未出书的篇目，亦不包括多人合集中的篇目。第一个数字表示不同版本的排序；[ ] 中的数字表示剔除同一书名的版本后的排序；注意：文集 8 卷不参加排序。

1976 年

1.[1]《睁大你的眼睛》[儿童文学·中篇小说]

北京人民出版社 1976 年 1 月第一版

1978 年

2.[2]《母校留念》[儿童文学·小说集]

中国少年儿童出版社 1978 年 7 月第一版

1979 年

3.[3]《小猴吃瓜果》[低幼读物·画册]

少年儿童出版社 1979 年 4 月第一版

1980 年 6 月第二次印刷

4.[4]《班主任》[短篇小说集]

中国青年出版社 1979 年 6 月第一版

1980 年

5.[5]《我是你的朋友》[儿童文学·中篇小说]

北京出版社 1980 年 7 月第一版

6.[6]《绿叶与黄金》[中短篇小说集]

广东人民出版社 1980 年 8 月第一版

7.[7]《刘心武短篇小说集》

北京出版社 1980 年 9 月第一版

1981 年

8.《这里有黄金》[中短篇小说集]

广东人民出版社 1981 年 4 月第二次印刷

有平装、软精装两种

9.[8]《大眼猫》[中短篇小说集]

浙江人民出版社 1981 年 8 月第一版

1982 年

10.[9]《如意》[中篇小说集]

北京出版社 1982 年 5 月第一版

1983 年

11.[10]《中国现代作家选（Ⅲ）刘心武〈我爱每一片绿叶〉〈深谷小溪默默流〉》

[日本] 东方书店 1983 年第一版

12.[11]《同文学青年对话》

文化艺术出版社 1983 年 10 月第一版

1984 年

13.[12]《到远处去发信》[中短篇小说集]

四川人民出版社 1984 年 4 月第一版

有平装、软精装两种

14.[13]《如意》[电影文学剧本]（与戴宗安联合署名 ）

中国电影出版社 1984 年 6 月第一版

1985 年

15.[14]《嘉陵江流进血管》[中篇小说集]

陕西人民出版社 1985 年 2 月第一版

16.[15]《日程紧迫》[中短篇小说集]

群众出版社 1985 年 5 月第一版

17.[16]《我可不怕十三岁》[儿童文学集]

新世纪出版社 1985 年 8 月第一版

18.[17]《钟鼓楼》[长篇小说]

人民文学出版社 1985 年 11 月第一版

有平装、软精装两种

1986 年 5 月第二次印刷

1986 年

19.[18]《公共汽车咏叹调》[纪实小说]

湖南文艺出版社 1986 年 1 月第一版

20.[19]《都会咏叹调》[小说集]

作家出版社 1986 年 3 月第一版

21.[20]《垂柳集》[散文集]

陕西人民出版社 1986 年 4 月第一版

22.[21]《立体交叉桥》[中短篇小说集]

人民文学出版社 1986 年 6 月第一版

有平装、软精装两种

23.[22]《巴黎郁金香》[访法散文集]

群众出版社 1986 年 11 月第一版

24.[23]《木变石戒指》[中短篇小说集]

青海人民出版社 1986 年 12 月第一版

1987 年

25. *Little Monkey Triesto Eat Fruit* [科学童话·英文]

海豚出版社 1987 年第一版

有平装、精装两种

26.[24]《斜坡文谈》[文学理论]

上海文艺出版社 1987 年 4 月第一版

27.[25]《王府井万花筒》[中篇小说集]

湖南文艺出版社 1987 年 9 月第一版

有平装、精装两种

28.[26]《5·19 长镜头》[小说自选集]

四川文艺出版社 1987 年 11 月第一版

29.げくけきの友たちだ [《我是你的朋友》日译本]

[日本] 福武书店 1987 年 12 月第一版

1989 年 3 月第二版

1991 年 2 月第三版

1988 年

30.[27]《她有一头披肩发》[中短篇小说集]

台湾林白出版社 1988 年 4 月第一版

31.《钟鼓楼》[长篇小说]

香港天地图书有限公司 1988 年第一版

1993 年第二版

32.[28]《私人照相簿》[纪实文学]

香港南粤出版社 1988 年 11 月第一版

33.[29]《刘心武代表作》

黄河文艺出版社 1988 年 12 月第一版

1989 年

34.《小猴吃瓜果》[科学童话]

开明出版社、海豚出版社 1989 年 3 月第一版

35.《钟鼓楼》[长篇小说]

台湾皇冠出版社 1989 年 4 月第一版

36.[30]《一片绿叶对你说》[文艺随笔集]

河北教育出版社 1989 年 12 月第一版

1990 年

37.[31]*BLACK WALLS AND OTHER STORIES*[小说集·英译本]

香港中文大学翻译中心出版社 1990 年第一版

38.[32]《王府井万花镜》[小说集·日译本]

[日本] 德间书店 1990 年 9 月第一版

1991 年

39.《母校留念》[小说]

[日本] 骏河台出版社 1991 年 4 月第一版

40.[33]《一窗灯火》[中短篇小说集]

华艺出版社 1991 年 10 月第一版

1993 年第二次印刷

1992 年

41.[34]《列奥纳多·达·芬奇》[传记]

江苏教育出版社 1992 年 5 月第一版

42.[35]《有家可归》[散文随笔集]

广东旅游出版社 1992 年 5 月第一版

43.[36]《风过耳》[长篇小说]

中国青年出版社 1992 年 6 月第一版

1992 年 12 月第二次印刷

1993 年 3 月第三次印刷

1995 年 8 月第五次印刷

1996 年 3 月第六次印刷

44.《风过耳》[长篇小说]

香港勤＋缘出版社 1992 年 6 月第一版

45.[37]《献给命运的紫罗兰——刘心武谈生存智慧》

上海人民出版社 1992 年 6 月第一版

1992 年 11 月第二次印刷

1995 年第三次印刷

1996 年 12 月第五次印刷

46.《刘心武代表作》

河南人民出版社 1992 年 6 月第二次印刷·精装本

47.[38]《蓝夜叉》[中篇小说集]

香港勤＋缘出版社 1992 年 9 月第一版

1993 年

48.《北京下町物语》[长篇小说·《钟鼓楼》日译本]

[日本] 东京恒文社 1993 年 2 月第一版

1994 年第二版

49.[39]《为你自己高兴》[随笔集]

内蒙古人民出版社 1993 年 3 月第一版

50.[40]《杀星》[小说集]

香港勤＋缘出版社 1993 年 6 月第一版

51.《我是你的朋友》[儿童文学·中篇小说·增订本]

希望出版社 1993 年 6 月第一版

52.[41]《四牌楼》[长篇小说]

上海文艺出版社 1993 年 6 月第一版

1994 年 4 月第二次印刷

1996 年 11 月第三次印刷

53.[42]《我是怎样的一个瓶子》[随笔集]

成都出版社 1993 年 9 月第一版

54.[43]《沉默交流》[随笔集]

中国华侨出版社 1993 年 11 月第一版

55.[44]《富心有术》[随笔集]

群众出版社 1993 年 12 月第一版

1995 年第二次印刷

56.[45]《中国当代名人随笔·刘心武卷》

陕西人民出版社 1993 年 12 月第一版

☆《刘心武文集》[1—8 卷]

华艺出版社 1993 年 12 月第一版

☆《刘心武文集·〈钟鼓楼〉〈风过耳〉》(简装本)

☆《刘心武文集·〈四牌楼〉〈无尽的长廊〉》(简装本)

华艺出版社 1997 年 5 月第一版

1994 年

57.[46]《仰望苍天》[随笔集]

知识出版社 1994 年 1 月第一版

1995 年第二次印刷

东方出版中心 1996 年 7 月第三次印刷

58.[47]《男扮女妆与女扮男妆》[随笔集]

中原农民出版社 1994 年 2 月第一版

59.[48]《相对一笑》[小小说集]

中共中央党校出版社 1994 年 2 月第一版

60.[49]《秦可卿之死》[专著]

华艺出版社 1994 年 5 月第一版

61.《四牌楼》[长篇小说]

台湾幼狮文化事业公司 1994 年 8 月第一版

62.[50]《为他人默默许愿》[散文集]

台湾幼狮文化事业公司 1994 年 10 月第一版

63.[51]《中国小说名家新作丛书·刘心武卷》

海峡文艺出版社 1994 年 11 月第一版

64.[52]《红楼梦(缩写本)》

接力出版社 1994 年 12 月第一版

1995 年第二次印刷

1997 年 9 月第三次印刷

1995 年

65.[53]《人生非梦总难醒》[名人日记·随笔集]

上海人民出版社 1995 年 1 月第一版

1995 年 3 月第二次印刷

66.[54]《仙人承露盘》[中短篇小说集]

华艺出版社 1995 年 3 月第一版

67.[55]《女性与城市》[杂文集]

中国城市出版社 1995 年 6 月第一版

68.《我是你的朋友》[增订版·"小学生成才书架"系列之一]

希望出版社 1995 年 10 月第一版

69.《在胡同里转悠》[随笔集]

陕西人民出版社 1995 年 11 月第二次印刷

70.[56]《刘心武海外游记》

华文出版社 1995 年 12 月第一版

1996 年

71.[57]《刘心武小说精选》

太白文艺出版社 1996 年 2 月第一版

72.[58]《开发心大陆》[随笔集]

吉林人民出版社 1996 年 3 月第一版

1997 年 3 月第二次印刷

73.[59]《你哼的什么歌》[散文集]

湖南文艺出版社 1996 年 6 月第一版

74.[60]《刘心武张颐武对话录——"后世纪"的文化了望》

漓江出版社 1996 年 7 月第一版

75.[61]《边缘有光》[随笔集]

汉语大辞典出版社 1996 年 8 月第一版

76.[62]《刘心武怪诞小说自选集》

漓江出版社 1996 年 8 月第一版

有平装、精装两种

77.[63]《我是刘心武》

团结出版社 1996 年 9 月第一版

78.[64]《刘心武》[中国当代作家选集丛书]

人民文学出版社 1996 年 10 月第一版

79.[65]《刘心武杂文自选集》

百花文艺出版社 1996 年 11 月第一版

80.《秦可卿之死》[修订本]

华艺出版社 1996 年 11 月第二版

81.[66]《栖凤楼》[长篇小说]

人民文学出版社 1996 年 12 月第一版

1998 年 3 月第二次印刷

1997 年

82.[67]《封神演义（缩写本）》

接力出版社 1997 年 1 月第一版

1997 年 9 月第二次印刷

83.[68]《胡同串子》［中短篇小说集］

北京燕山出版社 1997 年 8 月第一版

84.《私人照相簿》

上海远东出版社 1997 年 9 月第一版

1998 年 2 月第二次印刷

2000 年换封面版权页称 2000 年 6 月第二次印刷

85.[69]《中国儿童文学名家作品精选丛书·刘心武作品精选》

河北少年儿童出版社 1997 年 8 月第一版

86.[70]《把嘴张圆》［随笔集］

上海远东出版社 1997 年 12 月第一版

1998 年

87.[71]《我眼中的建筑与环境》［建筑评论随笔集］

中国建筑工业出版 1998 年 5 月第一版

1999 年 5 月第二次印刷

2000 年 6 月第三次印刷

2001 年 6 月第四次印刷

88.《钟鼓楼》［茅盾文学奖获奖书系］

人民文学出版社 1998 年 3 月第一次印刷

1998 年 7 月第二次印刷

1998 年 8 月第三次印刷

1999 年 3 月第四次印刷

2000 年 1 月第五次印刷

2001 年 1 月第六次印刷

2001 年 8 月第七次印刷

2002 年 8 月第八次印刷

2003 年 1 月第九次印刷

1999 年

89.[72]《树与林同在》[非虚构长篇小说]

山东画报出版社 1999 年 3 月第一版

2006 年 7 月第二次印刷

90.[73]《八十六颗星星》(*The Eighty-Six Stars*)[儿童文学小说·汉英对照]

希望出版社 1999 年 6 月第一版

91.[74]《红楼三钗之谜》[刘心武红学探佚精品]

华艺出版社 1999 年 9 月第一版

92.[75]《蓝玫瑰》[中短篇小说集]

中国华侨出版社 1999 年 10 月第一版

93.[76]《过隧道的心情》[随笔集]

华东师范大学出版社 1999 年 12 月第一版

2000 年

94.[77]《一切都还来得及》[随笔集]

中国青年出版社 2000 年 1 月第一版

95.[78]《善的教育》[儿童文学]

辽宁少年儿童出版社 2000 年 2 月第一版

96.[79] Le Talisman (version bilingue)[《如意》中、法文对照版]

Librarie You Feng 2000 年 4 月第一版

97.[80]《作家刘心武〈班主任〉手迹》

线装书局 2000 年 5 月第一版

98.[81]《楼前白玉兰》[小小说集]

中国广播电视出版社 2000 年 7 月第一版

99.[82]《刘心武侃北京》

上海文艺出版社 2000 年 10 月第一版

100.[83]《我爱吃苦瓜》[茅盾文学奖获奖作家散文精品]

广州出版社 2000 年 10 月第一版

2002 年 10 月第二次印刷

101.[84]《了解高行健》

香港开益出版社 2000 年 12 月第一版

2001 年

102.[85]《亲近苍莽》

中国旅游出版社 2001 年 1 月第一版

103.[86]《在忧郁中升华》

文汇出版社 2001 年 2 月第一版

《刘心武谈建筑——在忧郁中升华》2007 年 8 月第二次印刷

104.[87]《人在风中》

作家出版社 2001 年 8 月第一版

105.《风过耳》

时代文艺出版社 2001 年 10 月第一版

有平装、精装两种

2002 年

106.[88]《京漂女》(自绘插图)

中国文联出版社 2002 年 1 月第一版

107.[89]《深夜月当花》

中国工人出版社 2002 年 1 月第一版

108.[90]《春梦随云散》

人民文学出版社 2002 年 4 月第一版

109.[91]《藤萝花饼》

台湾二鱼文化事业有限公司 2002 年 4 月第一版

110.[92]《刘心武自述》

大象出版社 2002 年 10 月第一版

2003 年

111.[93] L'arbre et la forêt [《树与林同在》法译本]

Bleu de Chine 2003 年 1 月第一版

112.[94]《人面鱼》

台湾联经出版事业股份有限公司 2003 年 2 月初版

113.[94] La Cendrillon Du Canal [《护城河边的灰姑娘》法译本]

Bleu de Chine 2003 年 4 月第一版

114.[95]《画梁春尽落香尘》["红学"专著]

中国广播电视出版社 2003 年 6 月第一版

2003 年 9 月第二次印刷

2004 年 1 月第三次印刷

2005 年 6 月第四次印刷

115.[96]《眼角眉梢》

新华出版社 2003 年 8 月第一版

116.[97]《钟鼓楼》[初中生语文新课标必读]

人民日报出版社 2003 年 9 月第一版

117.[98]《天梯之声》

中国青年出版社 2003 年 10 月第一版

2004 年

118.[99] Poussiêre et sueur [《尘与汗》法译本]

Bleu de Chine 2004 年 1 月第一版

119.[100] La mort de Lao SHe [《老舍之死》歌剧剧本法译本]

Bleu de Chine 2004 年 3 月第一版

120.[101] Poisson à face humaine [《人面鱼》法译本]

Bleu de Chine 2004 年 3 月第一版

121.《如意》[电影伴读中国文学文库·附电影光盘]

中国青年出版社 2004 年 1 月第一版

122.[102]《泼妇鸡丁》

台湾二鱼文化事业有限公司 2004 年 4 月第一版

123.[103]《在柳树臂弯里——刘心武随笔》

光明日报出版社 2004 年 5 月第一版

124.[104]《材质之美——刘心武城市文化酷评》

中国建材工业出版社 2004 年 5 月第一版

125.[105]《站冰——刘心武小说新作集》(自绘插图)

人民文学出版社 2004 年 6 月第一版

126.《四牌楼》

上海文艺出版社 2004 年 8 月第二版

127.[106]《大家文丛: 刘心武》

古吴轩出版社 2004 年 8 月第一版

2005 年

128.《钟鼓楼》(中国文库·文学类)

人民文学出版社 2005 年 1 月第一版第一次印刷（平装）

2005 年 1 月第一版第一次印刷（精装）

129.《钟鼓楼》(茅盾文学奖获奖作品全集之一)

人民文学出版社 1985 年 11 月第一版、2005 年 1 月第一次印刷

2005 年 5 月第二次印刷

2005 年 7 月第三次印刷

2006 年 3 月第四次印刷

2008 年 4 月第七次印刷

2009 年 8 月第八次印刷

2010 年 1 月第九次印刷

2011 年 7 月第 15 次印刷

2011 年 9 月第 16 次印刷

2011 年 11 月第 17 次印刷

130.[107]《心灵体操》

时代文艺出版社 2005 年 1 月第一版

131.[108]《刘心武作文示范》

少年儿童出版社 2005 年 1 月第一版

132.[109] La Démone bleue（《蓝夜叉》法译本）

Bleu de Chine 2005 年第一版

133.[110]《红楼望月》

书海出版社 2005 年 4 月第一版

2005 年 6 月第二次印刷

2005 年 7 月第三次印刷

2005 年 8 月第四次印刷

2005 年 9 月第五次印刷

2005 年 9 月第六次印刷

134.[111]《刘心武揭秘〈红楼梦〉》

东方出版社 2005 年 8 月第一版

至 2005 年 19 月共十三次印刷

2005 年 11 月第二版

至 2005 年 12 月已第十八次印刷

至 2007 年 7 月已第二十八次印刷

2007 年 12 月第三十次印刷

2008 年 4 月第三十二次印刷

135.《红楼解梦——画梁春尽落香尘》

中国广播电视出版社 2005 年 9 月第二版第五次印刷

136.《楼前白玉兰——刘心武最新小小说集》

中国广播电视出版社 2005 年 9 月第二版第二次印刷

137.[112]《刘心武揭秘〈红楼梦〉》[第二部]

东方出版社 2005 年 12 月第一版

至 2007 年 7 月已第十五次印刷

2007 年 12 月第十七次印刷

2008 年 4 月第十九次印刷

138.[113]《刘心武解读人世情》

时代文艺出版社 2005 年 12 月第一版

139.[114]《刘心武感悟平常心》

时代文艺出版社 2005 年 12 月第一版

2006 年

140.[115]《刘心武自选集》

云南人民出版社 2006 年 1 月第一版

141.[116]《刘心武点评〈红楼梦〉》

团结出版社 2006 年 1 月第一版

142,《刘心武精品集·第一卷·钟鼓楼》

东方出版社 2006 年 1 月第一版

143.《刘心武精品集·第二卷·四牌楼》

东方出版社 2006 年 1 月第一版

144.《刘心武精品集·第三卷·栖凤楼》

东方出版社 2006 年 1 月第一版

145.《刘心武精品集·第四卷·献给命运的紫罗兰》

东方出版社 2006 年 1 月第一版

146.[117]《戴敦邦绘刘心武评〈金瓶梅〉人物谱》

作家出版社 2006 年 4 月第一版

147.[118]《红楼拾珠》

云南人民出版社 2006 年 5 月第一版

148.[119]《藤萝花饼》

云南人民出版社 2006 年 5 月第一版

149.《刘心武揭秘〈红楼梦〉》[第一部]

台湾好读出版有限公司 2006 年 6 月初版

150.《刘心武揭秘〈红楼梦〉》[第二部]

台湾好读出版有限公司 2006 年 6 月初版

151.《我是刘心武》

天津人民出版社 2006 年 8 月第一版

152.[120]《刘心武揭秘古本〈红楼梦〉》

人民出版社 2006 年 12 月第一版

同月第二次印刷

2007 年

153.[121]《四棵树》

二十一世纪出版社 2007 年第一版

154.[122]《用心去游》

上海三联书店 2006 年 12 月第一版

2007 年 1 月第一次印刷

155.[123] Dés de poulet façon mégère [《泼妇鸡丁》法译本]

Bleu de Chine 2007 年 4 月第一版

156.《一切都还来得及》

中国青年出版社 2005 年 5 月第一版

157.[124]《刘心武揭秘〈红楼梦〉》[第三部·黛玉之谜及古本之秘]

东方出版社 2007 年 7 月第一版

至 2007 年 8 月已第四次印刷

2007 年 12 月第六次印刷

2008 年 3 月第七次印刷

158.[125]《刘心武说世道人心》

中国青年出版社 2007 年 7 月第一版

159.[126]《刘心武说寻美感悟》

中国青年出版社 2007 年 7 月第一版

160.[127]《刘心武说草根情怀》

中国青年出版社 2007 年 7 月第一版

161.[128]《长吻蜂》

上海人民出版社 2007 年 8 月第一版

162.《私人照相簿》

华龄出版社 2007 年 10 月第一版

163.《善的教育》

华龄出版社 2007 年 10 月第一版

164.[129]《刘心武揭秘〈红楼梦〉》[第四部·宝钗湘云之谜暨红楼心语]

东方出版社 2007 年 11 月第一版

2008 年 3 月第三次印刷

2008 年

165.[130]《健康携梦人》

中国海关出版社 2008 年 4 月第一版

善 的 教 育

166.[131]《刘心武小说》

吉林文史出版社 2008 年 5 月第一版

167.[132]《刘心武散文》

吉林文史出版社 2008 年 5 月第一版

2009 年

168.《钟鼓楼》(共和国作家文库)

作家出版社 2009 年 4 月第一版

169.《四牌楼》(共和国作家文库)

作家出版社 2009 年 4 月第一版

170.[133]《人在胡同第几槐》

中国文联出版社 2009 年 6 月第一版

171.《钟鼓楼》(新中国 60 年长篇小说典藏)

人民文学出版社 2009 年 7 月第一版

172.[134]《刘心武短篇小说》

现代教育出版社 2009 年 8 月第一版

173.[135]《刘心武中篇小说》

现代教育出版社 2009 年 8 月第一版

174.[136]《刘心武散文随笔》

现代教育出版社 2009 年 8 月第一版

175.《刘心武揭秘〈红楼梦〉》上卷 (共和国作家文库)

作家出版社 2009 年 8 月第一版

176.《刘心武揭秘〈红楼梦〉》下卷 (共和国作家文库)

作家出版社 2009 年 8 月第一版

2010 年

177.[137]《人情似纸》

江苏文艺出版社 2010 年 1 月第一版

178.[138]《红楼梦八十回后真故事》

江苏人民出版社 2010 年 3 月第一版

179.[139]《刘心武小说精选集》

[台湾] 新地文化艺术有限公司 2010 年 4 月第一版

180.《红楼望月》

江苏人民出版社 2010 年 6 月第一版

2010 年 9 月第二次印刷

181.[140]《命中相遇——刘心武话里有画》

上海文艺出版社 2010 年 7 月第一版

182.[141]《红楼眼神》

重庆出版社 2010 年 9 月第一版

2011 年

183.[142]《刘心武续红楼梦》

江苏人民出版社 2011 年 3 月第一版

江苏人民出版社 2011 年 4 月第 4 次印刷

184.[143]《红楼梦》(曹雪芹著刘心武续)

江苏人民出版社 2011 年 3 月第一版

185.《刘心武续红楼梦》[繁体字竖排本]

香港明报出版社有限公司 2011 年 3 月初版

186.《刘心武揭秘〈红楼梦〉》精华本（一）

江苏人民出版社 2011 年 4 月第一版

187.《刘心武揭秘〈红楼梦〉》精华本（二）

江苏人民出版社 2011 年 4 月第一版

188.《刘心武揭秘〈红楼梦〉》精华本（三）

江苏人民出版社 2011 年 4 月第一版

189.《刘心武揭秘〈红楼梦〉》精华本（四）

江苏人民出版社 2011 年 4 月第一版

190.《刘心武续红楼梦》[繁体字竖排本]

台湾城邦文化事业股份有限公司商周出版 2011 年 4 月第一版

191.《〈红楼梦〉的真故事》

台湾人类智库数位科技股份有限公司 2011 年 6 月第一版

192.[144]《听刘心武说房子的事儿》

中国商业出版社 2011 年 8 月第一版

193.[145]《刘心武心灵随感》

时代文艺出版社 2011 年 11 月第一版

2012 年

194.[146]《刘心武种四棵树》

漓江出版社 2012 年 1 月第一版

195.[147]《风雪夜归正逢时——我是刘心武》

漓江出版社 2012 年 1 月第一版

196.《献给命运的紫罗兰》

漓江出版社 2012 年 1 月第一版

197.[148]《人生有信》

江苏人民出版社 2012 年 3 月第一版

198.Poussiêre et sueur [《尘与汗》法译本 folio 袖珍版]

Gallimard 2012 年 8 月出版

199.La Cendrillon du canal [《护城河边的灰姑娘》法译本 folio 袖珍版]

Gallimard 2012 年 8 月出版